PLUMAS Y PALABRAS

TEMAS
HISPÁNICOS

MANUEL AZAÑA

PLUMAS Y PALABRAS

EDITORIAL CRÍTICA
Grupo editorial Grijalbo
BARCELONA

1.ª edición: Compañía Iberoamericana de Publicaciones, S. A., Madrid, 1930.
2.ª edición: Editorial Crítica, S. A., Barcelona, 1976.
Cubierta: Alberto Corazón
© 1976: Dolores de Rivas Cherif, viuda de Azaña, México, D.F.
© 1976 de la presente edición para España y América: Editorial Crítica, S. A.,
   plaza Eguilaz, 8 bis, Barcelona - 17
ISBN: 84 - 7423 - 005 - 5
Depósito legal: B. 54453 - 1976
Impreso en España
1976. Gráficas Diamante, Zamora, 83, Barcelona - 5

REVISTAS

EL *IDEARIUM* DE GANIVET

En este Madrid jamás sabe uno a qué carta quedarse en el juego de las valoraciones literarias. El silencio envuelve por igual a muertos y a vivos, o, peor aún, los envuelve la alabanza pegajosa de los estúpidos, especie de engrudo que deja al artista y a cuanto representa, inabordable e intocable. Cualquier pretexto es bueno para eximir a la inteligencia de la penosa y comprometida función de juzgar; penosa porque es esfuerzo, y comprometida porque la opinión propia, si es libre y expresa, puede ahuyentar a una clientela, o enojar al patrón, o frustrar la esperanza de un destino de seis mil reales. A los grandes se les deja dormir en sus hornacinas por puro respeto. No se nos ha olvidado que al morir Galdós opinó don Antonio Zozaya que la pretensión de criticar la obra de don Benito era empresa superior a la inteligencia humana. A los menores se les dispensa el amistoso favor de desdeñarlos. Madrid, tan conservador en todo, lo es más que nada en literatura, por falta de discernimiento. Ante valores coetáneos de los toros de Guisando, tenidos por actuales, todavía es de ritual quitarse el sombrero; subsisten, como el buen paño que no se vende en el fondo del arca, a fuerza de no usarlos. Acuñada una reputación, no corre peligro de desgastarse nunca, por la sencilla razón de que no circula. Muere un escritor. Pasarán años, lustros, siglos acaso: no se observará que sus obras se reimpriman, ni que se le dediquen artículos o libros, ni que se hable de él entre gente de letras, ni quedará ya rastro de su influjo en la literatura viviente. «Este es un escritor olvidado» —dirá para sí el discreto—. Error. Un accidente basta para demostrarlo: si el azar de una lectura, de un viaje, o una fogarada de patriotismo local encienden un pecho ingenuo en admiración súbita, se apresura a comunicar al público su descubrimiento: trátase de vindicar una gloria perdida. A esa voz responden las ranas desde sus charcos. Resulta que todas las ranas de la península venían infundiendo en sus renacuajos ese mismo culto. Muévese gran estruendo. Así el ladrido de un can suscita en el silencio de la noche el ladrar de los demás canes de la aldea. Alborotan hasta reventar. Luego se abate sobre el escritor otra montaña de silencio, que puede tener la densidad y la duración de la gran pirámide de Egipto.

De tales explosiones suele quedar memoria: una estatua, el nombre de una calle, una lápida en gerundio. Si el héroe o genio no tomó la precaución de marcharse a la tierra sin dejar huella, está, además, expuestísimo a que le zarandeen el esqueleto. En España, lo primero que se hace con los hombres ilustres es desenterrarlos. Del cadáver con pretensiones de celebridad que no ha sido «reivindicado» alguna vez, bien se puede creer que usurpa su fama. La manía de la exhumación sopla por ráfagas, como la del suicidio o la del desafío. Hace años, el Parnaso español pudo temer que era llegado el día del juicio final: no dejábamos a nadie yacer tranquilo. Hubo un ir y venir de ataúdes y un trasiego de huesos que apestaba. Los poetas, siempre desvalidos, no se defienden. No así un santo que hay en mi pueblo, hecho carne momia, en una caja de sándalo y plata que huele muy bien, a santidad. Un obispo quiso traérselo a Madrid, y el santo no lo consintió en manera alguna. Apenas la procesión que se lo llevaba salía por las puertas del pueblo, se nubló el sol, comenzó a llover, se desbordó el río, y los fieles, gritando: ¡milagro!, ¡milagro!, obligaron a devolver el santo a su iglesia. Asegundó el obispo con otra tentativa, y el santo volvió a llover y a tronar y a sacar el río de madre, con lo que para siempre lo dejaron en su capilla y en su cofre. Las glorias de tejas abajo, menos *bien en cour,* no pueden desencadenar los elementos naturales sobre esas comisiones gestoras y juntas de centenario que, con estilo de comité electoral suburbano, hablan de «timbres» y de «florones», y se arrojan sobre los restos gloriosos para llevarlos de una parte a otra, representando a lo vivo la fábula del asno cargado de reliquias...

En estos días que corren, la gloria póstuma de Ganivet padece un recrudecimiento eruptivo. Se habla de él en algunas casas doctas; algún periódico vocifera su nombre; responden a tal clamor ecos de provincias remotas. Ganivet reaparece con igual reputación que tuvo en los comienzos del siglo, cuando un golpe de mano de la crítica lo impuso audazmente a la devoción del público: la de inventor de España; apóstol y fundador de la patria espiritual venidera. La persistencia de los lugares comunes que con periodicidad mensurable se condensan en torno de Ganivet revelan, o que no se le lee, o el desuso del juicio. Si este escritor estuviera tan presente en nuestro ánimo como suele afirmarse, la mente, al surcarlo, no lo respetaría como a un fetiche. Creo más bien que a Ganivet se le lee de joven, y no se le echa de menos en la edad madura. Los que leyeron a Ganivet hace veinte años y conservan el recuerdo de una impresión considerable, vuelvan a leerlo y a leerlo despacio, confrontándolo con las cuestiones serias que atacó: hallarán un caso personal interesante, una tragedia intelectual, pero de su obra se encontrarán a una distancia igual al progreso cumplido por el espíritu del lector en punto a reflexión y orden y en el dominio de sus medios y de los problemas.

Ganivet es el tipo acabado del autodidacto, de cultura desordenada y retrasada, mente sin disciplina. Grande es la actividad de su espíritu; lee, medita; escribe alguna vez. Todo lo va a poner en tela de juicio. Quiere llegar a la «fuerza madre», aislar «el eje diamantino alrededor del cual giran los hechos del diario vivir», esculpir con sus manos su propia alma. Pero siempre se nos aparece como abrumado y aterrado por los problemas mismos, y escapándose de ellos mediante una pirueta. En el fondo es que sólo le interesa su propia persona. La fugacidad de la vida, la inutilidad del esfuerzo, ensombrecen su ánimo; impropera al Destino que no le permite escribir su nombre en la esfera celeste. No conoce la ternura ni el amor, ni la naturaleza apacible. Su desesperación es sombría y seca. Se resiste a aceptar la vida; y puesto que el vivir carece de objeto, le dará de su persona lo menos que pueda, encastillándose en su fiera soledad. Es un bilioso, huraño; vive «requemado física y moralmente»; es misántropo y misógino; en rigor, poco sensible: eso es lo que le faltó para ser un gran artista.

Tal es Ganivet en el *Epistolario,* breve colección de cartas que despiertan la maligna curiosidad de conocer no tanto las ulteriores epístolas del autor como las de su amigo y corresponsal Navarro Ledesma. Un biógrafo con más doctrina y mejor gusto que Navarro, menos ofuscado por la amistad, no tan propenso al énfasis españolista, más delicado y sutil, en suma, habría escrito en torno a Ganivet un libro magnífico probablemente; el hombre mismo, su ambición intelectual, su locura y su muerte y aquel su sentimiento trágico del vacío y de la insipidez de la existencia, son por sí solos temas fecundos; pero, tratados históricamente, haciendo surgir a Ganivet del medio en que se crió y no se educó, hubiesen sido el germen de un libro que aún no existe y que acaso ya nadie lo escriba: tan difícil es restituir el ánimo al punto crítico de fines de siglo. Está por hacer el drama del español que, en el umbral de la madurez, cuando ya ha conseguido despojarse de los harapos con que vistieron su inteligencia juvenil, entrevé su fracaso y descubre que no le restan medios ni tiempo para advenir a los órdenes superiores de la cultura. Tal fue íntimamente el conflicto en que sucumbió Ganivet, víctima de esta época que no entendía ni entiende la pasión intelectual; conflicto que a pocos perdona, del que unos se evaden arrojándose a ciegas en el histrionismo, y que otros devoran para sí, con la triste certidumbre de haber marrado el blanco. Sólo no arriesgan nada los que, mejor orientados, empeñan desde luego su talento, grande o chico, en las batallas del arribismo, donde no se pierde más que la vergüenza. En Ganivet, sobre la desproporción entre los fines y los medios, hállase además una prevención hostil contra el ambiente europeo en que espiritual y físicamente tenía que vivir sumergido. Él no lo dice. Acaso no se da cuenta. Con todo, cree uno verle a dos dedos de considerar la civilización entera como una engañifa, y la historia de los pueblos cultos como una inmensa mistificación. En esto es muy de su raza, donde pululan los hombres (sobremanera odiosos) a quien «no se la da nadie». Ganivet es demasiado propenso a explicar los hechos históricos (los verdaderos y los imaginados) por pequeñas causas. Esa hostilidad estrecha el encierro en que ya él de por sí estaba puesto. No acertó a librarse. Si hubiera amado más, habría coqueteado menos y la salvación hubiese sido posible. Se excedió en aplicar por medida su existencia personal. Y cuando cree haber llegado al «eje diamantino», abandona cabalmente toda veleidad crítica y apacienta, en páginas de noble contextura, los sentimientos nacionales hereditarios y las esperanzas españolas marchitas.

Navarro Ledesma, que no escribió la biografía posible de Ganivet (y perdió el tiempo en escribir la de Cervantes), proclamó desde la tribuna del Ateneo la misión del autor del *Idearium*: «...si existe una España joven, robusta, pensadora, valiente y capaz de

redimirse por los hechos y por las obras del espíritu, el alma de
esa España debe identificarse con el alma de aquel Ganivet, el filósofo, el poeta, el patriota, el inmortal». Cierto: un hombre inteligente no se encuentra todos los días, ni aun entre literatos; pero
Ganivet fue mucho más que eso. Ganivet fue el primer superhom-
bre, precursor de la humanidad futura, tipo moral y físico perfecto, con su pequeña cabeza y su sotabarba: «...era un hombre único
y señero, distinto y desligado en todo y por todo de los demás seres
humanos: un eslabón roto de esta servil cadena que humanidad se
llama: era más, mucho más que el vulgar *homo sapiens,* codeado y
despreciado aquí y allá diariamente... No creo desvariar afirmando
que era mi amigo un extraño ser, precursor de razas futuras, en
las que, por virtud de no sé qué misteriosas selecciones, llegarán a
condensarse calidades y partes meramente humanas con otras de tipos zoológicos más antiguos y más fuertes...». Bien. La arenga de
Navarro fue aclamada en el Ateneo. Pasó entonces por el cenit la
estrella de Ganivet y lograron sus escritos relativa difusión. Su figura de profeta y sus ideas llegaban a tiempo. Hablando de España,
era el único que hablaba de ella con amor y dolor sin perder el
recato; no agredía, no injuriaba; no se le vio retorcerse en bascas de
iracundia fluente; sus esperanzas y los juicios históricos en que las
fundaba, caían sobre el lacerado corazón español como bálsamo leni-
tivo. De entre las confusas memorias que nos restan de tales años,
sobresale la actitud general de criticismo acerbo, petulante, tan poco
informado y tan miope como la gárrula oquedad españolista tron-
chada por la guerra. El pesimismo era un refugio de la vanidad; una
tabla de salvación personal. A los españoles de entonces, tanto como
el hecho mismo de su reciente derrota, les avergonzaba el sentimiento de haber hecho el ridículo. Les gustaba recibir badilazos en los
nudillos: Costa les llamaba brutos, puercos, eunucos, y se hundía el
firmamento con los aplausos. Tal estado de cosas no podía durar
mucho: fue mudándose en cuanto expiraron, sin catástrofe, los pla-
zos señalados por Costa, y en cuanto los españoles se dieron de
bruces contra este hecho: que el seguir siendo un pueblo es una
carga que no se dimite sin más ni más y cuando se quiere. Ciertos
escritos absolutorios de Ganivet —radicalmente opuestos a ese estado de ánimo— fueron muy bien recibidos. Al fin se hacía justicia
por un hombre moderno, librepensador, y que (¡cómo no había de
estar enterado!) escribía desde el extranjero. Fue sobre todo bien

recibido por los jóvenes posteriores al «iconoclastismo». Había surgido un nombre que poder alabar, al menos en público, sin ponerse en ridículo. ¡Qué descanso para las pobres almas, fatigadas de ser maldicientes! ¡Qué gozo poder abandonar una postura incómoda, aflojar los músculos faciales contraídos por una mueca de altivez, de hosquedad, y olvidar la propia y abrumadora importancia para dar vado a los instintos de probidad y bondad que pocos pierden en absoluto! La causa profunda de la exaltación de Ganivet al rango de guía y maestro de una España venidera consiste acaso, más que en la sustancia ideal de sus escritos, en una coincidencia de problemas de juventud. Todo Ganivet es un afanoso tanteo de la vocación. La España de principios de siglo, inorientada, empezaba por preguntarse qué podría hacer, y los jóvenes, sobre todo los jóvenes, los que aun no sabían *a qué generación iban a pertenecer,* se revolvían, como Ganivet se revolvió, en un enredijo de cuestiones previas.

Ganivet —dice en alguna parte Unamuno— hubiera rechazado el calificativo de intelectual. Era ante todo un hombre; un creador... Cierto; pero aspiró a crear por el pensamiento, y a la energía, persistencia y profundidad de su pensar sacrificó no pocos ornamentos de la vida. Quería ser independiente, como en todo, en la función mental. Pretendía elaborar nuevas ideas, o ensayaba combinaciones nuevas de ideas recibidas. Este es un mérito que debe tenérsele muy en cuenta, porque estamos en España, donde (y sobre todo en su tiempo) el oficio de escritor público no supone siquiera la posesión de las primeras letras, y menos todavía del hábito de discurrir. Escritores de fama hemos conocido que, tras de publicar una veintena de volúmenes, han podido llevarse la mano al cráneo diciendo: «¿Para qué servirá esto que bulle dentro?». Lo único que puede hacer creer en el reverdecimiento probable del espíritu español es el hecho manifiesto de haberse enriquecido el caudal de ideas circulantes, la apetencia más viva de adquirirlas y el afán —incluso indiscreto, pueril— de lucirlas. Pero Ganivet, ¿fue tan independiente como él se propuso y se figuraba ser? Su noble esfuerzo, ¿se ha visto recompensado por algo verdaderamente nuevo ni, sobre todo, de suficiente solidez? No lo creo. Le faltaba quizás técnica; de fijo le faltaba información; cuando rehace la fisonomía de España está preso de sugestiones emocionantes, pero deleznables; pretende resolver ciertos problemas cuyos simples datos sólo una crítica severa podrá algún día fijar.

De todos los escritos de Ganivet, el *Idearium Español* es el que más nos importa por el momento. El *Idearium* es un libro «inspirado». Le inspira el amor a España, el sentimiento patriótico. Su móvil profundo es la necesidad de no verse —en cuanto español— solo, perdido en la historia, y el consiguiente deseo de poner a salvo los valores que naufragaban. El sentido general del *Idearium* es de reacción anticrítica; su espíritu, de conformidad con la tradición, que es especiosa, y como siempre, saca del mero hecho de haberse ido formando la razón mayor para subsistir e imponerse. Tal género de escritos rara vez evitan el peligro de alterar frívolamente las representaciones históricas. Pueden estar bien como efusión lírica, pero entremeter el sentimentalismo vago en tratados de filosofía de la historia, si es bueno para consolarse de añoranzas, lleva en derechura a confundir una emoción con un juicio, y al amparo de un goce estético pasan de contrabando, como verdades probadas, las imaginaciones del autor. En el *Idearium,* libro atrayente, entre otros motivos por el calor y la honrada intención con que está escrito, ese defecto es obvio, así como la flaqueza y confusión del discurso. No siempre se sabe cuándo el autor expone y cuándo aprueba. Pasa con excesiva sencillez de la crítica al donaire. Pretende explicar demasiadas cosas a fuerza de alegorías, y en lugar de poner al descubierto la raíz de un hecho, lo envuelve en una paráfrasis, en algo superpuesto que coincide con su forma, pero sin declararla más. Su propensión a pararse en simples diferencias verbales entre las cosas, o, por el contrario, a establecer meras analogías verbales entre las cosas, no le acredita de sutil. Enjuiciar las opiniones de Ganivet ni discutirlas a fondo, no me interesa por el momento. Metidos en la esfera de lo opinable, peor es tachar una opinión de infundada que de errónea. Corresponde al talento del escritor conferir a sus opiniones, si no tal fuerza que subyugue el asentimiento, cuando menos autoridad que permita tomarlas en serio. La autoridad se otorga al discurso bien trabado, al rigor del razonamiento en cuyo cabo la opinión florece. La crítica, empezando por Navarro, sube a Ganivet al predicamento de pensador, cuando no de filósofo. De ahí la conveniencia de probar que la fuerza del *Idearium* estará donde se quiera, menos en la agudeza y trabazón del raciocinio. El fondo invisible del libro es una polémica sobreentendida, resuelta en el espíritu del autor antes de ponerse a escribir; nos brinda las conclusiones. Demasiadas veces el razonamiento en que estriba la conclusión es falso, no ya por vicio de alguno de los conceptos encadenados, sino por falta de rigor, o si puede decirse, de técnica al discurrir. A fuerza de perder eslabones, su razonamiento deja de serlo. Tamaño defecto se manifiesta en el *Idearium* de varios modos: ligereza en la observación, insuficiencia del análisis, arbitrios sugeridos por una inclinación personal o empleo de palabras aturdidamente, guiándose de la apariencia mejor que del contenido. Un filósofo, e incluso un pensador, vocación menos rigurosa, se menoscaba en el aprecio de quien comprueba tales descarríos del juicio. Pondré algunos ejemplares demostrativos.

El *Idearium* se abre con una hipótesis fundamental: el supuesto de la virginidad del alma española, representado con una alegoría: el dogma de la Inmaculada Concepción simboliza nuestra vida nacional, que tras larga y penosa maternidad nos deja en la vejez con el espíritu virgen. Bien buscado el símbolo, seguiría siendo fútil enlazar el fondo de un dogma católico al misterio del alma virgen española; pero es falsa la alegoría. El dogma de la Inmaculada Concepción no significa la virginidad de María después del nacimiento de Jesús, la cual se expresa en el misterio de la *encarnación* del hijo de Dios. La concepción inmaculada es de María; significa que la misma virgen, madre futura de Jesús, *fue concebida* sin la mancha del pecado original con que nacen todos los hombres después de la caída de Adán. El pecado original y la redención son las piezas capitales de la doctrina cristiana. (No es menester consultar las actas de los Concilios; está en el Catecismo.) Nada importa que Ganivet fuese o no cristiano; nada importaría que desconociese la doctrina, si no acudiera a ella en busca de símbolos. Abstenerse de lo que ignora o comprobar las citas, siendo tan fácil, no sería regla demasiado rigurosa para un escritor. Merced a su ligereza y a la emoción que lo traspasa, el primer párrafo del *Idearium* es característico. Ganivet se emociona pensando un error. Las sugestiones poéticas que suscita fluyen de un dislate.

De la supuesta virginidad del alma española provienen el sentimiento y vaticinio de una época de españolismo genuino. «Hemos tenido —escribe Ganivet—, después de períodos sin unidad de carácter, un período hispano-romano, otro hispano-visigótico y otro hispano-árabe; el que les sigue será un período hispano-europeo e hispano-colonial; los primeros de constitución y el último de expansión. Pero no hemos tenido un período español puro, en el cual nuestro espíritu, constituido ya, diese sus frutos en su propio territorio; y por no haberlo tenido, la lógica de la historia exige que lo tengamos y nos esforcemos por ser nosotros los iniciadores.» Esta opinión, redondeada con la necesidad de concentrar el esfuerzo en el territorio nacional, significó en los últimos años del siglo la aversión a la política expansiva y el consejo, bastante cuerdo, de labrar en paz la propia casa. El *Idearium* reproduce el tópico, metiendo en un rasgo de pluma veintitantos siglos para inducir una ley de la historia española. Veamos cómo Ganivet procede por saltos, omite las dificultades o las rehúye, debiendo lógicamente presentársele.

¿Qué es lo español puro? Nada significan esas palabras juntándolas como Ganivet las junta. Primeramente, la pureza de lo español podría consistir: en pureza de sangre, si una raza aborigen, descendiente de una pareja primitiva, poblase sin cruzamiento ni mestizaje el suelo peninsular; y en pureza, digámoslo así, espiritual, si los pobladores hubiesen labrado una civilización indemne de tacha forastera. Por fortuna, el supuesto ya no podrá realizarse. De alma y de sangre somos mestizos, sin remedio. El absurdo supuesto podría servir de argumento a un cuentecillo filosófico, si se piensa que los menos contaminados son en España los hurdanos. Segundamente, como la hispanidad es valor moral imputable al carácter, puede discurrirse que Ganivet vaticina una era más fiel a cierto arquetipo español de que los españoles de la historia se hayan apartado, frustrándolo en los limbos de la idea. Mas lo español se da en la historia. El ser como ha sido y es, constituye su pureza de español. No puede pensarse lo español metahistórico. La hispanidad genuina resulta del trazo marcado por nuestra presencia en el tiempo. No hay otra hispanidad. Los españoles recalcitrantes son los de este día, formados en la solera de tantos siglos. Más españoles que Viriato, a quien apenas tiene sentido aplicar el nombre de español si se quita la significación geográfica. Finalmente, Ganivet se complace en la era española que vendrá: gran esperanza, promesa de vida mejor. El jardín de las Hespérides, replanteado, abriría de nuevo sus puertas. Ganivet discurre como si la etapa venidera hubiese de ser más fecunda, bella y provechosa que cualquiera de las fenecidas. Discurso arbitrario. Hubiesen los españoles hecho solamente desatinos desde el comienzo de la historia, y nada podría asegurar que en la nueva era no los cometiesen aún mayores. Si ciertas causas misteriosas estorbaron al genio español manifestarse puramente, ¿quién sabe si no fueron bienhechoras tales causas, ni si, quitadas, no nos precipitaríamos en un abismo? En el supuesto de Ganivet, no puede afirmarse ni una cosa ni otra.

Estas dificultades debió resolver Ganivet antes de juntar, para tales fines y sentido, estos vocablos: español puro. Supongamos resueltas las dificultades. Al otorgar a la división de la historia de España en períodos, importancia que baste a convertirlos en sendas entidades características, y al fiarse de una clasificación externa adaptada a la comodidad de la exposición o de la enseñanza, Ganivet debió preguntarse qué significa eso de dividir en trozos con principio y fin en día señalado la progresión de un pueblo vivo; y si dividirla es necesario, qué otro criterio podría valer más conforme a la estructura interna de la nación, más atento a su vida profunda que a las mudanzas del estado. Debió, en fin, plantearse la cuestión principal: si por bajo de la unidad que reconoce en cada período, no habría otra unidad, dilatada por todos, más durable que los sobresaltos de la apariencia política. Quizás se hubiera ahorrado el candoroso vaticinio de un período español en vías de hacerse.

Me sorprende que Ganivet no quiera ver en el período nombrado «hispano-europeo e hispano-colonial» una revelación pura del genio español, sean cualesquiera las ocasiones y el lugar en que lo español se revela. No me sorprendería en otros escritores apesadumbrados de ver a España revuelta en los conflictos de Europa en vez de consagrarse a cristianizar el África; sí en Ganivet, que reprueba el desgaste de la energía española e inopinadamente se consuela de los errores políticos con alguno de sus frutos. Por ejemplo: la intolerancia española nos hizo perder *antes de tiempo* los Países Bajos, «pero dejamos una nación católica más en Europa». Esta salida contraría el propósito mismo del *Idearium,* dirigido a escudriñar el secreto del alma española. Los datos de origen psicológico y moral debió recogerlos en la observación del carácter, de sus modos, sorprenderlo en las más diversas ocasiones, e importarle menos los fines generales de la política y nada el aprecio de sus resultados. La censura que desde el punto de vista de la moral pública, de la utilidad general o del progreso puede aplicarse a la política de la corona de España en el siglo XVI, no hace al caso. Una política es incalificable por sus ganancias y pérdidas. La más prudente y más justa se estrella en la que llaman adversidad, o prevalece la más desatinada e inmoral. El carácter, el genio propio del pueblo que sostiene la política o la soporta, se descubre en el triunfo y en la derrota. Sus acciones nacen ya riéndose de los calificativos de la posteridad. Tan puramente se manifiesta lo español en una política gobernada por familias extranjeras o al servicio de intereses ajenos al de la nación, como en la defensa del suelo nativo o en la administración de un concejo. Además, los españoles no hacían solamente política, sino muchas cosas de importancia, alimentadas también de su espíritu. Dentro de la política, la acción y los designios de la corona subieron a un grado de universalidad no superado hasta hoy. No pasaba todo en Europa; y en Europa no todo consistía en guerrear, ni siempre hubo guerras, ni gobernaban la política los hombres de armas, ni se cifra una acción tan dilatada y tan vasta en el dominio de los Países Bajos. El mal gusto y la corta información fraguan una imagen falsa de la acción exterior de la corona de España: de una parte, nacionalizándola más de lo debido; de otra, y como por desquite, españolizando una época de la historia de Europa que no pudo, por la fuerza misma de las cosas, impregnarse de hispanidad ni recibir mucho de nuestro espíritu.

Ganivet aguanta poco la tentación de meterse a estadista de aquel imperio desvanecido, del cual nos afectan solamente los valores morales, todavía en pie, creados por su influencia. Buscando el espíritu y lo genial, desechado en este momento el ademán absolutorio y la aversión, Ganivet debió haber observado la copiosa fluencia de ocasiones que pusieron a prueba el genio español, haciendo brotar el fuego del pedernal donde yacía. Ningún resorte quedó sin dispararse. Ninguna fibra que no vibrase. Ni cualidad o defecto algunos que no subiesen a la tensión más recia. Lo mejor de España salió del ruedo concejil, fuerista y villano, dejó las rutas del Honrado Concejo de la Mesta, trocó Tordesillas por Milán, Medina por Bruselas, el Duero y el Tajo por el Danubio y el Escalda, entrando en el gran teatro del mundo a jugarse la carta que un destino imprevisible había puesto en sus manos. «Dentro de España florece el consejo, fuera las armas; sosegadas las guerras domésticas y echados los moros de España [los españoles] han peregrinado por gran parte del mundo con fortaleza increíble.» [1] Que la ambición se vol-

1. Mariana, *Historia de España,* libro I, cap. VI.

viese, por razones que los estadistas catalogan, contra el ambicioso, lejos de amenguar recrece la majestad del drama, apasionante por su sombría hermosura y sus peripecias. Los eventos de la acción revelan el carácter. La reacción del carácter compele los eventos. Nada ignoramos del íntimo ser del protagonista, de lo que adquiere, de lo que pierde. Si lo español alcanzó en un siglo el lleno de su energía, ejerció su capacidad hasta esquilmarla y sus sentimientos se desbocaron, es puro antojo desconfiar de la autenticidad de las obras, recusar la propiedad del carácter y esperar que se exprese con más sinceridad en variando las ocasiones. Que los españoles acometiesen empresas «fuera del territorio» no bastardea el carácter revelado en ellas. Esparcirse los españoles por Europa y América es acción significante por sí sola, y no puede tasarse, en el orden psicológico y moral, subordinándola a sus resultados. De no estar inventado el Nuevo Mundo habrían ido a conquistar otro, el Indostán, por ejemplo, en el surco de los portugueses. ¿No fue eso lo que realmente buscaban en Ultramar? De no haber corrido los campos de las Alemanias en pos del Habsburgo prognata, en otra parte se habrían roto el bautismo; y de hecho ya se lo rompían en Italia.

Los españoles hacían algo mejor que escarmentar herejes, oprimir al lombardo y escandalizar al padre Las Casas. Es insostenible «que no hemos tenido un período español puro, en el cual nuestro espíritu, constituido ya, diese sus frutos en su propio territorio», como no se entienda en el sentido menesteroso que analizo más adelante. Si de obras del espíritu se trata (no siendo menos fruto del espíritu política y guerra, conquista y gobierno), los españoles escribieron y pintaron hasta dar, no muestra brillante, sino la cabal esencia de su valor. Ganivet no debía de frecuentar la selva dramática española, ni, particularmente, el teatro de Lope. ¿Dónde hay una expresión nacional más profunda y verídica? Es prodigioso espectáculo ver llegar a su numen poético desde los más remotos manantiales del alma española y encauzarse en él como los hilillos afluentes de un gran río, sentimientos, ensueños, leyendas, historias, lo violento y lo tierno, lo cortesano y lo rústico, los múltiples deseos de un gran corazón que barruntaba a su poeta, y adquirir por su conjuro el hechizo del bulto dramático. Fuera de algún zote, nadie rebaja de su inestimable cuantía poética los desperfectos que el tiempo o los mismos resabios con que nació causan en esta dramaturgia. Los defectos de autor no implican a la excelsitud del vate, en cuanto trae a la vida sensible las ensoñaciones de un pueblo entero. En ningún otro lugar la vena española rompe más violenta y abundante que en el espíritu de Lope, sumergiendo preceptos de los entendidos, para esparcirse en la aprobación del vulgo, llamado por antífrasis necio. La cuasi divinidad de Lope proviene del encuentro de su verbo y el tesoro de emociones que estaban como retraídas y taciturnas hasta recibir del poeta la libertad y el habla. La idolatría de su público se forma de gratitud, pasmo y deleite ante un espejo que reproduce su propio sentir y lo halaga.[2]

2. Ganivet habla de Lope con poco acierto. Le atribuye facultades creadoras tan vigorosas como las de Shakespeare; sólo que Lope no daba casi nunca en el blanco, «porque tiraba sin apuntar, al aire». Lope no tenía «principios estéticos». Calderón, más atento, sabía infundir en sus personajes y escenas «cierta intensidad». «Y no se crea que Calderón profesaba principios estéticos más firmes que los de Lope; cuando la independencia del artista es tan exagerada como en nuestro país, poco importan los principios, puesto que cada cual hace lo que mejor le parece.» Para Ganivet, a un lado están los principios, al otro, el salvajismo. ¿Qué principios? Se ignora. No se le ocurre que un poeta puede dejar unos *principios* para seguir o crear otros; que un gran artista puede crearse sus principios y observarlos, a sabiendas de que los observa, sin dejar por eso de ser independiente. ¿Es concebible que Segismundo sea en gran parte resultado «del azar, de una intuición feliz, interpretada con mejor o peor fortuna»? No parece haberse dado cuenta de la magnitud del fenómeno dramático español, ni repara en los dramaturgos ingleses isabelinos, tan faltos de principios como Lope, ni le dice nada el hecho de que en toda la historia del teatro español no hay una sola obra escrita con principios, comparable, no ya a las obras magistrales, sino al tipo medio de los dramas y comedias indisciplinados. A más llega la culpabilidad de Lope. Si el drama se hundió en los abismos donde vino a encontrarlo Moratín, la culpa... «es de Lope; y más que de Lope, de nuestro carácter. Los más bajos pretenden ser artistas como los más altos; no se detienen en un arte mediano y decoroso; se precipitan en los antros del salvajismo artístico». Si hacemos caso a Ganivet, Lope sería el fundador y el destructor de nuestra escena. El carácter no entra aquí para nada. Ganivet no concibe, al parecer, altibajos, descarríos y corrupción en la historia de un género. Por lo mismo que el teatro español, en su gran floración era, psicológicamente, un hecho nacional profundo, y, liter·iamente, una culminación de estilo, los cambios en la vida social y en la cultura habían de repercutir en él con fuerza. Pasó el fenómeno de la expresión, con el punto de la sensibilidad que expresaba. Sería pueril echar de menos una sucesión de genios aplicados al mismo arte y manteniéndolo vivo a través de los siglos. El esplendor de un género no es obra personal exclusivamente. Voltaire era menos estúpido y tenía mejores *principios* que don Eleuterio Crispín de Andorra, y escribía tragedias muy aburridas. ¿Echaremos la culpa a Racine de la decadencia del género? ¿Se la echaremos de que en su propio tiempo, y queriendo emularlo, ciertos artistas medianos, o francamente malos, compusiesen tragedias detestables? Clasificar los artistas en altos y bajos y regular sus pretensiones, sus ambiciones, por la cuantía reconocida a sus facultades es una aplicación inútil y algo candorosa de la receta

Que no exista en la historia un período español puro, es error patente. Todos lo son, a mi ver; y el más significativo, quiero decir, el que más nos descubre, es el nombrado por Ganivet «hispano-europeo e hispano-colonial». Del mismo *Idearium* saldrán textos probando que Ganivet se complace en la tradición. El vago presentimiento de una hispanidad más pura se limita al arraigo del esfuerzo: los españoles deben hacer vida recoleta en el suelo nativo; el espíritu debe dar sus frutos en el propio territorio. Consejo de escarmentado, todavía con esperanzas: cultivemos nuestro jardín. Para ilustrarlo, Ganivet añade: «Importante es la acción de una raza por medio de la fuerza; pero es más importante su acción ideal, y ésta alcanza sólo su apogeo cuando se abandona la acción exterior y se concentra dentro del territorio toda la vitalidad nacional». En este pensamiento la imprecisión y la arbitrariedad campean. Veníamos hablando de nación, de pueblo; ahora pasamos a la raza, que es mal paso. Los españoles no somos una raza. Este vocablo no delimita un organismo político en la historia. Los estados que asumen el ejercicio de la acción por medio de la fuerza no se adaptan a la raza. Entre nación y raza la diferencia no es de magnitud. No son términos sustituibles el uno por el otro. ¿Y qué puede significar la «acción ideal»? Supongamos que Ganivet expresa la especulación mental, la ciencia, el arte. Entonces la «acción ideal» y la acción exterior rabian

---

ordenancista y disciplinaria que Ganivet quisiera para algunas cosas de España. ¿Habría que someter a los artistas a un examen previo y obligar a los más bajos a limitarse —venciendo el carácter levantisco— a un «arte mediano y decoroso»? La realidad es más libre y más dura. Quien sienta una vocación no tiene más remedio que fiarla en las obras de su talento, y de la repetición de esta prueba sale clasificado en alto o bajo. Solamente la obra nos revela la estulticia del autor, y sólo por ella sabemos si sus pretensiones están a la altura de sus facultades. Las más veces no lo están; el talento escasea, y el consejo de Flaubert (*soyez plutôt maçon*) llega siempre tarde. ¿O será también un «problema español» la abundancia de poetas hueros, chirles y ebenes? En fin, si nuestra flaqueza artística, nacida del carácter, es incorregible, Ganivet prefiere que seamos «alternativamente geniales y tontos», a recibir el «criterio estrecho, mezquino y más francés que español de Moratín»... con el que podríamos ser... «constantemente correctos y mediocres». Según esto, el carácter español alumbraría genios o modorros; el criterio mezquino (?) francés nos enseñaría la corrección, pero alicortaría al genio y saldríamos perdiendo. Nótese, respecto de este cálculo, que Molière, autor con principios, maestro de Moratín, dista mucho de haber sido «constantemente correcto y mediocre», y que en su línea es tan raro como Shakespeare o Lope. ¿Para qué continuar? No puede acotarse un renglón del *Idearium* sin que los escolios se enreden como cerezas para contradecirlo.

de verse comparadas. Las ciencias y las artes no se forman para servir el interés nacional, al que son superiores sin serle ajenas, y aunque la nación se reconozca de algún modo en las obras del espíritu y las aproveche. La acción mediante la fuerza tiene que justificarse en fines ajenos a la acción misma o renuncia a justificarse. Comparar su importancia —resulte o no gananciosa la acción ideal— nos mantiene provisionalmente en el equívoco. «Importante» no significa bueno ni malo, útil ni pernicioso; no implica aceptación ni repulsa. Importante en la vida de un hombre es atrapar la tuberculosis, e importante que le toque el premio gordo de la lotería (y aun puede tocarle la lotería al tuberculoso). Ganivet no nos invita por el pronto a decir cuál es mejor, ni más útil ni deseable, sino cuál es más importante. ¿Importante para qué? Todo lo es o nada. Depende de una relación de medio y fin. Graduar su importancia necesita de antemano un fin común a las dos acciones, por el cual se mida su valor. Propongamos un fin que disipe la duda: sea el auge del espíritu nacional, la demostración de su esencia, el implantar su personalidad en la historia. Si tal es el pensamiento de Ganivet, y es difícil negar que lo sea, pasamos de lo equívoco a lo erróneo.

Error es contraponer, respecto de aquel fin, la acción ideal y la acción coercitiva. Error es afirmar que la acción ideal no llega a su apogeo mientras no se abandone la acción exterior. La experiencia, y lo que puede discurrirse en términos generales sobre los modos de revelarse el ánimo genial a cada pueblo, afirman otra cosa. La energía abundante es omnímoda. La variedad de gentes y lo dilatado del tiempo permiten que un pueblo desenvuelva sus facultades sin renunciar a ninguna, en tanto que un hombre alcanza el esmero tan sólo a fuerza de limitarse. Los pueblos que han merecido la universalidad se alzan a ser activos de todas maneras. La esgrima del brazo viene a ser función de la esgrima del intelecto. Han llevado de frente la acción ideal y la acción exterior, que no se reduce a guerras de conquista. En ciertos casos, la gran actividad mental o una marejada profunda del espíritu preparan la acción exterior de amplísimo radio. No es menester que un pueblo, embriagado de fanatismo, como en el caso de la expansión islámica, se adjudique una misión sobrenatural. Más bien es menester lo contrario. Es menester que la razón y la experiencia demuestren la identidad del ser colectivo en que cada cual es parte, la permanencia de los fines y el ensanche que recibe la vida personal cooperando en ellos. Lejos de ser incompatibles la acción ideal y la acción exterior, cuyo origen es único, pueden hallarse en conexión vital. Así sucede cuando la acción exterior mantiene las condiciones indispensables para el ser de la nación, como la independencia. En tal caso la acción exterior, que ha de buscar su justificación fuera de sí, la hallaría en el derecho de mantener incólume lo que Ganivet llama acción ideal.

De ambos modos de acción, simultáneos, mantenidos con vigor y brillo, los ejemplos son tantos como pueblos ilustres en la civilización. Los atenienses de los siglos V y IV, de cuya acción ideal sería excesivo mostrarse descontentos, fiaban al poder de la escuadra el predominio sobre el corto mundo helénico y mediterráneo; no por eso enflaqueció su mente. Los ingleses de nuestros días no parecen dispuestos, incluso bajo un gobierno patrocinado por la Sociedad Fabiana, a renunciar a su acción exterior, ya antigua, que no ha dañado a sus grandes poetas ni a sus hombres de ciencia. Entre dos, que acotan veinticinco siglos de historia europea, ¿cuántos más ejemplos no caben? Roma sería ya demasiado peso. Francia, de cuya irradiación ideal siempre tenemos hartas pruebas, ¿habría mejorado su novela o su lírica renunciando en el siglo pasado a fundar un imperio colonial? España también es ejemplo. Nadie pretenderá que la acción rapaz, la violencia o el bandidaje sean legítimos, ni siquiera ventajosos para adelantar la vida espiritual de un país; pero también es falso que la acción ideal llega al apogeo al abandonarse la acción exterior. Dejando aparte cuanto hay de pueril en considerar tales ocasiones pendientes de un arbitrio deliberado; dejando aparte que nadie sabe cuándo es el apogeo (¡ay!, ni el perigeo) de un país, el de España coincide hasta ahora con su expansión por el mundo. Vienen de la misma causa. Desconocerlo sería una simpleza. Más tarde, al renunciar forzosamente a la acción, habíamos agotado el poder del brazo, y antes el del intelecto. No se advierte que la renuncia haya devuelto un brillo deslumbrante a la acción ideal española.

Remover sillares de la historia es juego socorrido. Tal parece absorto en mezclar las fichas del dominó sobre el mármol de un café, que está con la fantasía acompañando el movimiento de las manos, y cada ficha es un reino, un siglo, una dinastía, una batalla: aquí pongo las Cruzadas, ahora quito la casa de Austria. A un maestro, cuyo nombre callo por no parecer irrespetuoso con su memoria, le dolía la muerte del príncipe don Juan, primogénito de los Reyes Católicos, como una desgracia personal reciente. Otros calculan la suerte de España «si no hubiesen venido los árabes». A otros se les corrompe la sangre visigoda, o querrían, por el contrario, ser más rubios. Yo mismo, de estudiante, me desperté una noche despavorido: soñaba que los romanos, pensando robustecer su acción ideal, se habían quedado en el Lacio, sin conquistarnos. Pasé mal rato hasta reconciliarme con la exactitud de los textos. Gracias al pretor sanguinario y al cónsul feroz, las tribus españolas, prudentes, se declararon amigas del pueblo romano, y fuimos desde el comienzo partícipes y más tarde colaboradores en una civilización ilustre. En plena vigilia y también por manera de juego, me he permitido imaginar una variante en el curso de sucesos antiguos. Imaginaba una desviación de importancia: No me contentaba con prolongar la existencia de un principillo o con reprimir un desembarco, una invasión. Cosas tales pudieron alcanzarse sin mucho trabajo. Un buen médico habría conservado al príncipe don Juan; un general mediano habría degollado prontamente a la corta legión de marroquíes desembarcados en Calpe. Entonces no le habrían comido nada al rey Rodrigo, y es difícil prever cómo se habría llenado el hueco aparente en el mapa de la poesía y de la ciencia, que es gran resultado para una historia de reemplazo. Pero aún son mayores los que pudieran esperarse de mi soñada variante, reducida a que los españoles del siglo XVI hubiesen pensado otras cosas. Ya las pensaron algunos. No es contra naturaleza suponer que todos podrían pensarlas. No lo hicieron, y eso nos divide. Entre la capacidad y su objeto, entre la virtud y el fruto, la admiración y la aprobación se vuelven la espalda. Es innegable, por ejemplo, que en la persona y la obra de Ignacio de Loyola el espíritu español ha fructificado dentro y fuera del territorio. Pongamos su esfuerzo, si se quiere, entre los más levantados hacia la universalidad y la duración. Las consecuencias me fastidian sumamente. Pudo ser un gran administrador, un gran ministro, aplicarse a la reforma del estado desde dentro y cooperando a sus fines. Si de todas maneras había de fundar algo, hubiera sido preferible —estéril preferencia— que fundase otra cosa: una compañía de Indias, quizás, para gobierno del imperio ultramarino. Igual diferencia podría establecerse en tantas creaciones españolas, importando poco dónde se manifestaron. Salirse del cauce, como dice Ganivet, no desvirtúa el carácter ni mengua la acción ideal; antes forma parte de ella. El norte de la acción puede parecernos reprobable. Importa buscar otro. Más grave es el punto de saber —decisivamente, probándolo con obras— si la capacidad de creación subsiste, y el gran aliento.

La restauración ideal de España comprendería, según Ganivet, dos tiempos: de penitencia, retraídos en nuestra casa; de resurrección a un estado español puro. Poco vale esta promesa, según se ha visto. Conviene analizar el por qué del retraimiento. El consejo, como de espíritu vencido, tiene antecedentes en la derrota de otros pueblos, a quienes sus filósofos, influidos por el infortunio, vejaban en el carácter, en las costumbres, en las instituciones políticas, y les imponían penitencias duras, como hacerse espartanos los atenienses o prusianizarse los franceses. En vida de Ganivet el sentimiento español se inclinaba a la renuncia. Más que dictamen filosófico parecía —diferencia grave— encogimiento del ánimo, como no fuese comodidad de suprimir quebraderos de cabeza. Sansón, decrépito, se esquilaba la melena canosa. El consejo de abandonar la acción puede rebajarse de prudente a pusilánime. Régimen inexcusable en casos de anemia, sería la necedad peor —la necedad inútil— recomendárselo a un pueblo vigoroso.

Llegando a explicar la indisciplina del arte español, Ganivet escribe: «Apenas constituida la nación, nuestro espíritu se sale del cauce que le estaba marcado y se derrama por todo el mundo en busca de glorias exteriores y vanas...». La existencia del cauce es arbitrio del autor. ¿Quién lo había marcado y por dónde? Con tanta razón podría decirse que lo propio del espíritu español era desbordarse, y aun con más razón lo diríamos, pues, en efecto, se desbordó —si es que existía el cauce—. Algunos se representan mezquinamente lo que pudo y debió ser la política española en pleno Renacimiento. Política segoviana, si puede decirse, de tabardo tinto, mula de paso y macho de perdiz. Lo mejor, rendida Granada, habría sido vivir de las rentas. Esquilar «las sus ovejas», podar las viñas, en agosto la era y mucho jugar a las cartas. La realidad fue otra, desfavorable el saldo de cuentas, oneroso el desengaño: por lo mismo es menester precaverse contra la pobre opinión sobre la fugacidad de los bienes cuando se han perdido, y no menguar el valor de los móviles, creyendo, como Ganivet, que los españoles del siglo XVI buscaron glorias «exteriores y vanas». ¿Exteriores? La gloria, desde el punto de vista personal, siempre es exterior, en cuanto

pende del conocimiento, aplauso y admiración ajenos. Desde otro
punto de vista, la gloria, aunque provenga de sucesos cumplidos en
territorios exteriores, recae siempre en el cuerpo nacional. Podrá es-
timarse miserable cualquier manera de gloria, pero no se le pone
tacha con llamarla exterior. ¿Vanas? No perseguían gloria tan sólo.
Buscaban provecho inmediato y sustancial. Oro puro y otros meta-
les ricos, piedras preciosas y tierras vírgenes. El dominio sobre otros
pueblos —de ellos, sus mayores en civilización; de ellos, salvajes—
con la ventaja de explotar el trabajo ajeno. El descubrimiento y la
conquista no les daban un derecho más aceptable sobre los pueblos nuevos que sobre los reinos de Europa, también dominados;
incluso era menos aceptable. Desde el punto de vista de la Sociedad de Naciones, y ante su órgano jurídico, el Tribunal de La Haya,
la corona de España hubiera podido defender mejor su posesión de
los Países Bajos o del Franco Condado que su posesión de México, porque el título hereditario es aún de los más respetables y el
derecho de la fuerza había ya entonces quien lo combatiese. Pues
bien: ¿qué era más natural, qué estaba más en «el cauce», la colo-
nización ultramarina o la hegemonía europea? En el orden político,
¿era más extravagante dominar el Escalda y el Mosa que guarnecer
Ormuz o conquistar las Filipinas? Lo era mucho menos. Desde el
punto de vista del Eclesiastés nada de eso valdría la pena. Menos
desengañado, y aunque disto mucho de aborrecer los placeres que
aporta el dinero, si me afianzasen que con un puñado de españoles
desembarcados bajo mi mando en un país salvaje había de acumular
en poco tiempo los tesoros del Inca, no iría a buscarlos. Prefiero
estar en casa, divagar, conversar, a romperme la crisma por el dinero y la gloria. Así podrían ser los gustos de Ganivet, no tan raros ni tan nuevos que muchos hombres de aquella época de aventuras no los tuviesen. Pero hay lugar para otras cosas en la vida,
que la decoran bellamente, y nuestro gusto de civilizados sedentarios no debe impedirnos comprenderlo. Si juzgamos los móviles de
la gente española en aquel siglo con un criterio moral severo, pa-
recerán reprobables muchas cosas que hacían; pero vanas, es decir, hueras, sin meollo, nunca lo fueron.

En el espíritu español predominaba la voluntad de *fundar*. Todos querían ser fundadores: de reinos, de órdenes, de conventos,
de casas y de mayorazgos. Hernán Cortés funda, como luego Santa
Teresa; y la Santa conquista, como el cortesísimo Cortés. Ambición

de durar, anhelo de inmortalizarse, voluntad de imperio sobre lo real. ¡No haber pasado en vano! Espíritu admirable, opuesto al senequismo de que habla Ganivet. Si una vez ha existido, como las obras nos lo revelan, le cumple un análisis desinteresado, sin blasfemar de sus fines complejos ni añadirle emoción personal. Escindir lo quijotesco y lo pancesco, la quimera y el buen sentido, para crear con las mitades de un tipo dos criaturas grotescas, que íntimamente se buscan para rehacer la unidad destruida, es una operación atroz del espíritu crítico, la personificación risible y la expresión poemática de la duda, pero no es el modo de representarse la historia. Reponer en su unidad anterior las imágenes obtenidas por escisión nos da la figura del héroe auténtico. Fundidos don Quijote y Sancho saldría un grande hombre equilibrado, uno de aquellos varones en que lo vasto y lo profundo no impedía lo minucioso y prolijo. Aliar a lo quimérico la facultad del pormenor, consintió a los españoles ser emprendedores, ya emprendiesen un descubrimiento, ya la reforma de una religión. No iban por el mundo en busca de honras livianas. Sabían, a diferencia de don Quijote, las ventajas de tener camisa, y que un andante no está dispensado de usarla; muchos se hicieron andantes por ganar de comer. Que los españoles, guiados de ese espíritu, aprovechasen para magnificar su vida la coyuntura que les ofrecían los descubrimientos y la política dinástica (en cuya orientación poca parte se les dio) no es caso mensurable por las normas que justifican la conducta de un individuo. Es todo un fenómeno social, resuelto en un auge incontenible, superior a los gustos de don Diego Miranda. Concluyó dolorosamente, pero su término doloroso no era fatal; y aunque lo fuese, no estorbó a la acción «ideal» de España, antes la ensalzó a lo universal y perdurable, que no había conocido ni ha vuelto a alcanzar.

Respecto de América no se dirá que los españoles perseguían glorias vanas. Nos acusan de modales ásperos y trámites desapacibles en la busca del oro, mal avenidos con el ceremonial y el desinterés que cuadra a los grandes señores. Nos jactamos de haber sembrado en América la civilización europea. Otros la sembraron también y no podía menos de llegar a sembrarse. Nos cupo un gran papel y es legítimo el orgullo. Pero el idioma, las leyes, la religión cristiana, las artes y la industria, en suma, los signos de la civilización, vehículo de la influencia ideal de España, no se daban de regalo, y fueron al mismo tiempo señal de prepotencia e instrumento de reinar. Admito el desinterés del frailuco que catequiza a los indios por salvarles el alma; pero el frailuco misionero participa en un sentimiento que si no fuera anacronismo llamaría sentimiento patriótico, de tan semejantes como son las obras: Sentimiento religioso y político donde la abnegación y el provecho caben juntos. Lo político se autoriza con lo religioso, y la religión presta a la política designios ultraterrenos. Sentimiento del que nace una doctrina terrible. La fe enardece el orgullo de casta y la voluntad de poderío al verse en posesión de tan gran tesoro. La casta orgullosa y potente empuña la fe como tea purificadora. La corona representa un pueblo elegido, el cual no asiste en el plan divino a la manera que los demás seres del mundo sirven los fines providenciales, sino en modo más alto, en virtud de elección particular para la obra que se le comete. El frailuco misionero y el férreo conquistador ejecutan en común la empresa. «El trabajo y peligro, vuestros españoles lo toman alegremente, así en predicar y convertir, como en descubrir y conquistar.» [3] Más allá del celo y la abnegación del fraile, por fervorosos que sean, brota una emoción que tiene algo de complacencia humana; allende la furia y la avidez del conquistador, por desmandadas y ciegas que parezcan, albea una fe candorosa que tiene algo de iluminación divina. Los indios catecúmenos saben por el fraile que salvar el alma es debido, después de los méritos de Cristo, a la misión española. El señorío de la corona, en cuanto brinda a los paganos el medio de ganar la vida eterna, adquiere un valor inestimable en bienes del mundo. A cambio de la fe católica, ¿qué significan la obediencia, el trabajo? Difundida la religión, fue también, merced a sus fines ultraterrenos y bajo el gobierno de la Iglesia española, asiento del poderío político y de la explotación económica.[4]

Corrido un siglo desde la amputación principal, nuestro trato con América se espiritualiza. Hablamos de hermandad, de lazos morales, del vínculo lingüístico... Pero, quitado el poder político, muchedumbre de españoles busca todavía en América el tesoro que

---

3. López de Gomara, *Historia general de las Indias:* dedicatoria al emperador.
4. Véase, por ejemplo, el discurso a los indios champotones que Cervantes de Salazar pone en boca de Hernán Cortés. (Cervantes de Salazar, *Crónica de la Nueva España,* libro segundo, cap. XXXV.)

buscaban los colonos. Arribar a sus playas no fue, pues, aventura tan descarriada, ni opuesta a la naturaleza de las cosas. Todos piden trabajo soñando riqueza y muchos la logran. Algunas regiones españolas ofrecen ahora una semejanza de lo que fueron las Indias en la economía doméstica hace dos o tres siglos. Otros llevan a las Américas los frutos de un don espiritual para obsequiar a los naturales y obtener sin violencia, o con violencia grata, algún provecho. Algunos se han equiparado a los conquistadores porque tienen la lengua expedita. Si no tuestan en parrillas a ningún rey achicharran con discursos al vecindario.

Supuesto que la historia española de América haya sido mera desdicha, los fundadores no pudieron preverlo. No hemos roto ahora los siete sellos de algún libro donde estuviese escrito que España al colonizar, enseñándose a vivir del oro indiano, caería en pobreza, resultante del trastorno de su economía, ni que empresas útiles a la generalidad de los pueblos hubiesen de dañar al nuestro. Si todo en América hubiese sido desatinado y malo, desde la entrada de Colón hasta que se arrió en La Habana la bandera española, todavía no se advierte en la argumentación de Ganivet cómo el colonizar habría perjudicado a nuestra acción ideal. ¿Sería más fecunda si toda América hablase inglés? Nuestra acción mengua cada día, según cuentan. No podría menguar si no hubiese existido. Con perder un imperio no se hace más influyente lo que merced a nuestra flaqueza carece de prestigio. Pongamos lo peor: que americanos y españoles lleguen a no entenderse y a no dárseles nada a los unos de los otros, porque nuestro espíritu fallezca y se despersonalice hasta la parodia provinciana de lo extranjero, o no consiga, por mucho que se esfuerce, despertar la curiosidad de pueblos atentos a su crecimiento propio y a las señales más vivas de Montparnasse y la Place Pigalle. Pues aun así, poco inteligente sería deplorar una creación tan rara, y muy abyecto tenerla por vana, mirando sólo a su costo.

Aunque el *Idearium* trenza y destrenza los temas políticos y sentimentales al discurrir sobre la historia europea de España en el siglo XVI, no es posible, en apoyo de estas observaciones y como de pasada, abandonarse a la tentación de la polémica. Pero es indispensable devanar los hilos más enredados del pensamiento de Ganivet, enredo causado muchas veces por sugestiones patéticas. Las gentes aficionadas suelen representarse por modo confuso la que llaman «edad de oro», el arca de las glorias. Nadie ignora cuáles son, cómo se llaman. En centros culturales de provincias se oye al orador local cantar «nuestras glorias». Sacan el arca en procesión, tremolan las banderas velazqueñas de *las Lanzas,* un tercio de Flandes da la escolta. En Madrid se dicen también cosas tales, comúnmente en sitios adonde uno no asiste, y, por excepción, en sitios donde menos lo espera, porque también Madrid es, y mucho, algunos días, capital de provincia. Ganivet, sin caer en lo ridículo, no está libre de confusión y barullo en los hechos que sirven de fondo a sus alusiones. No hace profesión de historiador, pero interroga a la historia y la exprime para extraer lecciones de moral y de psicología, «castigos y documentos» de política; que eso pretende ser el librito: doctrinal y ejemplario de España. Entrar en terreno tan comprometido demanda precauciones que Ganivet no toma. La más importante, para sus fines, habría sido aislar lo español. Así empezaríamos sabiendo qué pone nuestro carácter en la fisonomía del siglo; las reflexiones de Ganivet, mejor informadas en su origen, habrían sido más útiles.

Las acciones pasadas bajo el nombre de España, que constituyen históricamente el tejido de su intervención europea, tienen dos componentes: lo europeo y lo español estricto. Europea es la política en que los reinos de España —desigualmente— participan. Hay que saber si la participación española bastó a caracterizar aquella política, y con qué rasgos, y hasta dónde penetra en tales empresas el cuño español, cuando lo tengan. Lo político europeo y lo español no coinciden. No se oponen, pero la longitud de su radio es diferente. Lo europeo se cifra en la corona, que asume una razón social. Por ejemplo, el ejército, de quien gratuitamente dice Ganivet «que en ocasiones llegó a representar él solo la nación», no era español, sino de la corona. Melo, español de Portugal, no llama a las tropas de Felipe IV que van sobre Barcelona «ejército español» ni otra cosa más que «los católicos», el ejército «católico», y no porque los catalanes rebelados fuesen herejes, sino por la expresión universal adscrita a las empresas de la corona de España, que no se habrían caracterizado con exactitud apellidándolas españolas. Aislar lo español requiere sustraer lo dinástico, lo católico internacional, lo imperial austro-alemán. Debería hacerse el escrutinio de las personas. Tan gran imperio, que llamamos español, no estaba administrado, gobernado ni defendido exclusivamente por españoles. El valón, el tudesco y el italiano, servidores de la corona como el castellano, concurrían a sus fines. Para el cómputo español no deben entrar en cuenta las acciones ajenas cumplidas al servicio de la corona, sean felices o desgraciadas. Sería menester un inventario escrupuloso. Quizá el orador provinciano tendría que desprenderse de algunas glorias y podría discurrirse sobre lo español un poco menos a bulto que en el *Idearium*.

La parte española en la política europea que la corona gobierna consultando intereses más complejos que el español, y con medios superiores a los españoles, se representa al vivo en el ejército de Felipe II sobre San Quintín, trasunto de la hechura de su imperio. «Ninguno más armado, más disciplinado, más cumplido en todas sus partes, más platico, abundado de dinero, de vituallas, de artillería, de munición, de soldados particulares, de gente aventurera de corte, de cabezas, capitanes y oficiales...», dice Hurtado de Mendoza de este ejército, demostración militar la más temerosa que la corona de España pudo hacer en Europa. Antes de dictar la paz, y con tal fuerza en la mano, el poder del rey sería incontrastable. Los primeros cabos, el Saboya, Egmont, no eran españoles, y de escaso bulto, con relación al todo, el cuerpo español. La batalla de San Quintín, ¿es victoria española? Lo dudo, militarmente. Podrá parecerlo en el orden político si la propaganda, el otro nervio de la guerra, ha logrado acreditar en tres siglos que los españoles al servicio de la corona en Europa servían en causa propia. La acción de la corona católica en Europa, desde el emperador a su triste tataranieto, es mucho menos española de lo que aparenta. El rechazo se siente en España por modo terrible, pero es ilusión creer que se gobierna o se dirige aquello mismo que se padece. El caso es manifiesto en el reinado del emperador. Si su hijo hubiese gobernado siempre desde Bruselas la impresión no sería menos clara. Los reinos peninsulares eran tributarios, como Sicilia y otros, de la Monarquía casi universal. La propaganda empeña el amor propio de los españoles haciéndoles soportar mediante lisonjas del orgullo cargas que no les corresponden: en su tiempo, para sufrirlas en su persona y bienes; más tarde, en los sentimientos, para sostén y amparo de una causa fenecida. Mejor lo consigue cerca de algunos españoles modernos que de los partícipes en los sucesos. Extraña alucinación. ¡Ya hubiera querido Felipe II tener en su tiempo súbditos tan fieles, reverentes y fanáticos como le nacen en nuestros días!

Un hecho ajeno al interés español, sin el cuño de nuestro carácter, se transforma, merced a la propaganda bien servida, en valor moral tocante con nuestro espíritu. O de otra manera: la propaganda acierta a conmover el espíritu español por un hecho que en su origen no le importa. El espíritu así fecundado lleva frutos propios. A San Quintín se debe la ocasión de fundar San Lorenzo de El Escorial. El monasterio es obra española, aunque no lo parezca por su rara perfección, su intensidad y la armonía de esfuerzos que publica. En España, cubierta de proyectos en ruinas, no hay otra obra de su grandeza concebida, trazada y hecha con tales orden y tino, sin desmayo, pegotes, cortes ni fracaso. Ni acción comparable, ideada con el brío mental del genio y resuelta con la elegancia de una demostración geométrica. Es bueno que San Lorenzo pregone la realidad del esfuerzo, la tensión conducente a la verdadera maravilla de la obra: su importancia en el orden de la creación espiritual. Este aspecto parecerá nulo a quien nunca haya intentado hacer algo. Juntar la acción de dos al servicio de la idea de un tercero es proeza cuya magnitud se multiplica por el valor y la calidad de la idea más el número y la persistencia del esfuerzo. No basta que el rey mande construir San Lorenzo. Muchas gentes han de quererlo, además, con tenacidad enardecida por los obstáculos. El Escorial proclama —aparte la sabiduría profesional— el triunfo de voluntades múltiples fajadas por el fin común. Sin el saber ni la destreza periciales, la voluntad pujante habría sido impotencia, monstruoso delirio, fracaso. El placer más vivo es contemplar cómo el impulso original clamante se resuelve en la armonía grave donde yace prisionero. Uno es el voto del rey, otra la energía espiritual creadora. Fundador es el esfuerzo atinado, no el rey que lo promete. Lo español permanece en la obra. El voto regio es político y se disipa. La energía cuajada en El Escorial sirve al rey, como la energía andante de sus ejércitos. En El Escorial se petrifica la voluntad de dominio, cobran estilo el esfuerzo tumultuoso de las armas, la razón política que las mueve, su sacrificio, su prevista esterilidad. Cenotafio de las voluntades españolas esquilmadas en Europa, de la aspiración sin freno, en pos de la cual se aperciben al desquite la funebridad y la nada. La corona se valió de la energía combatiente, de la energía estática, para designios menos españoles. En ellos lo español colabora, pero se agota mucho antes que los fines europeos y católicos. De suerte que lo español se despliega en ocasiones que no son españolas puramente. La acción exterior no impidió al genio español manifestarse; antes, le dio motivo para que se manifestase.

Carece de sentido lamentar que lo español genuino perdiese algo de su ser al convertirse España en centro de la Monarquía, más que española, sojuzgada por una familia extranjera. La casa de Austria designa un período político, pero no determina, por ejemplo, el rumbo de sus pintores. Ganivet tiene presente aquella división de la historia viva de España en períodos que, si algún valor descriptivo tiene en lo político, es inaplicable a otros órdenes. Que el destino de la Monarquía española se torciese y adulterase en el siglo XVI (si es que se torció y adulteró), no sería concluyente en lo demás, ni siquiera indicaría que el espíritu español hubiese falsificado su expresión. Vese aquí la fuerza temerosa de la propaganda si toma a su servicio artistas de genio, y su efecto dañino —mayor cuanto más tiempo transcurre. Disforme propaganda realiza El Escorial. Pretende trasladar la admiración que suscita la obra a cuanto pusieron en ella el rey fundador y su política. Velázquez trabajó para el mismo servicio en *La Rendición de Breda*. Velázquez rodea de ambiente glorioso un suceso incidental de la acción política, ya desatinada y perdida, suceso poco halagüeño del orgullo nacional, pues el caudillo victorioso es un ricacho genovés que se costeaba el lujo de adelantar pagas a las tropas de un rey dueño del Potosí. Mas el hecho que se representa o se engrandece importa poco junto a las revelaciones del arte. Lo que el genio español exprese en la obra cae fuera y muy más alto que la intención del propagandista. La coyuntura es lo de menos. San Quintín ni Espínola no alientan al creador, de quien reciben una trascendencia al mundo del espíritu que de por sí no tuvieron. De esta manera, la obra de arte absorbe y consume la ocasión misma de que proviene y le sustituye otro valor, que ya no es histórico rigurosamente; de esta manera el peligro de la propaganda crece con los años. El suceso, la anécdota, por magnos que fuesen, se retraen de la memoria sensible de los vivos al desván de la erudición. El valor propio del suceso queda archivado, y con él la disidencia, la crítica, la oposición que despertara en el ánimo de tantos españoles en cuya experiencia personal vino a insertarse el suceso. De *La Rendición de Breda* ya sólo es emocionante la creación del arte; lo demás cae fuera de nuestra vida. Entonces gradúa su eficacia la propaganda, que tiende a mixtificar y escamotea la diferencia de los valores. Pasmados ante *las Lanzas,* poco hechos a ver pintura, los vulgares sacan, por el hilo de la anécdota magnificada, una imagen histórica falsa, que los madrileños coetáneos del cuadro no hubiesen admitido.

Según sea el arte, el sentir personal del artista enmudece, o nos hace al soslayo signos de inteligencia. La disciplina del arquitecto es terrible. No le consiente ironía, ni sátira, ni humorismo; ninguna sugestión directa del sentimiento. El arquitecto de El Escorial queda preso en la obra: traduce la grandeza rotunda de una idea, sin reticencia posible; no le es lícito sonreír, ni quejarse como el diablo encerrado en el tronco del espino. Más dichoso el pintor, inunda de gloria una facción de guerra; su pincel exalta una reputación en quiebra, y en otra parte se desquita. Pintando al infante don Carlos con el desinterés que pintaría la grupa de un caballo, nos dice que el hermano del rey era idiota. Refiere un cronista que el infante apenas pudo aprender las letras, noticia vieja para quien haya visto el retrato.

Si la acción de la corona en Europa fue de españolismo menos intenso, menos típico de cuanto prometía la vastedad de los empeños del rey católico y la pesadumbre de la carga impuesta a los súbditos, es innegable que no estorbó a la acción «ideal» de España. Sea cualquiera el valor y la profundidad de su influjo, si no fue mayor, atribúyase a otras causas, no a que las plazas de Bélgica tuviesen guarniciones y gobernadores que solían ser españoles. A la inversa: la acción exterior no frustró la madurez del genio artístico español en su propio territorio. Decaía la corona, y el teatro, la pintura, la novela daban sus mejores frutos. Si los galeones de la plata, cuyo azaroso arribo esperaba sin aliento la corte de Madrid, hubiesen centuplicado su arqueo; si no se hubiera expulsado a la morisma, tampoco Lope de Vega se habría satisfecho con escribir dos docenas de dramas muy reflexivos, muy maduros. Si hubiésemos ganado la batalla de Rocroy, u Olivares hubiese sido un genio, ¿se habría detenido el barroquismo en sus delirios, o Saavedra Fajardo habría sido menos pedante?

Ganivet llega a la última consecuencia de sus principios. El genio español se malogra por indisciplina, la cual se debe a la despoblación. España, cuartel de reserva, hospital, semillero de mendigos, se despobló por las guerras exteriores. «¿Qué extraño, pues

—escribe Ganivet—, que en un ambiente tan pobre los hombres de valer que por acaso quedaban sintiesen el deseo de dar rienda suelta a sus facultades sin comprender a dónde iban ni dónde debían detenerse?» Enrarecido, pues, el ambiente por la escasez de población, el espíritu del hombre de genio se dilata, se atenúa, se pierde; en cambio, un ambiente denso comprime al genio, lo disciplina. Ocurren estos fenómenos porque, según Ganivet, menguada la población, pobre el ambiente, el artista tiene menos cosas en qué reflexionar. «La reflexión —escribe— no es como se cree un hecho *puramente interno,* es más bien una labor de unificación de las reflexiones que nos inspira la realidad en que vivimos.» ¡Es admirable! La reflexión unifica las reflexiones. Las hay, pues, de dos clases: las que nos inspira la realidad en que vivimos (Ganivet no niega su carácter de hecho interno), y la reflexión, ya no puramente interna, unificadora de las anteriores reflexiones. Ganivet omite dónde se realiza la unificación, que no sea un hecho interno. Entre los artistas indisciplinados por falta de reflexión Ganivet incluye un nombre imprevisto. Podrá parecer que piensa solamente en los dramaturgos. Aunque así fuese, el influjo del ambiente estaría mal concebido. Por lo visto Ganivet adquirió pocas noticias de la vida literaria de Madrid en el primer tercio del siglo XVII.

En cada esquina cuatro mil poetas,

dice Quevedo. Entre ellos de los más grandes de nuestra lengua. En torno, la cohorte de discípulos, amigos y émulos que forman y estimulan la opinión, ejercen la crítica. Todas las pasiones literarias se agitaban. El público no les era ajeno. El teatro, suceso popular y palatino, subía a su esplendor. No era pobre el ambiente, es decir, enrarecido, muerto; más bien parece cargado y febril. Una cosa es la postración del país y otra el hervor cortesano. En todo caso la medianía de las obras no proviene de dar rienda suelta a las facultades de los autores, sino de las facultades mismas, no tan grandes como hubiera sido menester. Las obras teatrales de la época están cortadas por un patrón. Las más no son buenas, desgracia común a todos los géneros de teatro del mundo; eso no quita que las haya excelentes, y algunas espléndidas, memorables. La desproporción que nos empeñamos en ver entre el genio de Lope y la endeblez de tantas comedias suyas no proviene del patrón que seguía ni del ambiente pobre, sino de falta de profundidad, que puede achacarse a exceso de facundia y a mengua de reposo. Si tuvo tan buenas facultades como Shakespeare —y así lo quiere Ganivet—, no las aprovechó, que es lo contrario de darles rienda suelta. Y que trabajase de prisa, por colmar el ansia de novedades de su público, no es síntoma de ambiente pobre.

En este punto el ejemplo que trae Ganivet no es de poeta indisciplinado, sino de pintor. Entre los que se dejaban ir sin saber a dónde se cuenta Velázquez. Algunas páginas antes [5] ya había dicho que Velázquez, «el más grande genio pictórico conocido hasta el día, era tan ignorante como Goya». Su ignorancia no es de aquella que produce anacronismos o monstruosidades anatómicas, «que destruyen el efecto total de un cuadro». La ignorancia de Velázquez es «cadencia de reflexión técnica, o dicho en términos más llanos, que el artista no conoce cuándo está la obra en su verdadero punto de ejecución, porque se deja sólo guiar por el impulso de su genio». La inferioridad de Velázquez en cuanto a *reflexión* se explica después en términos generales por los efectos del ambiente pobre que incita a cada cual, desterrada la reflexión, a lanzarse sin saber dónde debe detenerse. Son casi las mismas palabras con que describe la ignorancia de Velázquez. Se sigue que Velázquez, como Cervantes, «genios sueltos», forman escuela ellos solos. Ignoro cómo entender la «soltura» del genio, si no es perogrullada o despropósito. Todos los genios, en lo que tienen de tales, son sueltos, es decir, distintos, descollantes, señeros; genial significa propio, peculiar, don atribuido a un ser por modo típico; así diríamos: la obediencia que es genial en el pueblo español. Tan sueltos como Velázquez y Cervantes fueron Shakespeare, Goethe o Dante. En otro sentido, «genios sueltos» sería un despropósito como éste: que en España, de puro independientes que son los artistas, «no tenemos (iba a decir, ni podremos tener) una historia de nuestros procedimientos técnicos, de nuestros estilos, de nuestras escuelas». Quédese ahí el punto. Es cuanto hay que decir del período español puro vaticinado por Ganivet, en desquite de haberse malogrado nuestro genio en el siglo XVI, a consecuencia de la acción exterior.

---

5. Página 69. Cito por la edición de Granada de 1897.

Veamos en otro ejemplo el poder analítico de Ganivet. Entre muchos que podrían servir escojo uno tocante a cierta crisis de la historia española, aducido en el comienzo de la parte segunda del *Idearium*. Discurre Ganivet sobre la política exterior de España en la Edad Moderna y llega a considerar la importancia y la significación que tuvo el advenimiento de Carlos I. No faltó en España, viene a decir Ganivet, quien comprendiese el error político de igualarse con las naciones continentales y los riesgos a que nos exponía el error, personificado en el joven Carlos de Gante. «La decapitación de los comuneros fue el castigo impuesto a los refractarios, a los que no querían caminar por las nuevas sendas abiertas a la política de España. Los comuneros no eran liberales o libertadores, como muchos quieren hacernos creer; no eran héroes románticos, inflamados por ideas nuevas y generosas y vencidos en el combate de Villalar por la superioridad numérica de los imperiales y por una lluvia contraria que les azotaba los rostros y les impedía ver al enemigo; eran castellanos rígidos, exclusivistas, que defendían la política tradicional y nacional contra la innovadora y europea de Carlos I. Y en cuanto a la batalla de Villalar parece averiguado que ni siquiera llegó a darse.» Así dice, incurriendo en un desliz característico. El argumento de Ganivet es, en efecto, y sin que pueda decirse de mejor manera, un fenómeno de deslizamiento. En virtud de analogías falsas sustituye términos sin equivalencia posible; en virtud de antítesis caprichosas contrapone términos que no son en modo alguno antitéticos. Más que discurrir, se escurre. En ningún momento nos abandona la desconfianza en su tino. Emplea mal los vocablos por uno de dos motivos, cuando no sea por ambos: por falta de información e ignora el fondo de los sucesos, atenido a sus representaciones más triviales; por falta de reflexión y no exprime el valor de las palabras antes que las use, como lo prueba su impropiedad. La impropiedad, síntoma de pensamiento confuso, proviene siempre de inatención y ligereza. Emplear mal las palabras le induce a errores graves, que retraen a los limbos de la pura impresión personal, harto descaminada, su juicio sobre un suceso histórico cuya magnitud verdadera se le escapa.

«La decapitación de los comuneros», el castigo de los refractarios, serían expresiones plausibles si todos los comuneros hubiesen sido decapitados, o no llevaran ese nombre sino los caudillos que, desprovistos de recomendaciones buenas, dieron su garganta al cuchillo en la plaza de Villalar. No podía ignorar Ganivet que los comuneros se contaban por miles, o más bien, que fueron incontables. No se reducen a los diez o doce mil hombres que, cruzado de rojo el pecho, campearon por tierras de Valladolid. Por ligereza y confusión, Ganivet toma la parte por el todo, con efecto desastroso sobre la solidez del discurso. Si, pensándolo mejor, acertara a expresarse propiamente, no podría decir lo que en seguida dice. No es, pues, una simple incorrección de lenguaje; es una incorrección del punto de vista. De *los* «comuneros», restringido el vocablo a los ajusticiados de Villalar, Ganivet piensa cosas inaplicables al total de la Comunidad, y de un juicio así, vicioso en el origen, extrae consecuencias falsas cuando intenta trazar el carácter del alzamiento nacional. Los caudillos degollados al día siguiente de la derrota no tienen, en junto, otro papel que el de su función militar; ellos no preparan el movimiento, ni le imprimen carácter, por más que su catástrofe les valga mayor renombre y una curiosidad lastimera. Otros jefes, acaso de más cuenta en el valor político de la insurrección, fueron ajusticiados, y la historia apenas los nombra.[6] Sería falso representarse su acción como la de generales pronunciados a estilo del siglo XIX. La revolución se movió de ciudad en ciudad, instaló autoridades locales propias; las ciudades confederadas alistaron tropas, juntándolas en un ejército común, y nombraron generales para sus tropas. Formaron también un gobierno revolucionario central, y el ejército, mandado primero por Girón, después por Padilla, estaba en la obediencia de la Santa Junta, erigida en poder supremo, que derrocó y aprisionó al gobierno constituido. La asistencia de algunos caballeros en la Comunidad, muchos o pocos, no desvirtúa el carácter de la revolución, burguesa y menestral, urbana. Los caballe-

---

6. Del perdón general fueron exceptuadas sesenta u ochenta personas: «por ser la mayor parte gente muy ordinaria, otros ya castigados, y algunos frailes que hicieron mucho daño, no los nombro aquí en particular». Ajusticiaron en Palencia a don Pedro Pimentel de Talavera, preso en la batalla de Villalar. «Estaban presos en la Mota de Medina del Campo los procuradores de Guadalajara, los de Segovia y otros. Fue el alcalde de Leguizama y a siete de ellos los puso en la cárcel pública de la villa; de la cárcel los sacó sobre unos asnos, con sogas a la garganta, viernes 14 de agosto, año 1522, y fueron públicamente en la plaza de Medina degollados. También fue ajusticiado en Vitoria un facineroso pellejero de Salamanca, y otros dos o tres como él.» Sandoval, *Historia del Emperador Carlos V*, libro IX.

ros que siguieron a la Comunidad la seguían en general de mala gana. «Si los caballeros siguieran a la Comunidad por quererla, no fueran capitanes de ella sogueros, cerrajeros, pellejeros, ni otros tales oficios mecánicos; quienes vinieron a estimar en tan poco a los caballeros, *que tenían por buena ventura que los dejasen vivir.*» [7]

Admitamos que los comuneros no eran liberales o libertadores. La conjunción está mal puesta. No es lo mismo liberal que libertador. Liberales, cuando la acepción política del vocablo y la doctrina que significa no pertenecían a este mundo, seguramente no lo fueron. Sí quisieron ser libertadores. Querían libertarse del despotismo cesarista, del gobierno por favoritos, del predominio de una clase. Invocaban un derecho, pusieron en pie instituciones, pedían garantías conducentes al gobierno de la nación por las clases media y productora. Tampoco fueron «héroes románticos». (*Héroes* conviene mal a una muchedumbre; sigue, pues, Ganivet refiriéndose a los caudillos.) Que fuesen héroes yo no lo sé, ni importa mucho. Románticos, por descontado que no lo serían. ¿Qué podrían tener de románticos los caudillos de Villalar? Lo que una imaginación romántica les preste. Ellos mismos, ¿qué relación pueden guardar con ningún romanticismo? El acento que domina en la revolución de las Comunidades es lo menos romántico posible. Todo en sus documentos respira sensatez, cordura, aplomo: contienen planes de buen gobierno, reformas en la administración, y no están exentos de pesadez legalista. Ganivet persigue una representación falsa y se toma el trabajo de combatirla.

No eran, pues, románticos; no fueron vencidos por la superioridad numérica ni por la lluvia. La ilación entre el romanticismo que no tuvieron y la negativa de su vencimiento, me sorprende: como si de haberlos vencido en las condiciones y por las causas que Ganivet no admite, se siguiese alguna adición a su romanticismo. ¿Qué fueron, pues, contrariamente? «Castellanos rígidos, exclusivistas, que defendían la política tradicional.» No todos los alzados eran castellanos. Había comuneros andaluces, murcianos, valencianos y extremeños. ¿Qué significan la *rigidez* y el *exclusivismo,* pensados para la cualidad de castellanos, que no todos tuvieron? ¿Ni en qué se opone el ser castellano rígido y exclusivista a ser liberal o siquiera libertador? ¿Ni en qué se hubiera opuesto a ser héroe romántico?

7.   Sandoval, *op. cit.,* libro VI.

La Comunidad era una causa política nacida de cierta idea, movida por cierta pasión. Si la idea o la pasión determinantes no fueron, en sentir de Ganivet, las que parecen, la buena lógica le obligaba a decir con qué otras ideas y pasiones debemos reemplazarlas. Rellenar, digámoslo así, con una cualidad del carácter el vacío dejado por la condición política que les niega, es una fuga, un salto significativo. Si ahora dijésemos: los autores de los disturbios de Barcelona en 1909 no eran revolucionarios; eran... barceloneses sentimentales, ¿habríamos cambiado el color de aquel intento de revolución? No lo habríamos cambiado. Otro tanto sucede con el exclusivismo y la rigidez opuestos al ser político de los comuneros.

Falta saber cómo y por qué los castellanos rígidos que no fueron vencidos por la superioridad numérica ni por la lluvia, perdieron su causa y la vida. En efecto, es innegable que los vencieron. «Parece averiguado —dice Ganivet— que la batalla de Villalar ni siquiera llegó a darse.» No se declara más y omite una explicación necesaria: ¿en virtud de qué, los caudillos poderosos el día 22 de abril, se dejaban segar la garganta el día 24? Es indudable que los dos ejércitos chocaron en Villalar; el choque, por su resultado, fue de tal importancia, que allí se acabó virtualmente la revolución, aunque el hecho de armas no fuese tan grandioso como el de Austerlitz. El encuentro de Villalar es una de las principales acciones militares libradas en la península, decisiva, no sólo en la posesión del terreno, sino en la posesión del gobierno y en los destinos del país. Más importante, sin duda, que otras batallas famosas, como Bailén y Alcolea. Merced al suceso de Villalar, el devenir constitucional de España tomó tal rumbo que, mirando al fondo de las cosas, no se ha rectificado todavía. Poco importa para el caso que en Villalar se derrochase o no la táctica más fina. Los contemporáneos aseguran que el ejército de la Comunidad, sorprendido en retirada por el ejército de los caballeros, caminó cierto tiempo sin combatir. Los jefes no estaban de acuerdo. Padilla no tuvo autoridad bastante para decidirlos al combate en el momento propicio. Viendo próximo el refugio de las casas de Villalar, el ejército se desmoralizó. No aguantó el ataque. Pelearon unos pocos. Cundía entre los comuneros la desconfianza, el miedo a la traición. Sentimiento normal en gentes como la tropa de las ciudades: los más, hombres de oficio, sedentarios, avezados a la sumisión, al despojo de sus derechos, sin la dureza del guerrero profesional ni la entereza del ciudadano despierto. Su instinto los guiaba certeramente, pero quien más, quien menos, todos debían de llevar en el alma la persuasión de estar cometiendo una calaverada enorme, costosa, que acabaría por pesar en las espaldas más flacas. La hueste se cuarteó, y en lugar de mejorarse y remediarse, se desbandaron. Se arrancaban las cruces coloradas, se hincaban de hinojos, pedían confesión; corrieron, desalentados, a meter el cuello en las horcas antiguas. Tampoco debía de ser famoso el personal facultativo. «No se aprovecharon de la artillería —escribe Sandoval [8]— por el mal tiempo, porque los artilleros no fueron fieles, y porque el artillero mayor, que se llamaba Saldaña, natural de Toledo, que sabía poco de este oficio, *huyó lo que pudo,* y dejó la artillería metida en unos barbechos.» Desgracia no tan rara: la causa nacional pendiente de quien no sabe el oficio y huye lo que puede. Padilla apellidaba «Santiago y libertad». Los caballeros «Santa María y Carlos»; divisas significantes. Duró el alcance dos leguas y media. Los caballeros mataron a placer, como en rebaño indefenso. Cogieron gran botín: «a vivos y muertos dejaron en carnes». Mejía, cronista del César, y Sandoval, que ve los sucesos en la perspectiva del tiempo, tienen esta victoria a milagro y buena dicha de don Carlos, que sin ella no habría reinado en España. Villalar aventó de un golpe las fuerzas de la revolución. Se cumplía el vaticinio de un ardiente enemigo de los comuneros, fray Antonio de Guevara, a Juan de Padilla: «el día que perdáis alguna batalla, y aun el día que no haya para pagar a la gente de guerra, a la hora veréis, señor, cómo se os irán sin que los despidáis, y aun os venderán sin que se lo sintáis». [9] Se fueron, y ya no hubo quién para rejuntarlos. Algunos le vendieron en Villalar («los artilleros no fueron fieles...»). Perdida la batalla, creyeron los populares, escarmentados por el caso de Girón, que Padilla los había vendido a ellos. Necesitó morir para que su lealtad quedase sin tacha. El suceso refrendó las advertencias de Guevara: «También, señor, os dije que comúnmente las guerras civiles y populares suelen poder poco, valer poco y durar poco; y que después de acabadas y apaciguadas las repúblicas, tienen por costumbre

8. *Op. cit.,* libro IX.
9. Carta a don Juan de Padilla, desde Medina del Campo, a 8 de marzo de 1521. Guevara, *Epístolas familiares,* epístola XLV (*B.A.E.,* tomo XIII).

los príncipes y señores de ellas de perdonar a los pueblos y descabezar a los capitanes».[10]

Los caballeros, oponiéndose a la Comunidad, combatían por sus privilegios de clase. Las grandes familias patricias tenían, por esta vez, ligados sus intereses con los de la corona. Perderse la causa regia habría determinado el desplome del poderío político de los nobles. La causa regia anduvo tan apretada, que los mismos agentes del César desesperaron de salvarla. Los grandes y caballeros convocaron, en su papel de señores de las armas, gente que viniese a servir, lo que llamaríamos hoy una movilización. La causa de las Comunidades era tan popular, que hasta los obligados al servicio por razón de vasallaje desoyeron la llamada.[11]

En tan fuerte apuro, el condestable de Castilla, uno de los gobernadores del reino, suplica a Su Majestad que envíe mercenarios turcos para restablecer el orden: «que V. M. envíe a la hora los tres mil alemanes que tenía para enviar a Navarra, y ansí, si pudiesen meter turcos, lo había de hacer, según acá se enderezan mal las cosas de vuestro servicio».[12] ¡Qué hubiera sido restablecer los alfanjes mahometanos la corona católica! Falto de tropas, el gobierno real tampoco tenía dineros ni crédito. El condestable pide al rey que envíe «todos los dineros que allá se pudieren haber», porque los servidores de Su Majestad no le han dejado nada. El cardenal Adriano, colega del condestable en la gobernación, estaba en tal penuria que no podía sostenerse ni sostener su casa en Valladolid. «Serme ha forzado dentro de pocos días, de irme a otra parte en donde menos gaste y haga alguna subvención, que acá ni lo que se me debe de lo que empresté a V. M. en Barcelona, ni lo de mis salarios se me paga, ni hay de donde se pueda haber, ni tampoco Vargas ha jamás hallado en estas partes un dinero, ni quien se lo

10. *Op. cit.*
11. «Créese que antes de Navidad, ni V. A. ni grande ni caballero que esté a su servicio, le quedará nada que no se alce por ellos [por los comuneros] y digo que es menester gente de fuera del reino, porque se tiene por cierto que en él hay más que los sigan que no el servicio de V. A., porque ya se ha visto por experiencia que los grandes han querido llamar gente de caballo y de pie, sus vasallos, y otros que viven con ellos, que no les quieren acudir, diciendo que no serán contra la comunidad...» Carta de Lope Hurtado al Emperador, de Valladolid, a 23 de septiembre de 1520. *Memorial Histórico Español,* tomo XXXVI, p. 28.
12. Carta del Condestable al Emperador, de Briviesca, a 30 de septiembre de 1520. *Mem. Hist. Esp.,* tomo XXXVI, p. 39.

dé a cambio para Barcelona ni Valencia...» Ominoso síntoma: la
banca negaba crédito al gobierno. Y el buen religioso concluye:
«Todo va de forma que no sé qué decir más *de encomendarlo a
Dios,* con la pronta venida de V. M.».[13] En tal estado, la Santa
Junta, es decir, las Cortes de la revolución, instalada en Tordesillas,
quería rehabilitar a doña Juana, la reina loca, no en su título legal,
que no lo había perdido, sino en sus funciones de gobierno. Tenía
la Junta consejo con la reina, le consultaban los asuntos de estado,
le sometían provisiones y acuerdos, y las desvariadas palabras de la
reina eran recogidas por escribanos públicos, para dar testimonio
de ellas, pretendiendo la Junta que valiesen tales testimonios como
decretos emanados de la autoridad regia. Este manejo era quizás
el desacato más fuerte de los comuneros al título y prerrogativa de
rey que don Carlos se había arrogado. Sublevarse contra el gobierno,
guerrear con los vicarios del César, no ponía en litigio el derecho
de don Carlos. Pero en sacando la Junta a doña Juana de las sombras de su locura para reinar de nuevo, don Carlos, que suplía la
capacidad de su madre, no era rey. El cardenal Adriano, gobernador del reino, pondera la gravedad del caso: «Créame V. A. que
si la Reina Nuestra Señora firmara una sola carta, que nunca en
vida de Su Alteza Vuestra Majestad fuera rey de Castilla».[14] Falló
el manejo político. El ejército real echó de Tordesillas a la Santa
Junta, quitándole la custodia de la reina loca. Mientras los diputados discutían el proyecto de constitución, sus tropas desperdiciaron
la flaqueza del gobierno para resolver la guerra. El primer general
de los comuneros, Girón, de la casa de Medina Sidonia, pretendiente al ducado de este título, no tardó en entenderse con los de su
sangre y fue traidor. Padilla, inexperto, anduvo en treguas y tratos
con el enemigo que se fortalecía. La coyuntura pasó. La candorosa
Junta confió en la generosidad de la Corona. Pendiente la guerra
envió al César la constitución, suplicándole que la aprobase. Don
Carlos quiso degollar a los diputados de la Junta. Si se hubiesen
preocupado de ganar primero la guerra y de ganarla a fondo, como
pudieron, las Cortes habrían votado después muy holgadamente cuantas leyes quisiesen. Es probable que entonces don Carlos no hubiese

    13.   Carta del cardenal Adriano al Emperador, de Valladolid, a 23 de sep-
tiembre de 1520. *Mem. Hist. Esp.,* tomo XXXVI, p. 29.
    14.   El cardenal Adriano al Emperador, de Medina de Rioseco, a 6 de
diciembre de 1520. *Mem. Hist. Esp.,* tomo XXXVI, p. 642.

querido degollar a nadie. Por reinar en España habría jurado las nuevas leyes, inaugurando de hecho y de derecho una realeza menos divina. O habría venido con ejército de alemanes y turcos a reconquistar Toledo, Valladolid, Segovia... Los españoles de 1814, de 1823, que también tenían Cortes enemistadas con el rey, no supieron la lección. Presumo que mis contemporáneos todavía la ignoran.

Al brazo militar, o sea, a los grandes y caballeros, les importaba que el César venciese, que no venciese demasiado, y que no venciese en seguida. En diciembre de 1520, ya junto el ejército real, el gasto montaba mil quinientos ducados diarios, que Su Majestad, asegura el cardenal Adriano, no podría sufragar mucho tiempo. Los caballeros se disponían a repartir la gente en guarniciones: querían poner en defensa sus casas y estados y entretener la guerra. Por amparar sus bienes, además de un yerro militar, como hubiera sido desparramar el ejército, los grandes contemplaron otro, mucho más grave y político, que consistía en desconocer el título de don Carlos admitiendo la capacidad de doña Juana, como lo desconocían y la admitían los comuneros. Las tropas de la Junta arrasaban las tierras de los nobles que servían al César, saqueaban los lugares de señorío.[15] El almirante discurrió, una vez recuperado Tordesillas, pedir a la reina que mandase a las tropas de la Junta respetar las posesiones de los grandes. La reina accedió, y de sus palabras tomaron testimonio dos escribanos, como solía hacer la Santa Junta. «Materia excusada y mucho dañosa —escribe el comendador mayor de Castilla [16]—... esto es aprobar lo que ellos hacían, y lo más principal, hacer fundamento de la reina, que es poner dos reyes en Castilla, que es el mayor daño que en un reino puede haber.» Con mucha diligencia se impidió que los testimonios llegasen a los comuneros.

La toma de Tordesillas, golpe terrible para la revolución, se debió a instancias del cardenal Adriano con los generales de don Carlos y a turbios manejos de don Pedro Girón, que mandaba el ejército de la Junta.[17] Adriano, escandalizado de la conducta de los

15. Los grandes señores de Andalucía que no vieron amenazadas sus tierras por las tropas de la revolución, estuvieron neutrales, sin declararse por don Carlos ni por la Comunidad.

16. El comendador mayor, Hernando de Vega, al condestable, desde Tordesillas, a 8 de diciembre de 1520; y al Emperador, en 9 del mismo mes. *Mem. Hist. Esp.,* tomo XXXVI, pp. 638 y 639.

17. Fray Antonio de Guevara se atribuye el importante servicio de haber «sacado de entre las manos» de los comuneros a su general don Pedro Girón,

grandes, se vio con ellos y les rogó que no gastasen tiempo y dinero en dilaciones. Uno de los grandes presentes dijo: «¡Buena cosa es que nos perdamos nuestras cabezas para que Su Majestad ahorre dinero!». Adriano traslada al Emperador los cargos que se hacían a los grandes.[18] «Muchos dicen acá que los grandes quieren cobrar y defender sus lugares a costa de Vuestra Alteza, y no guardar principalmente lo que toca al servicio de Vuestra Majestad, y a los que dan acostamientos en sus casas aquí no les quieren pagar un maravedí de las suyas, sino de lo de Vuestra Majestad. Otros sospechan y lo dicen a la clara que buscan que perpetuamente dure esta guerra para que Vuestra Alteza tenga necesidad de los servicios de ellos, y que de esta manera han acostumbrado aumentar sus casas.» El buen religioso («todo lo encomiendo a Dios y a sus ángeles») ha descubierto tales intrigas que no se atreve a fiarlas al secreto de una carta. Si Su Majestad supiese quiénes han dado principio a estas revueltas y quiénes las sustentan, «estimo que de pocos se fiaría. No lo escribo a Vuestra Alteza porque, a mi ver, en su poder poco secreto se calla ni se guarda, ni tampoco es expediente divulgar las cosas que otramente le parecerían increíbles.» Tales eran los graves y altivos varones que —como dice Macaulay— «rodeaban el trono de Fernando y de sus inmediatos sucesores». No guerreaban contra la Comunidad por defender la política europea e innovadora de don Carlos, sino por mejorar su interés de casta.

Los grandes, victoriosos, saciaron su furor en los presos de calidad. El mismo día de la batalla pusieron en el castillo de Villalba del Alcor a don Juan Padilla, a don Pedro Maldonado, a Francisco Maldonado y a Juan Bravo. A la mañana siguiente los llevaron a Villalar. Los gobernadores, sin más proceso que una breve indagatoria, base de la condena fulminante, mandaron degollar a tres, y que Francisco Maldonado fuese preso a Tordesillas. Un tal Ortiz, paseándose por el campo con otros caballeros, vio venir conducido a Francisco Maldonado, desnudo, que tal lo había puesto la tropa.

---

en las conferencias de Villabrágima. Como resultado de tales entrevistas, Girón movió el ejército en forma que dejó descubierto el camino de Tordesillas. El obispo Acuña envió con este motivo un cartel de desafío a Guevara, que respondió con una de sus palabreras epístolas. *Epístolas familiares,* XLIII.

18.   Carta fechada en Medina de Rioseco, a 4 de diciembre de 1520. *Mem. Hist. Esp.,* tomo XXXVI, p. 624.

Ortiz le dio el pésame de sus trabajos, y se le ofreció. Maldonado le pidió ropa y dineros, y un empeño para cierto allegado suyo que le diese favor. Buena falta le habría hecho, como se vio al punto, un recomendante poderoso. Mas el pariente vivía en Salamanca, demasiado lejos para la urgencia del caso; que no fue otro sino haber de morir por sustitución. En medio de su desdicha, Francisco Maldonado podría congratularse con Ortiz, en aquella húmeda mañana de abril, de conservar la vida, en tanto que los otros caballeros se aprestaban al suplicio. Llegó el general de los dominicos, con tal orden que debió de congelar la sangre de Maldonado. Los gobernadores le mandaban volver. Un magnate, el conde de Benavente, el mismo que en los sonoros octosílabos del duque de Rivas increpa al condestable de Borbón, pidió con eficacia que no degollasen en su presencia a don Pedro Maldonado, «porque era su sobrino y lo tenía por afrenta». Motivo de honra que los gobernadores no desoyeron. Salieron del apuro con elegancia. Véase por qué y cómo: «*Habiéndose divulgado* que habían de degollar a don Pedro, y ya no se hacía, habían acordado degollar en su lugar a Francisco Maldonado». Lo degollaron, como quien dice, por no descomponer el cartel. La escena, harto menos aparatosa que en el cuadro de Gisbert, es mucho más cruel y repugnante. Un juez «fue luego a la casa donde estaban y díjoles que se confesasen, porque los gobernadores los mandaban degollar». Acabada la confesión, los sacaron en sendas mulas hasta la plaza del pueblo, donde los apearon junto a la picota. Mandaron a Juan Bravo que se tendiese para degollarlo. «Respondió que le tomasen ellos por fuerza y lo hiciesen, que él no había de tomar la muerte por su voluntad.» Le tendieron en el suelo sobre un repostero, y allí lo degollaron como a una res. «El verdugo no quiso hacer más. El alcalde Cornejo le mandó cortar la cabeza enteramente, diciendo que a los traidores así se había de hacer, y se habían de poner en la picota.» El digno magistrado sabía más leyes que el verdugo, como es normal, y no le contentó una cuchillada cabritera. Por satisfacer la conciencia jurídica, mandó que lo decapitasen redondamente. Se le adivina, tan grave y con su toga, presenciar la operación. Por el mismo estilo se ajustició a Padilla. Y a poco al triste de Francisco Maldonado, cuya cabeza fue puesta en un clavo. La historia no dice si para entonces lo habían ya vestido. Murió, no por refractario a la política del César, sino por falta de un conde de Benavente que le valiese. Francisco Maldonado es el patrono civil de los españoles sin valimiento, que pagan con la vida una falta de recomendación.

Dentro de tres días Valladolid pidió misericordia. La gente de armas, en espera de un saqueo famoso, con pensamiento de «medir el terciopelo con las picas», dábase a perros porque no se hacía señal de combatir. Se otorgó el perdón a Valladolid. El día 27 entró el ejército, «con grande majestad, en orden de guerra, con sus escuadrones concertados, toda la caballería armada, cubierta de ricos paños de color». Entraba con esta pompa la historia oficial, la doctrina imperante, el tema de los discursos venideros, y toda esa materia que suele henchir con emociones fatuas a una y otra generación. Importa saber cómo recibieron esta pompa los castellanos rígidos y exclusivistas que la sufrían, y sufriéndola la conocían mejor. Entraron primero el conde de Benavente, y el de Haro, capitán general, y otros grandes, con sus bandas de caballos, «sobrecubiertas las armas de grana bordada de oro». El almirante, y el adelantado, y el conde de Osorno, de librea verde, con la caballería de sus gentes armadas, y vestidos de la misma librea. Los capitanes generales, maestres de campo del ejército, con las banderas tendidas y los caballeros vestidos de brocado. El obispo de Osma, el Consejo Real, alcaldes y alguaciles; por último, el condestable, y el conde de Alba de Liste, el de Salinas, el de Aguilar, el marqués de Astorga, con toda su gente, lucidamente ataviados, y otros muchos caballeros y gente de a pie, a punto de guerra... Pero «hubo en la gente [de Valladolid] tanto coraje, que hombre ni mujer no se asomó a ventana, ni se abrió, que fue cosa harto notada, que no quisieron ver los que cuatro días antes eran sus mortales enemigos: tales son las comedias o tragedias de esta vida».[19]

Desgracia de vencidos es cargar con su afrenta, padecer el sacrificio, y sobre eso, que les nieguen la razón por arbitrio de la suerte contraria. Sandoval extracta relaciones coetáneas de los sucesos y menciona la carta escrita por un caballero del ejército real a otro del ejército de la Junta en víspera de la batalla. El negocio estaba en tal punto, decía el caballero, «que ya no había sino apretar los puños, porque el que cayese debajo *había de quedar por traidor*». Toledo lo había previsto cuando el año antes procuraba la reunión de la Junta de Ávila: «Bien sabemos, señores, que ahora nos

19.   Sandoval, *op. cit.*, libro IX.

lastiman muchos con las lenguas, y *después nos infamarán muchos con las péñolas en sus historias...* Regla general es que toda buena obra siempre de los malos se recibe de una guisa. Presupuesto esto, que en lo que está por venir todos los negocios nos sucedieran al revés de nuestros pensamientos, conviene a saber, que peligrasen nuestras personas, derrocasen nuestras casas, nos tomasen nuestras haciendas y al fin perdiésemos todos las vidas. En tal caso decimos que el disfavor es favor, el peligro es seguridad, el robo es rique- za, el destierro es gloria, el perder es ganar, la persecución es corona y el morir es vivir. Porque no hay muerte tan gloriosa como morir el hombre en defensa de su república». Se cumplió la previsión de Toledo. Quien tuvo la sinrazón de perder, murió pregonado por el verdugo. Los mismos en cuya pro trabajaron, los laceran en sus historias. No por cierto Sandoval, que pone al suceso de Villalar este comento: «Todas las acciones o hechos de esta vida se regulan más por los fines y sucesos que tienen que por otra causa. Si a Cortés le sucediese mal en México cuando prendió a Moctezuma, dijéramos que había sido loco y temerario. Tuvo dichoso fin su valerosa em- presa, y celébranle las gentes por animoso y prudente».

Las rodeadas antítesis que hemos analizado en la expresión de Ganivet, amplifican con poca fortuna su pensamiento capital sobre la revolución de Castilla. Ganivet se propone quitar a la revolución el designio político de reducir el poder real. De creerle, durante la Comunidad «se habló de todo menos de la causa verdadera de los disturbios, quizás porque los bandos antagónicos no tenían concepto exacto de lo que pretendían». Esta reflexión me parece excesiva- mente docta. Consiste en encararse con las gentes dispuestas a morir por algo que anteponen a la propia vida, y en nombre de un saber inmensurable decirles: «Eso porque reñís no os importa, ni en ri- gor reñís por ello; lo que os importa es esto otro». Cosa extraor- dinaria: miles de hombres intervienen en la Comunidad: se juntan, se alían, juran pactos, redactan mensajes y embajadas, ponen por escrito sus demandas, las discuten muy por largo con el enemigo, transigen sobre unos artículos, mantienen otros, y después de tanta elaboración y tanta plática resultará que no se habló del objeto del alzamiento, ¡ni sabían por qué se habían alzado! En realidad, durante las Comunidades no se habló de todo, ni mucho menos: se habló de una sola cosa: de la «tiranía» y del «remedio universal del reino de los grandes males, robos y exorbitancias en él acaecidas... a causa de la mala gobernación e consejo que el rey nuestro señor después que a estos reinos vino tuvo...».[20] El remedio, donde aparece el designio político, consistía en una carta constitucional y unas Cortes elegidas con independencia del gobierno, autorizadas para juntarse sin necesidad de llamamiento real. Esto importaba singularmente a los enemigos de la Comunidad, como se ve en Pero Mejía, cronista cesáreo, y en Guevara. Resultará, no obstante, que los bandos se hicieron horribles estragos, no en pro o en contra de una libertad, sino de una tesis elaborada trescientos años después por algún profesor de filosofía de la historia.

No puede fundarse el ímpetu y la vastedad de la revolución en cosa vaga y negativa como el ser los comuneros refractarios a una política exterior que estaba por empezar. Participaron en la revolución «oficiales» y mercaderes, legistas y clérigos, burgueses y nobles de segundo orden. En el ejército de la revolución militaban cuatrocientos clérigos de misa al mando de Acuña, obispo de Zamora.[21] Muchos frailes predicaron la Comunidad, y le servían de agentes de enlace. Los judíos la propagaban. Se alzaron las ciudades más ilustres y poderosas: Toledo, Burgos, Sevilla, Valladolid, Segovia, con otras muchas. «Desde la Sierra Morena hasta el mar no hay otra cosa que no esté perdida, salvo Trujillo... Apenas hay lugar que no esté rebelado en Castilla.»[22] Fuera de Castilla, Valencia combatió bravamente, y se alteró Zaragoza. La flor de los reinos, la gente de estudios, los menestrales y la clase media, ¿representarían en el orden político el atraso, la rutina, frente a los vasallos de los señoríos, frente a los soldados de oficio, frente a los grandes señores mismos, primeros interesados en conservar el orden tradicional? Como si hoy dijesen que el voto electoral de las diez o doce ciudades españolas más populosas, trabajadoras e ilustradas, denota inspiración peor o más distante del bien público que el voto de los campesinos obedientes a los caciques, o que el voto de los oficiales del

20. Preámbulo del libro de actas de las Cortes (trasladadas a Valladolid, después de la toma de Tordesillas), a 15 de diciembre de 1520. *Mem. Hist. Esp.*, tomo XXXVI, p. 710.

21. «En el combate que dieron los caballeros en Tordesillas contra los vuestros —escribe Guevara— vi con mis ojos propios a un vuestro clérigo derrocar a once hombres con una escopeta .detrás de una almena; y el donaire era que, al tiempo que asestaba para tirarles, los santiguaba con la escopeta y los mataba con la pelota.» Epístola XLIII.

22. Carta del licenciado Vargas al Emperador, de Burgos, a 7 de diciembre de 1520. *Mem. Hist. Esp.*, tomo XXXVI, p. 719.

Ejército, apoyo de la Corona, o que la opinión e influencia de los grandes señores modernos, es decir, de los monopolios y de las federaciones bancarias e industriales.

¿Qué podía unir a tal muchedumbre contra una política *innovadora y europea?* Carlos había estado pocos meses en España. Electo emperador, negociaba su coronación cuando los comuneros se alzaron. No había tenido tiempo de imprimir a la política exterior de España direcciones nuevas. La política de España ya era expansiva, imperialista y europea: más aún, universal. Los intereses de España en Italia, África y América no los inventó don Carlos: planteados estaban desde los Reyes Católicos cuya memoria, singularmente la de la reina, las Cortes de la Comunidad invocan de continuo. La futura política habsburguiana, en su dirección capital, la lucha armada con la Reforma, no era todavía discernible. La rivalidad con la casa de Francia viva estaba desde los Reyes Católicos. Lo que pudiera preverse de aquella política, la ambición y prepotencia, no desagradaba en el fondo a los políticos de la Comunidad. Las Cortes piden al emperador electo que no vengan tropas extranjeras al reino, pues las hay en él tan buenas para defenderlo y conquistar otros.[23]

Las innovaciones recaían por el momento en la política interior. Apenas muerto su abuelo, don Carlos, desde Bruselas, dio un golpe de estado: tomó el título de rey, que no le correspondía mientras doña Juana, su madre, viviese. El golpe, resistido por algunos miembros de su Consejo, acatado por otros que propendían a sublimar la potestad cesárea según las máximas del derecho romano imperial, anunciaba la voluntad despótica de don Carlos. La Corona ascendía a símbolo sagrado. De alteza a majestad. El rey de Castilla ya no sería el personaje andariego que disputaba el poder cuando no el título a vasallos poderosos, y los corrompía para tenerlos propicios, o los asesinaba en nombre de la justicia demagógica sobre que fundaron su popularidad los reyes fuertes. Sería un personaje misterioso, distante del pueblo y de la tierra, ungido para una misión providencial. El proceso, ya secular, mediante el que venía robuste-

---

23. «Que S. A. y sus sucesores no traigan ni tengan en estos reinos gente extranjera de armas para en guarda de su persona real, ni para defensión de sus reinos, pues en ellos hay muy grande número y abundancia de gente de armas muy belicosa, que bastan para defensión destos sus reinos y *aun para conquistar otros como hasta aquí lo han hecho*.» Capítulos de Tordesillas.

ciéndose la autoridad regia no había consistido tanto en adquirir
potestades que no tuviese como en ejercer plenamente las que por
definición correspondían a su oficio, del que eran atributos principales la justicia y la guerra. Para el buen orden de la Constitución
el rey debía mantener en equilibrio los dos brazos activos del reino:
la nobleza, los «caballeros», es decir, la casta militar, y las villas y
ciudades, donde cundía el trabajo, la riqueza, la fuerza de la producción y la abundancia de gente. Grave peligro para las clases
menores eran los eclipses del poder real, por ejemplo, siendo el rey
de poca edad. Aquel peligro arreció al advenir don Carlos. Cuando
la autoridad de la función era más fuerte la persona regia se eclip-
saba. El rey, extranjero (novedad ya mal vista en el padre), ausente
(causa de desgobierno), y mozo (ocasión de privanzas), delegó en
gobernadores, extranjeros también, o de la primera nobleza. No hacía falta más para alarmar al reino y corroborar los presentimientos
concebidos en los últimos años del Rey Católico.

El viejo rey tuvo a su lado al otro nieto, don Fernando, hermano menor de don Carlos. Lo educó a la española y en su escuela
de reinar. Lo amaba con pasión triste de abuelo. Lo protegía como
rey, temeroso del advenimiento de un extranjero. Testó dejando a
don Fernando la gobernación o regencia del reino que él ejercía por
incapacidad de doña Juana. De esa manera sació sus tiernos sentimientos por el nieto y el despecho contra la Corte de Bruselas y la
familia de su yerno hermoso. El testamento de Burgos es una pieza
maquiavélica y sentimental. El glorioso rey tiró cuanto pudo a deshacer la obra por que más lo glorifican. Débese a un accidente de
la fortuna que permaneciesen unidas las coronas de Aragón y Castilla. La voluntad del Rey Católico trabajó cuanto pudo por la des-
unión. Con el testamento de Burgos dejaba puesta la enseña de una
hermosa guerra civil. Los hermanos, apoyados el uno en el testamento, y el otro en el derecho de sucesión, se habrían disputado
el mando. La disputa habría quizá aprovechado a las Comunidades.
Uno de los príncipes se habría puesto de parte de la revolución,
como había de hacer, en disputa igual, la reina gobernadora. La
Comunidad se avino a extraer de su encierro a una loca para ampa-
rarse del prestigio real; con más fundamento ensalzara al joven infante, todo esperanzas. Galíndez de Carvajal refiere la escena en que
el rey moribundo, amonestado por su consejo, revoca el testamento. El infante, desengañado al morir su abuelo, se volvió a Ma-

drid. El chasco le puso melancólico. Distrajo la tristeza cazando en El Pardo. Su hermano, contrariándolo mucho, lo sacó prontamente del reino, y toda la casa personal del infante siguió más tarde la Comunidad.

Que el rey fuese extranjero, y el favorito y sus hechuras concusionarios; que las mercedes se derramasen sin cuento, a costa de los pecheros; que el rey, por no saber español ni curarse de agradar a los súbditos, se hiciese impopular, no es bastante explicación del alzamiento. Las fuerzas estaban preparadas y en oposición desde tiempo atrás. Los primeros y desacertados pasos de don Carlos en el gobierno ocasionaron que las fuerzas se desencadenasen. «La raíz y principio de donde han manado todos los males y daños que estos reinos han recibido ha sido la falta de salud de la reina, nuestra señora, la cual, y la tierna edad del rey, nuestro señor, su hijo, dieron causa y lugar a que metidos extranjeros en la gobernación de los dichos reinos, tan sin piedad fuesen despojados y tiranizados dellos.» [24] Así se planteaba el conflicto político: la disputa con la regia prerrogativa en el terreno constitucional. Se planteó mucho antes de embarcarse don Carlos en La Coruña, en demanda de la corona imperial. Los diputados llevaron a las Cortes que don Carlos convocó instrucciones imperativas, conformes en lo sustancial con el programa de la revolución en ciernes. Don Carlos, por amenazas, corrupción y violencia, arrancó a las Cortes un subsidio de novecientos cuentos. Algunas ciudades lo llevaron tan a mal que hicieron justicia en sus diputados. Fue el caso de Segovia. Un diputado de la ciudad, el regidor Tordesillas, votó el subsidio en las Cortes a cambio de un corregimiento bueno y de un empleo en la casa de la moneda. Vuelto a Segovia se convocó ayuntamiento para tomarle cuentas de su diputación, y acudió el regidor Tordesillas, desoyendo consejos prudentes. «Iba encima de una mula, vestido de sayón y tabardo de terciopelo carmesí.» Los cardadores escalaron las puertas y ventanas de la iglesia de San Miguel, donde se hacía el ayuntamiento, y sacaron a Tordesillas arrastrando. Camino de la cárcel resolvieron llevarlo derechamente a la horca. Echáronle una soga a la garganta, dieron con él en tierra. En vano el deán y los canónigos salieron revestidos, con el Santo Sacramento; en vano los frailes de San Francisco, también con el Sacramento, suplicaron de rodillas y

24. Manifiesto de la Santa Junta a la Comunidad de Valladolid, de 26 de septiembre de 1520. *Mem. Hist. Esp.*, tomo XXXVI, p. 82.

llorando que no lo matasen. Llegó a la horca medio ahogado; lo colgaron entre los cuerpos de dos agentes de policía —dos porquerones— que los pelaires habían el día antes ahorcado por los pies. ¡Terrible maña para un cuerpo electoral!

La contienda política se extendió a guerra social, a conflicto de clases, revolviéndose los pecheros sobre quien gravitaban las cargas del reino, contra la clase nobiliaria, brazo ejecutivo de la Corona, de quien tenían, con los privilegios y mercedes correspondientes, el mando y disposición de las armas. El tercer estado y, en general, las llamadas hoy clases productoras habían cobrado conciencia de su fuerza y de su inferior condición en el reino. Los motivos del rencor no han de buscarse en las estrellas: se puntualizan con minuciosidad de escribano en los capítulos de Tordesillas. Pidieron, en suma, que la ley reconociese su importancia en el estado. Resuelta la Corona a sofocar el movimiento de las ciudades mandó que los grandes señores y caballeros le acudiesen con las armas de su servicio. El odio acumulado en la clase llana estalló. Los comuneros protestaban de lealtad a la Corona. El furor recayó en los caballeros al servicio de «los tiranos».[25] En cada ciudad donde prende la chispa de la revolución, la venganza popular se ceba en alguna persona de clase noble. Obligaban a los caballeros a prestar juramento a la Comunidad, «siguiéndole unos de grado, otros por no entenderse y otros de miedo». Los remisos tenían que sentir en su persona y sus bienes. Las rencillas locales determinaron la situación de algunos. Los caciques se repartían en cada bando, forzados por la enemistad. Si los Benavides se afiliaban en un partido, los Carvajales asistían en el contrario.[26] Pocos siguieron la Comunidad por adhesión a su

---

25. No es posible reparar los males del reino «estando el poder y fuerzas en manos de los autores y fabricadores de los dichos males, que son los que hasta aquí han estado en el Consejo real, los cuales, no arrepentidos de lo hecho, siguiendo la naturaleza del demonio, entendían ahora de nuevo con todas sus fuerzas en aparejarse así de gentes de armas como de ayudas de grandes, para llevar adelante su diabólico propósito...». Manifiesto de la Santa Junta a la Comunidad de Valladolid, de 26 de septiembre de 1520. *Mem. Hist. Esp.,* tomo XXXVI, p. 82.

26. En pleno siglo XVI los caballeros ventilaban sus querellas de familia sobre las espaldas de los pecheros. Úbeda y Baeza estaban divididas en bandos entre Benavides y Carvajales. De los Benavides era capitán don Luis de la Cueva, primo del duque de Alburquerque. Del otro bando, Carvajal, señor de Jódar. Viniendo de Úbeda don Luis de la Cueva, en una litera, porque era hombre viejo, salió a él Carvajal, con ciento de a caballo y lo mató a lanzadas. Súpolo don Alonso, hijo de don Luis, y en venganza de su padre se

pensamiento político. Todos los caballeros que estuvieron en ella obedecían, de creer a Guevara, a bajas codicias personales.[27] Las defecciones, mortales para la causa, salieron del gremio noble, siendo el caso de Girón el más escandaloso. Anoto algunos ejemplos del ánimo reinante en la revolución.

Levantada Cuenca, capitaneó la Comunidad un tal Calahorra con otro llamado Frenero. Vivía en Cuenca Luis Carrillo de Albornoz, señor de Torralba y de Beteta, persona principal en la ciudad y en el reino. Le perdieron el respeto, y sólo a fuerza de paciencia salvó la vida. Yendo por la calle en su mula, un pícaro de la Comunidad se le puso a las ancas, diciéndole: *Anda, Luis Carrillo*; y hubo de pasar por ello. «Era casado Luis Carrillo con doña Inés de Barrientos Manrique, mujer varonil; y queriendo vengar la injuria hecha a su marido y quitar aquel oprobio de la ciudad convidó a cenar a los capitanes comuneros, y cargándoles de buen vino, los hizo llevar a dormir cada uno a su aposento. Sepultados ya en sueño y en los vapores del vino, mandó que los criados los matasen; y muertos los colgaron de las ventanas de la calle; que fue *una hazaña digna de eterna memoria y de quien la hizo.*»[28]

En las calles de Valencia luchaba con los agermanados una milicia urbana de mercaderes y gente de oficio. Mandó el gobernador a los caballeros estarse en La Seo, porque el pueblo no era seguro.

---

fue con mucha gente sobre el lugar de Jódar; «degollaron y mataron cuantos estaban dentro, y después pegaron fuego al lugar por muchas partes, que no podían valerse los tristes vecinos del lugar, y se echaron por las ventanas para librarse del fuego. Fue tanta la destrucción y mortandad que contaban haber muerto abrasados cerca de dos mil personas, entre hombres, mujeres y niños; el daño y destrucción que se hizo en el pueblo permanece hoy día en muchas casas de este lugar, que están caídas con las señales del fuego, pues las han querido dejar así en señal de su lealtad». Sandoval, *op. cit.*, libro VI.

27. Guevara, amonestando a Padilla, dice que los que estaban en el campo contra el rey eran «ladrones, homicianos, fementidos, oficiales sediciosos y comuneros... gente baja y cerril...». Guevara hace la cuenta de las ambiciones personales de los caballeros que andan en compañía de Padilla: el obispo Acuña quiere mejor iglesia que Zamora; don Pedro Girón querría a Medina Sidonia; el conde de Salvatierra mandar las merindades; Fernando de Ávalos vengar su injuria; Juan de Padilla ser maestre de Santiago; don Pedro Lasso ser único en Toledo; Quintanilla, mandar a Medina; don Fernando de Ulloa, echar a su hermano de Toro; don Pedro Pimentel alzarse con Salamanca; el abad de Compludo ser obispo de Zamora; el licenciado Bernardino ser oidor en Valladolid; Ramir Núñez apoderarse de León, y Carlos de Arellano juntar Soria con Vorobia. Epístola XLIII.

28. Sandoval, *op. cit.*

En la pelea muchos de los artesanos que conducía el gobernador dijeron: «volvamos y degollemos los caballeros que quedan en el Aseu, y *será mejor que matarnos los unos a los otros para darles placer*».[29] Tal espíritu tenían las tropas del gobierno. Añade la historia que en los monasterios y conventos hubo tanta pasión y bandos como en los de fuera. «Tuvieron este día el Santísimo Sacramento descubierto, y estaban en dos coros en cada convento partidas las monjas y frailes: los unos pidiendo a Dios victoria por los agermanados y los otros por los caballeros.»[30] La furia popular no descargaba sólo en los nobles, sino en cuanto les era adicto o dependía de ellos. Los comuneros segovianos dieron sobre El Espinar, «le acometieron como si fuera de infieles y lo saquearon». Los segovianos se llevaron con el botín a las mujeres y mozas de El Espinar; «y los de El Espinar, siguiéndolos, dijeron que si pasaban las mujeres de cierta raya y término, se quedasen para siempre con ellas».[31] ¡Humor indeliberado, de buena cepa: parece salir de alguno de los ejércitos municipales que don Quijote departió cuando querían pelear por el rebuzno de sus alcaldes!

Póngase junto a estos hechos el dictamen de testigos presenciales. Sea uno la opinión de un hombre instruido y de linaje, adscrito a la casa real como cronista del reino. El otro es un papel de inspiración popular. Deliberando el Consejo con el gobernador del reino sobre el remedio de la insurrección de Segovia se leyó una consulta del cronista Ayora, que resume la situación política de España y el origen de la revolución en estos términos:[32] En España hay tres estados de gente: el uno, de grandes prelados y clerecía, que solía tener excesiva autoridad sobre los otros, *cuando sembraba sus rentas en la República* y empleaba sus fuerzas en ella; otro, el de los nobles caballeros, *fuerza y ejecución de los reyes y grandes,* mientras los criaban, ayudaban y daban de comer, y otro, el resto, *de cuya industria y trabajo todos se sustentaban.* Sobre este último estado, «sin ningún respeto se ejecutaban las leyes a diestro y siniestro», para escarmentar con su ejemplo a los otros dos, «como quien azota al perrillo para castigar al león». Esta forma se había tenido en Castilla por segura y provechosa. Con el tiempo, «descubridor de

29. *Ibidem.*
30. *Ibidem,* libro VI.
31. *Ibidem,* libro VII.
32. Sandoval inserta por extenso el razonamiento de Ayora. Libro V.

las cosas», el tercer estado «ha caído en la cuenta de cómo llevaba toda la carga de lo civil y criminal», y ha comenzado los movimientos «para desfechar este yugo». Rebelde el tercer estado, los otros se apercibían a medrar. Prelados y grandes señores, sin las fuerzas ni la estimación que solían, tienen la presunción de sus antepasados. No les pesa de que los reyes y gobernantes se vean en la necesidad de recurrir a ellos, y a poca costa y menos peligro sean reputados y «sus casas hechas mayores». Ayora, hombre de buena política, se opone a llevar la represión a sangre y fuego. Propone que se convoquen Cortes, «donde todos ayuntados será más fácil cosa reducir a pocos presentes y bien guiados y moderados, a todo buen concierto, que a muchos ausentes, descorregidos y sin mesura».

El dictamen de Ayora es admirable. No permite ignorar los términos y las causas de la revolución. ¡Vendrá Ganivet a decirnos que no se habló en las Comunidades del verdadero motivo de la rebelión! Sus líneas están ahí bien claras. No difieren de los alzamientos del tercer estado victoriosos en Europa mucho tiempo después. La posición de Ayora llevando a las Cortes la dificultad para resolverla en un buen concierto, estaba, como otros intentos análogos en la historia moderna de España, destinado al fracaso.

El otro documento es de un exaltado, de un vocero popular. Es de un fraile. Sandoval ignora «con qué espíritu» escribió el fraile su papel. Súplalo el lector. Y admírese de que el obispo de Pamplona inserte en su *Historia* los ataques del fraile contra el clero: El rey de nada tenía la culpa. Era mozo. Se gobernaba por otros. No le decían la verdad. Los gobernadores, como extranjeros, quieren más su provecho «y los servicios que los señores y grandes de estos reinos les hacen» que el provecho del reino. Si algunos hay naturales, son traidores por codicia. De suerte que «por ser ricos cincuenta caballeros en Castilla, son robados y maltratados contra toda razón y justicia, todos estos reinos» (a diestro y siniestro, dice Ayora). El fraile pide la restitución de las ciudades, villas y lugares enajenados por la Corona en favor de algunos caballeros. Es justo que los reyes hagan mercedes a quien les sirve; pero que las hagan de lo suyo propio, no de lo ajeno. Que den dineros o joyas, pero no villas ni castillos ni vasallos. «Los reyes fueron elegidos para regir y gobernar en paz y justicia, y defender los reinos de sus enemigos, y para conservar y sustentar sus reales estados, sin echarles muchas imposiciones..., mas no para enajenar los reinos y quebrantarles sus leyes y libertades; el rey que tal cosa hace podía ser con justa causa desobedecido.» El fraile exhorta a los naturales a no dejarse maltratar: «todos los otros escritores loaron sobre todas las hazañas a aquellos que procuraron la libertad de su patria». El reino se levanta en servicio del rey para restituirle en su propia renta, usurpada por los señores, «que serán más de ochocientos cuentos de maravedís», bastantes a sustentar caballeros e hidalgos. Entrando en los remedios se dirige a la Santa Junta y pondera «el gran daño que a estos reinos ha venido y viene del heredar mujeres en estos reinos». (El fraile no debía de ser un fanático de las Berenguelas e Isabeles.) Con diligencia se ha de reformar, así como el nombramiento para oficios, el régimen monetario, el comercio de ganados, el arriendo de los impuestos, etc. «Y porque soy religioso no quiero poner en olvido los monasterios que tienen vasallos y muchas rentas.» Los que llegan a prelados en sus conventos, «como se hallan señores no se conocen, antes se hinchan y tienen soberbia y vanagloria de que se precian... Danse a comeres y beberes y tratan mal súbditos y vasallos, siendo por ventura mejores que ellos». Así se tuerce y desvirtúa la intención piadosa de los fundadores, que legaron bienes y rentas. Sería bueno que los monasterios no tuviesen jurisdicción: «Porque siendo ellos señores de la justicia, como saben que no tienen superior, con poderes y excomuniones del Papa o de sus legados o conservadores, tratan mal a sus súbditos y vasallos poniéndoles obligaciones nuevas de sernas y servicios, sin ser a ello obligados, sino por una mala costumbre que ellos ponen, y otras veces ruegos. Y si no lo quieren hacer, luego los ejecutan con sus contratos y obligaciones; y si lo hacen, luego se llaman a posesión, por donde son mal tratados. También es gran daño que hereden y compren, porque dejándoles los dotadores buenas rentas para todo lo a ellos necesario, es gran perjuicio del reino el comprar y heredar, y asimismo en perjuicio del rey: porque de lo que en su poder entra, ni pagan diezmo, primicia, ni alcabala, ni otros derechos. Y cuanto más tienen, más pobreza muestran y publican y menos limosnas hacen. Y los prelados de los monasterios se conciertan los unos con los otros y se hacen uno a otro la barba, porque el otro le haga el copete (como se suele decir), y no miran sus deshonestidades ni las enmiendan, ni castigan a sus súbditos las culpas, antes las encubren, celan y pasan por ellas (como gato por brasas). Aunque es muy cierto que hay muchos religiosos santos y buenos, más todavía sería bueno y santo poner remedio a este caso: porque si así se deja, pronto será todo de los monasterios». Por su parte, los obispos gastan las rentas de los obispados en adquirir favor: «Y el que tiene un obispado de dos cuentos de renta no se contenta con ellos, antes gasta aquéllos sirviendo a privados de los reyes, para que sean terceros y los ofrezcan para haber otro obispado de cuatro cuentos: y aun así no quedan contentos, pensando de ser santos padres. Y algunos otros tienen respeto de hacer mayorazgo para sus hijos, a quien llaman sobrinos, y así gastan las rentas de la Santa Madre Iglesia malamente, y a los pobres e iglesias no solamente no les hacen bien, sino que tratan de tomarles y robar los cálices que tienen. De esta manera se han los prelados con sus iglesias. Ved cómo castigarán los malos clérigos, y si los castigan será para robarlos, como vemos se hace en este obispado».

El escrito del fraile es un manifiesto revolucionario. Comprende el cambio en el orden de suceder a la Corona, reforma de los señoríos, reducción o conversión de las deudas de la Corona, desamortización de los bienes eclesiásticos, etc. Este programa no pudo resonar en las Cortes ordinarias y legales que Ayora quería ver convocadas por el rey; fue articulado, con más moderación, en las Cortes reunidas por los comuneros en Tordesillas. ¿Qué resta de la rigidez y exclusivismo de unos castellanos, que Ganivet opone como causa de la revolución, al supuesto liberalismo de los comuneros, «en que muchos pretenden hacernos creer»? No queda nada.

Pero ha de explicarse de algún modo la oposición de Ganivet a lo «que pretenden muchos». Más que combatir la falsa identidad con el movimiento liberal moderno y prestar a la insurrección de las ciudades castellanas un motivo insuficiente, importaba penetrar el significado de los hechos, medir su alcance y encararse con la verdad cualquiera que fuese. Ganivet no era bastante crítico para encontrarla. Escribe al dictado de su inspiración. Las líneas en que arrebata a las Comunidades el signo político, la categoría moral y, de resultas, el rango en la historia de España, se inspiran en un movimiento de mal humor o de impaciencia contra ciertas cosas que le cargaban.

La restauración de las Cortes españolas en 1810 equivalía, en sentir general, a restaurar las antiguas leyes fundamentales del reino. Lo afirmó el gobierno, que no era precisamente un comité de revolucionarios febriles. Lo sintieron así los diputados mismos, el restringido cuerpo electoral, los políticos de Cádiz y la parte ilustrada de la nación que tomó por su cuenta la reforma de la monarquía. No podían dejar de sentirlo también los absolutistas, aunque negasen la conveniencia, la utilidad de la restauración y, con el rey a la cabeza, se opusiesen a ella; la tradición antigua tenía que aparecérseles del mismo color que a los liberales, pero la detestaban y preferían la tradición despótica. Interesaba a los constitucionales más que nadie revestir a las Cortes del prestigio antiguo. El nombre de Cortes implicaba limitación del poder real, primera garantía de la libertad civil. A un concepto político obtenido por abstracción de las peculiaridades nacionales y que se resume en la expresión de la voluntad general, querían darle por órgano un cuerpo venerable, no bien conocido, famoso por su arcaísmo y tan arcaico como el orden social y el concepto de soberanía que las Cortes antiguas tradujeron. Así, las Cortes renacidas en 1810 y las que presumían resucitar no tenían aparentemente de común sino el nombre. Pero en el fondo se basaban sobre la misma idea: el pacto, la transacción y el concuerdo entre la Corona y los súbditos, de que resulta un gobierno limitado, merced al equilibrio de dos fuerzas en oposición, idea esencial en el sistema de monarquía, templada por la representación de los Estados del reino. Las antiguas Cortes eran históricamente el resultado y jurídicamente la personificación y defensa de unas libertades o franquicias otorgadas a las villas por la Corona, mantenidas por los pecheros con afán de recrecerlas, que ponían trabas importantes a la potestad regia; mejor aún: prestaban a la monarquía su carácter peculiar de limitada. Si algo parece claro en el concepto jurídico implicado en el organismo constitucional de los reinos españoles desde la influencia de las Cortes, es la noción de pacto. Los reyes venían heredando la corona y su patrimonio como por título de derecho civil. Las Cortes juraban rey al poseedor del título, pero lo juraban a cambio y bajo condición de que él jurase guardar las franquicias y libertades representadas por los procuradores y gobernar con paz y justicia. En el proyecto de constitución elaborado en Tordesillas, los comuneros piden que la Corona se obligue a guardarlo *como por vía de contrato*. Lo mismo significa desde 1812 el juramento a la Constitución exigido al que hereda la Corona para conferirle el título legal de reinar. Que los constitucionales españoles del siglo pasado buscasen la tradición y el entronque de las nuevas Cortes con las antiguas no era ningún disparate. Tanto menos cuanto que de Cortes como las españolas habían salido poco a poco en otros países parlamentos como el que pretendían instaurar.

Los liberales españoles hicieron la teoría de las antiguas Cortes. Es de temer que el estado de los conocimientos y el calor político les hiciesen incurrir en algún anacronismo. Muchos lectores de Martínez Marina quizá hayan soñado un régimen parlamentario de los siglos XIII o XV, o se hayan cuando menos imaginado unas Cortes de tal vigor, eficacia y majestad que no fueron sino la hipótesis de la institución y su designio latente, pero sin logro completo. Todavía no es raro leer encomios de las Cortes de Castilla trazados (chistosa coincidencia) por plumas que profesan con ardor la tradición y por plumas disidentes, antihistóricas y, en ciertos aspectos, demoledoras. De una y otra procedencia he leído yo dictámenes parecidos a vanos aspavientos, que pretenden ofrecernos, frente a la corrupción y descrédito de las Cortes modernas el ejemplo de las antiguas, ejemplo envidiable e inimitable por la autoridad, el poderío y el respeto grave de que se les supone investidas. Resultaría una asamblea de no menor importancia que el Senado de la república romana o que la Cámara de los Comunes. La lectura de los Cuadernos de Cortes, confrontada con la historia de la corona castellana, me inclina a pensar de otra manera. Desde las primeras Cortes de León, semejantes por el contenido de los capítulos a un concejo rural que delibera sus ordenanzas, hasta la Junta revolucionaria de Tordesillas, donde, en crisis de plenitud, quisieron alumbrar los frutos políticos de que venían preñadas, las Cortes padecieron las menguas, los insultos y menoscabos pertinentes a una institución en vías de hacerse, y que en el orden político constitucional fue derruida en el momento mismo de alzarse a implantar su predominio. No estuvieron exentas de falsedad electoral, ni de corrupción en sus miembros, ni de regios desaires y desdén o violencia de la corte real, ni siquiera de la opresión militar que en sentir de los más suspicaces ha profanado, digámoslo así, la majestad de las Cortes en nuestro siglo. Los Cuadernos revelan la flaqueza de la institución, la poca autoridad de las respuestas del rey a las súplicas de las Cortes, los vicios de la elección y lo precario de sus funciones, como parece de los remedios tantas veces propuestos y suplicados por los mismos procuradores. Nada de esto implica a que los constitucionales españoles del siglo pasado, al proponerse reformar la monarquía reduciéndola a una limitación razonable, tuviesen motivos para creerse continuadores de aquel antiguo cuerpo. En el primer tercio del siglo xix, gentes cargadas de servicios a la nación, como Juan Martín, perecían en el patíbulo por sublevarse contra el rey en favor de las Cortes: era fatal evocar la memoria de los capitanes muertos en Villalar en defensa del tercer estado. Que la propaganda y la vulgaridad abusasen del parecido y lo deformasen hasta el ridículo, como si Padilla o Juan Bravo hubiesen sido partícipes prematuros en la ideología *exaltada* de un Calatrava, de un Joaquín María López, carece de importancia y no disminuye el valor de su representación genuina. Ganivet les priva de ella por mal humor y reacción contra ese liberalismo anacrónico, no menos que por antipatía a cualquier liberalismo.

Los capítulos elaborados en Tordesillas por las Cortes de la Comunidad concluyen el carácter y la importancia del movimiento. Formaron las Cortes un proyecto de constitución que llamaron ordenanzas, «con las cuales esperaban que sería esta república una de las más dichosas y bien gobernadas del mundo. *Concibieron las gentes unas esperanzas gloriosas de que habían de gozar los siglos floridos, de más estima que el oro.* Y los de la junta quedaron tan gallardos *con las gracias y aplausos de los pueblos,* que hechas sus ordenanzas determinaron enviarlas al Emperador con dos caballeros y un fraile, ciertos y seguros de que S. M. les había de dar títulos por ellas». Bien se ve, en estas palabras de Sandoval, la parte que tomaba la opinión pública en la obra de las Cortes.

Los capítulos de Tordesillas encierran copiosas disposiciones de orden administrativo que atañen al buen gobierno y economía del estado, a la designación de funcionarios, a la inspección de servicios, a la dotación, responsabilidad y garantías en el despacho de la justicia, a la contabilidad de las rentas públicas, al régimen monetario y comercial, sin olvidarse de las colonias.[33] Tales capítulos, junto con los de las Cortes de Valladolid que juraron a don Carlos, permiten conocer el estado verdadero del reino, como lo dejaba a su muerte el Rey Católico.

Entremetidos en los capítulos de buen gobierno y reforma ad-

---

33. Las Cortes piden «que no se hagan ni puedan hacer perpetuamente mercedes algunas a ninguna persona, de cualquier calidad que sea, de algunos indios para que caven y saquen oro, ni para alguna otra cosa. Y que revoquen las mercedes de ellos hechas hasta aquí. Porque en haberse hecho merced de los dichos indios, se ha seguido antes daño que provecho al patrimonio real de Sus Majestades, por el mucho oro que se pudiera haber de ellos; demás que siendo como son cristianos, son tratados como infieles y esclavos».

ministrativa, están los capítulos de orden constitucional más importantes a nuestro propósito. Son éstos:

Reforma de la plantilla y presupuesto de gastos de la real casa.

Exclusión del reino de las tropas extranjeras.

Incompatibilidad de los grandes para ocupar destinos en el real patrimonio y hacienda.

Reforma electoral: las ciudades elegirían tres procuradores, uno por cada estado, guardándose la costumbre; los diputados o procuradores cobrarían sueldo a cargo de la ciudad; la elección se haría libremente, sin coacción del rey; los procuradores no podrían recibir mercedes del rey; se anularían las mercedes hechas a los procuradores en las Cortes de la Coruña; los procuradores tendrían libertad de ayuntarse, conferir y platicar los unos con los otros, y el rey no les daría presidente; «porque esto es impedirles que no entiendan en lo que toca a sus ciudades y bien de la república de donde son enviados». En fin, las Cortes, por su propio derecho, sin convocatoria del rey se reunirían cada tres años.[34] El comentario de Pero Mejía, cronista cesáreo, declara la importancia de esta cláusula: reunirse los procuradores en Cortes en ausencia de los reyes «claramente era una perpetua comunidad y deshacer el poder real».[35] Todavía, transcurridos cuatro siglos, las Cortes españolas no han alcanzado la potestad de reunirse por su propio derecho, sin convocatoria por parte del gobierno real. No es inverosímil que alcanzar esa potestad, en el estado actual de los asuntos españoles, equivalga a una revolución política o la necesite. Se concibe, pues, que en su tiempo tamaña petición pareciese a los secuaces de don Carlos no menos que escandalosa y blasfema. Así lo siente fray Antonio de Guevara, que contradice las demandas de los comuneros: «Me parecía gran vanidad y no pequeña liviandad lo que se platicaba en aquella Junta y lo que pedían los plebeyos de la república: es a saber, *que en Castilla todos contribuyesen, todos fuesen iguales, todos pechasen, y que a manera de señorías de Italia se gobernasen;* lo cual escándalo es

34. El capítulo dice: «que de aquí adelante perpetuamente de tres en tres años, las ciudades y villas que tienen voto en Cortes, se puedan ayuntar y se junten por sus procuradores, que sean elegidos por todos tres estados, como de suso está dicho en los procuradores. Y lo puedan hacer en ausencia y sin licencia de Sus Altezas y de los Reyes sus sucesores, para que allí juntos vean y procuren cómo se guarde lo contenido en estos capítulos; y platiquen y provean las otras cosas cumplideras al servicio de la corona real y bien común de estos reinos».

35. Pero Mejía, *Comunidades de Castilla,* cap. IX.

decirlo y blasfemia oírlo, porque así como es imposible gobernarse el cuerpo sin brazos, así es imposible sustentarse Castilla sin caballeros».[36] Se echa de ver que el partido de la Corte sabía muy bien, como el partido de la Junta, el objeto de la rebelión.

No puedo atribuir únicamente a falta de información el error —en mi opinión clarísimo— de Ganivet sobre caso de tal magnitud como la revolución de Castilla. Verdad que al *Idearium* le falta la solera de fuertes lecturas españolas. Mas el archivo de Simancas, si lo leyese entero, habría aprovechado poco al temperamento de Ganivet. No parece hombre de demasiados libros; murió joven, y sus lecturas se resienten quizá del desorden propio de la curiosidad inquieta y sin objeto. Con todo, hay en su espíritu un no sé qué de libresco, y sólo deja de ser libresco para ser indómito. La sensibilidad para las cosas exteriores ni la intuición del hombre no lo guiaban; no lo guiaban porque no poseyó, o muy poco, ninguna de esas facultades. Ponerse a elaborar temas históricos, sea en forma declaradamente artística, sea en la forma del ensayo, para extraer una emoción comunicable, pero de orden moral más que de orden estético, conduce al fracaso, si no asisten al autor aquella facultad penetrante que descubre al hombre bajo su máscara, ni la abultada plasticidad que sitúa al hombre en su paisaje. Donde se acaba la tarea del erudito que desescombra los monumentos y depura los materiales históricos, empieza la obra del escritor, que necesita virtud creadora. La tarea del historiador consiste en mostrarnos al hombre y las fuerzas determinantes de su acción. La historia tiene el movimiento y la corporeidad del drama; cualquier drama es una historia particular y limitada; y de hecho, en el teatro, ambos géneros han solido avenirse muy bien, prestando el uno la materia, el otro los medios de expresión, para poner en pie criaturas vivas. No es que convenga aprender, o pueda siquiera aprenderse la historia en el teatro, ni fuera de la disciplina propia del historiador. Digo que el historiador, por mucha ciencia que atesore, necesita además algunas cualidades de poeta: el vigor plástico de sus representaciones, la finura de la tela sensible, temblorosa, delante del mundo exterior. La percepción de los sucesos históricos, percepción siempre

36. Carta a don Juan de Padilla, desde Medina del Campo, a 8 de marzo de 1521.

indirecta y por reflejo, no se logra en el modo descriptivo, como de ninguna cosa, sea documento, paisaje o fisonomía humana, se alcanza a penetrar el valor describiéndola. Tuviese Ganivet ese poder compasivo que permite revivir la emoción, ya fría, amortajada en las palabras de un escrito viejo, y la simple lectura de unos pocos papeles de la Comunidad le habría puesto en buen camino para descubrir al hombre y sus pasiones crónicas, menos distantes de nosotros de cuanto su aparente antigüedad quiere fingir. La muerte, las ruinas, o simplemente el haber transcurrido los sucesos fuera del tiempo de nuestra experiencia personal, prestan al hombre y a sus gestas un disfraz de arcaísmo que es preciso desgarrar. Muchas cosas de ayer parecen remotísimas, porque no las hemos medido con nuestro tiempo psicológico; o parecen conclusas, esquilmadas, porque se muda la expresión como varían los trajes o los medios de transporte. Pero las ruinas, sean de sentimientos y pasiones, sean de obras fabricadas, denotan, mientras subsisten como tales ruinas, la ilación de la vida a través de las edades. Lo patético de la historia española consiste en descubrir cómo retoñan en cada generación ciertos sentimientos de que, al parecer, no quedan sino cenizas y escombros estériles. Muchos caminos de España se trazan por las ruinas que dejan al borde; así también el camino mental hacia el pasado, que lo dispone en perspectiva y lo gradúa según cierta escala. Esto es mengua del entendimiento. La sensibilidad es más ágil, y envuelve en su onda, sin antes ni después, el latido en que consiste la semejanza de los hombres.

Mal asistido de su capacidad sensible, Ganivet se halla por otra parte prisionero de algunas prevenciones hostiles a su siglo. Se imagina vivir en una época espiritualmente baja. Opina que se concede «más importancia al ferrocarril que a las obras de arte». Esta creencia estriba en una oposición artificiosa, trivial, que Ganivet no debió admitir ni plantearse siquiera, o debió, cuando menos, resolverla en su espíritu. Es falso que la civilización tenga ni haya tenido nunca que optar entre lo útil y lo bello, o que haya optado en nuestro tiempo por lo uno en detrimento de lo otro. En el volumen de la vida social el arte no ha perdido el lugar que le corresponde. Ganivet se persuade que su época es chabacana, quizá por demasiada licencia de la muchedumbre. La «masa» le repugna. «El pueblo como organismo social —dice en otra parte— me da cien patadas en el estómago, porque me parece que es hasta un crimen que la gentuza se meta en cosa que no sea trabajar y divertirse... Mucho amor y mucho palo para los pequeños.» ¡Aún le parecen poco apaleados! El feminismo le anuncia una recaída en la barbarie. «El porvenir próximo de la cuestión femenina parece ser la gradual emancipación, y con ella el rebajamiento del hombre y de la sociedad. Y si llega un día en que la mujer de carrera, hoy tolerable por ser un bicho raro, se encuentre en todas partes..., habrá que suplicar a la Providencia que caiga sobre nosotros una nueva invasión de bárbaros y de bárbaras, porque puestos en los extremos es preferible la barbarie a la ridiculez... La civilización trae el rebajamiento, y el caso particular éste de las mujeres nos lo patentiza.» Le molesta el barullo de la plaza pública; estima que los españoles hablan demasiado: «La fuerza que antes se desperdiciaba en aventuras políticas en el extranjero se pierde hoy en hablar...». Ha de entenderse (si tamaña hipérbole puede tener algún sentido) que Ganivet no alude al hablar de los españoles en privado, sino al comercio político y al examen libre de los negocios comunes. Difícil es creer que los españoles se exceden en esa vocación. Los más son cívicamente alalos. Pero Ganivet encuentra perniciosa la disparidad de opiniones. Cree en la virtud del silencio patriótico. Nada más sensato que fiar —como Ganivet lo fía— al esfuerzo intelectual la restauración de España. Con la misma pluma que escribe cosa tan clara propone esta regla de conducta: «Cuando todos los españoles acepten, *bien que sea con el sacrificio de sus convicciones teóricas,* un estado de derecho fijo, indiscutible y por largo tiempo inmutable, y se pongan unánimes a trabajar en la obra que a todos interesa, entonces podrá decirse que ha empezado un nuevo período histórico». Con palabras más broncas se ha proclamado una regla igual para el gobierno de España en 1923, comienzo de un período histórico. Lástima que Ganivet no haya vivido bastante para aprender —ya que su personal discurso no se lo decía— cómo se obtiene y a qué conduce el sacrificio de las «convicciones teóricas».

Delante de lo histórico, delante de lo actual, Ganivet se arredra a su mundo interior. Proyecta hacia afuera su propia luz. No nos enseña a descubrir el mundo que ilumina ni nos ayuda a entenderlo. Sólo descubrimos y entendemos a Ganivet. Derrama sobre sus temas un patetismo decorosamente refrenado por la expresión literaria, pero cuyo calor latente se percibe en la sequedad de la frase. El patetismo proviene de una contienda espiritual bastante recia. Exhorta el *Idearium* a tener esperanza, fundada en virtudes y ejercicios harto diferentes de los que, según el propio Ganivet, constituyeron el ser de España. Y otorga absolución piadosa, no libre de añoranza, a la conciencia española histórica. Conmueven a Ganivet los mismos entes cuyo abandono recomienda. Su espíritu se sumerge en patetismo y de ello vive, en cuanto su angustia personal se implanta en la angustia española; más: Ganivet se inscribe entre los creadores de la angustia. Pese al «eje diamantino», a la «fuerza madre indestructible» que se imagina llevar dentro; pese a la exaltación romántica o anárquica de la personalidad, Ganivet desfallece si no le confortan los raudales de la tradición donde se ha bañado su alma. Su futurismo español, si puede decirse así, es benigno por instinto de conservación. El bueno de Pío Cid, tan señero, tan hosco, es un triste que deplora su condición moralmente hospiciana, y no se descontenta de saber lo ilustre de su progenie, ni desespera de verse un día, quién sabe cuándo, repuesto en el hogar antiguo de donde lo ha expulsado el infortunio. Mas el mundo interior de Ganivet es dura cárcel. No la quebranta, aunque forcejea por quebrantarla. Se le cierran las vías de alumbramiento. Su rayo sentimental se desorienta, y el esfuerzo intelectivo no es más dichoso que su patetismo. En el *Idearium* hay algo más que emoción inmerecida, de cuya fluencia sobre motivos falsos, sobre nociones erróneas, confusas, nace el penoso espectáculo de ver a un espíritu noble emplear mal su fervor: el *Idearium* se dirige también a encerrar los motivos de sus efusiones en una armazón conceptual. En eso consiste el deber del crítico, y tal es la posición de Ganivet en el *Idearium*. Que conociese el deber ya es mucho; ponerse a cumplirlo con denuedo y probidad, sin reservarse evasiva alguna para la contingencia de un fracaso, le gana nuestro respeto. Ganivet no es de la escuela de marrulleros donde se aprende a reemplazar las noticias y el discurso pobres con vagas referencias a cuestiones y puntos entreoídos, bastantes a dar al lector la impresión de habérselas con un sabihondo que, por pura elegancia, se envaina la agudeza y omite el vasto saber de que tiene atiborrados los desvanes del intelecto. Se ha visto en España patinar a los cojos y convertirse la elegancia en el último disfraz de los indigentes. Más que patinar quisiéramos verlos andar, pero no saben. Más que elegantes quisiéramos verlos en hábito de trabajo, pero no tienen, ni mejor ni peor, otra ropita que ponerse. Ganivet, pues, es más leal con su propio espíritu. Desconoce el histrionismo. Por esta cualidad lo pongo sobre los cuernos de la luna. Da cuanto tiene y hace un esfuerzo desesperado por darse enteramente. Discurre, se afana, construye. La desgracia está en lo endeble de la construcción. Lo siento mucho, pero no hay sino llamar a las cosas por su nombre: los medios intelectuales de Ganivet son harto inferiores a sus propósitos. Creo llevar escrito más de lo necesario para que el lector no se escandalice de lo que afirmo.

Ganivet entabla un sistema con reminiscencias de Taine, quizá de Herder (aquilatarlo carece de interés), para explicar la «estructura psicológica» de España. No basta desentrañar el espíritu religioso, ni el jurídico, ni el artístico. Se ha de llegar más hondo en la realidad, hasta un «núcleo irreductible». Lo perenne es la tierra; el núcleo es el «espíritu territorial». Este criterio puede llevar, según quien lo maneje, a la inocente perogrullada de cambiar el nombre de las cosas, reemplazando, por toda explicación, palabras sinónimas, o al dislate de imponer torsiones violentas a los datos más patentes de la historia. Todo depende del vigor discursivo de quien lo adopta y del partido que su ingenio acierte a sacar de la erudición. En manos de Ganivet, ni muy erudito ni muy reflexivo, ese conato de sistema es peligroso como arma en poder de un niño dispuesto a hacer una hombrada. Adviértase, para explicarnos el peligro, que Ganivet no discurre analógicamente, sino por semejanzas verbales y tal vez por simples homonimias. Ejemplo: la prueba de que los españoles, dotados de espíritu guerrero, no tenemos espíritu militar, es decir, talento o capacidad de organización de la fuerza armada, es que nunca hemos pasado «de la compañía y del tercio», y que para presentar una figura militar de primer orden «tenemos que acudir *a un capitán nada más,* al Gran Capitán»... Ganivet se olvida del valor genérico de los vocablos «capitán» y «capitanear», tomando una expresión figurada y encomiástica por equivalente a un grado en la milicia. Ya no podremos incluir entre los *grandes capitanes* a César o Aníbal sin rebajarlos. Nuestros abuelos llamaron a Bonaparte «el capitán del siglo»: ¿entendería Ganivet que era inepto para ascender a comandante? Motivo de alarma no menor es la desenvoltura y ligereza con que Ganivet plantea cuestiones complejísimas sin percatarse de que lo son, fiándose en una reducción engañosa a términos simples. Ejemplo: discurre sobre la «cuestión romana», o sea, el conflicto entre la unidad de Italia y el Papado, y predice el aniquilamiento del poder político establecido en Roma. Disimulemos el olvido de considerar que el choque del unitarismo italiano no fue, ni podía ser, con la autoridad espiritual del Papa sobre los cristianos católicos, sino con la soberanía temporal del Papa sobre Roma. Pasemos porque su falta de perspectiva histórica no le consiente ver al sucesor de Pedro, con soberanía temporal o sin ella, arreglarse de varias maneras a las vicisitudes de la potestad civil predominante en Italia; demos por cierto que renunciando el Papa al señorío temporal el conflicto persistiese, porque la gobernación civil y la autoridad religiosa no quepan juntas en una ciudad teocrática. Lo que importa es la razón del vaticinio de Ganivet, funesto para la unidad italiana. Es ésta: «El poder político tiene la fuerza, pero la fuerza es flor de un día. En definitiva lo que triunfa es la idea, ¿y qué comparación puede haber entre un régimen político pasajero y un régimen espiritual inmutable?». Ganivet no se pregunta si el poder político no será también fuerza espiritual, si no representa *ideas,* confesadas virtualmente por toda la nación. El poder político, vocablo casi peyorativo en la comparación esbozada, viene a ser fuerza ciega, destructora como un terremoto.

Acotaré todavía unas líneas para mostrar en qué modo el desplante caprichoso de Ganivet interviene en apoyo de esta o la otra opinión, si no sabe sostenerlas mejor. En Ganivet lo más extraordinario suele ser el por qué de sus conclusiones. Puesto a examinar el papel del catolicismo en España, Ganivet mantiene que cuanto se construya con carácter nacional debe sustentarse en los «sillares de la tradición». ¿Por qué? ¿Porque se lo imponga su fe religiosa, porque acepte el catolicismo como disciplina moral y social, porque estime que la tradición católica española no puede ser removida, o por algún otro fundamento, siquiera fuese especioso, que pertenezca al orden inteligible? No; por despique del amor propio: «porque habiéndonos arruinado en la defensa del catolicismo no cabría mayor afrenta que ser traidores para con nuestros padres, y añadir a la tristeza de un vencimiento, acaso transitorio, la humillación de someternos a la influencia de las ideas de nuestros vencedores». ¿No es esto, como quiera que se mire, pura niñería, más aún diciéndolo quien no sea creyente? Verdad es que Ganivet admite y recomienda la libertad religiosa: le parece fecundo romper la «unidad filosófica» en interés del catolicismo, que cobraría robustez y agilidad defendiéndose de los disidentes. De hecho, y sin necesidad de que Ganivet lo recomiende, la «unidad filosófica» tiempo hace que se ha roto por todos cuantos piensan fuera de los dogmas católicos. La libertad religiosa no sería sino el reconocimiento legal de un derecho. Ganivet la sustenta adelantándose a decir que la libertad no debe inspirar temor. ¿Cuál? El temor de que las disidencias o, como dice Ganivet, «las herejías», se multipliquen. Ya no puede haberlas «porque el exceso de publicidad, aumentando el poder de difusión de las ideas, va quitándoles la intensidad y el calor necesarios para que se graben con vigor y den vida a las verdaderas sectas». De suerte que aplicando en sentido contrario el argumento de Ganivet estaríamos autorizados para proscribir la libertad religiosa si hubiese temor de herejías nuevas. Ganivet ignora qué son herejías. No lo es cualquiera disidencia. La herejía nace dentro del girón de la Iglesia, en virtud de contradecir uno o varios de sus dogmas. Una cosa es la herejía y otra la incredulidad. El hereje es un creyente que se propone reformar la fe. No así el que piensa con independencia de los dogmas de cualquier Iglesia. Nuestro tiempo no es del todo estéril en herejías. Herejes prácticos, los hay incontables, como se demostraría si se interrogase a los creyentes sobre el contenido de los dogmas que profesan. Herejes con doctrina deliberadamente formada y confesada también los hay. Alguna herejía ha definido y condenado la Iglesia en nuestro siglo. Lo insólito de estas herejías proviene, a mi corto entender, de que la fe cristiana ha dejado de ser la piedra angular de la especulación filosófica. En ningún caso puede admitirse aquella peregrina influencia del *exceso* de publicidad para mutilar y desvirtuar las ideas. ¿Qué son ideas intensas? ¿Y cómo son menos intensas porque se divulguen? Antes parece que divulgadas se incorporan a la vida y fructifican. La idea de la Redención sería, según Ganivet, muy *intensa* en la mente de San Pablo. ¿Perdió vigor, o eficacia, al propalarse en el mundo greco-latino? En la tesis de Ganivet las ideas serían como los gases, enrarecidos al dilatarse. Un gas tóxico, en ámbito cerrado, es peligroso, mortífero; pero inofensivo si el ámbito se airea. Tal es el destino de un pensamiento herético. Esta página del *Idearium* (la página 27) es un prodigio de arbitrariedad, de ilogismo. También de frívolo aturdimiento. «Si hubiera modo de traer a España —escribe— algunos librepensadores mercenarios y varios protestantes de alquiler, quizá se resolvería la dificultad sin menoscabo de los sentimientos españoles.» Ganivet estaba obligado a mayor seriedad sabiendo que en su país, víctima como pocos del rigor de la intolerancia, más difícil que hallar pensadores independientes o disidentes, ha sido —lo es a veces— asegurarles el respeto.

Con tales muestras de su arte discursivo, el conato de sistema que Ganivet implanta sobre el concepto de «espíritu territorial» podría alarmar al lector del *Idearium*. ¿A dónde nos conduce Ganivet si, jugando ese concepto, resuelve el problema «de enlazar con rigor lógico la experiencia interna con los hechos externos»? El lector se promete alguna sorpresa, algún descubrimiento que lo guíe en el análisis de la «estructura psicológica» de su país, y recibe en efecto la sorpresa más fuerte al descubrir que el «espíritu territorial» no lleva a ninguna parte, ni es guía en ningún laberinto. El espíritu territorial, «núcleo irreductible», debería obrar *siempre* y en *todas las fases* de la vida de un pueblo. El lector aprende en seguida que no es así. «Cuando el espíritu territorial no está aún formado le suple el espíritu político, esto es, el de ciudadanía...» De esa manera en la psicología de un país se introduce un agente anterior, porque el espíritu territorial se forma, por lo visto, con lentitud. Durante cierto tiempo el «núcleo irreductible» no existe. Su función padece así mengua considerable. Otras de más importancia le están reservadas. Ganivet pasa revista al espíritu religioso, al espíritu guerrero, al espíritu artístico, sobre los cuales pudimos creer que obraría a su modo el espíritu territorial, y escribe: «La síntesis espiritual de un país es su arte. Pudiera decirse que el espíritu territorial es la médula, la religión el cerebro, el espíritu guerrero el corazón, el espíritu jurídico la musculatura y el espíritu artístico como una red nerviosa que todo lo enlaza y lo unifica y lo mueve». Del caprichoso reparto de la anatomía humana, en el que nada le cabe al espíritu científico (nótese que *la religión* es el cerebro), resulta que el prometido núcleo irreductible, al «que están adheridas todas las envueltas que van transformando en el tiempo la fisonomía» del país, no es sino parte de un ser, conexa con otras no menos importantes y que no se determinan por ella. El espíritu del territorio pierde ya su radical primacía en la explicación psicológica de un país y se restringe al papel de elemento concurrente.

¿En qué consiste el espíritu territorial? ¿Cómo se le reconoce? ¿Cuál es su obra? De primera intención el lector pudo creer que siendo la tierra lo más hondo, «lo único que hay para nosotros perenne», Ganivet se comprometía a explicarnos la psicología de un país en función de los datos físicos y, en general, de todas las observaciones que ampliamente pueden comprenderse en la geografía. Pero el espíritu territorial padece aquí otra mengua, en su origen y en su aplicación. De todos los caracteres de la tierra Ganivet sólo toma en cuenta uno: su posición respecto del continente. Y las influencias del núcleo irreductible recaen en las relaciones de un pueblo con los demás, y por modo principal, característico, en su estilo de guerrear. Desde este punto el lector presiente la explicación inane, simple paráfrasis del fenómeno que se pretende explicar.

Como hay islas, penínsulas y continentes, hay pueblos insulares, peninsulares y continentales, con caracteres específicos determinados por «las relaciones inmanentes de sus territorios». Esta es la primera limitación del dato geográfico. Basta saber si un país es isla, península o continente. Lo demás: clima, configuración del suelo, riquezas naturales, distancias y comunicaciones, así en el interior como respecto de otros países, etc., no entran para nada a formar el espíritu territorial. La limitación segunda se contiene en las palabras mismas con que Ganivet expresa la variedad de espíritus territoriales: «en los pueblos continentales lo característico es la resistencia, en los peninsulares la independencia y en los insulares la agresión». El espíritu territorial, pues, sólo está presente en la competencia entre pueblos, pero en ninguna fase más de su conducta. Así estrechado el concepto que Ganivet adoptaba como argumento organizador de un vasto capítulo de filosofía de la historia, todavía veremos disolverse en puros juegos de palabras o en apostillas triviales su fuerza explicativa. Primeramente, por falta de generalidad. La demostración serviría de algo si pudiera aplicarse a todos los pueblos del mundo. Lo que dice de España debería valer para el Indostán y el Asia Menor; lo que dice de Francia, para los Estados Unidos y la China, y lo que de Inglaterra, para Australia, isla... continental. Si no puede aplicarse tal criterio, y en efecto no se aplica en todas partes, será que el espíritu territorial, formado por el mayor o menor aislamiento del suelo, no es por sí determinante de nada; lo avasallan otras influencias de orden físico, o racial, o económico, o religioso... Estamos lógicamente obligados a dudar si esas mismas influencias no entrarán también a producir el resultado que Ganivet imputa al espíritu territorial en los pueblos donde más claramente lo identifica. Sus observaciones se limitan a Europa. Y, dentro de Europa, no convienen a Italia y Escandinavia los caracteres que Ganivet descubre en España como típicos del espíritu peninsular; ni a Polonia le convienen los de Francia, siendo ambos pueblos continentales. Ganivet se limita a tres pueblos europeos: Inglaterra, Francia y España, y parafrasea, echándoles encima un nombre genérico, ciertos rasgos que ha creído observar en su historia política exterior. Ahí vemos la dificultad en que Ganivet se enreda. Lo geográfico y lo político son conceptos independientes, elaborados de muy distinta manera, como que el uno es científico y el otro no. Explicar la fisonomía política de un país y sus variaciones, por lo geográfico simplemente, es imposible, como la explicación no sea de tal generalidad que sobresalga de lo típico nacional y rebase precisamente lo político para refundirse en la historia natural humana. Lo geográfico, tal como Ganivet lo considera, o es demasiado amplio y abarca multitud de variantes políticas, contradictorias entre sí, amparadas por rasgos comunes de la geografía, o es demasiado angosto, diminuto, y no se acomoda al resultado político que Ganivet toma en cuenta. Europa entera es una península, respecto del continente a que está adherida. No se advierte en la historia de los pueblos europeos el rasgo de carácter común, dependiente de la condición peninsular del territorio. E inversamente: en la gran isla británica han existido dos pueblos con dos Estados independientes. ¿Ingleses y escoceses se las habían como pueblos insulares? ¿Como pueblos continentales? La isla donde están encerrados sería para ellos como el continente para los pueblos de tierra firme. El espíritu insular, sea cual fuere, no explica las relaciones de Inglaterra y Escocia. Ni el espíritu peninsular las de Portugal y España.

Veamos, en segundo y último término, lo característico del espíritu insular, peninsular y continental: nos habremos internado un poco más en el mundo de las vanas palabras. Agresión, resistencia, independencia: tales son sus caracteres respectivos. Ninguno de ellos excluye a los otros dos. Mal podrán, con oposición arbitraria, caracterizar a pueblos diversos. De los tres vocablos, en el empleo que les da Ganivet, sólo el de independencia implica un valor sustantivo. Sabemos, no más enunciarlo, qué es el espíritu de independencia. No así la resistencia y la agresión, conceptos referidos a otro que se omite, y dependientes de él. ¿Resistencia a qué? ¿Agresión contra qué? Su valor se subordina al propósito con que se resiste o se agrede. Son medios para un fin, el cual los califica, y como pueden ponerse al servicio de la independencia no se excluyen en el mismo país, ni menos se oponen unos a otros. Resistir a un invasor conduce a mantener la independencia; un ataque contra ella podría prevenirse mediante una agresión. De suerte que el espíritu de resistencia es lo mismo que el de independencia, puesto en acción defensiva y de combate para prevalecer. Del espíritu de independencia bien puede creerse que es común a todos los pueblos. Ganivet lo reconoce: «el principio general —dice— es la conservación». Hay, pues, un principio anterior; el espíritu territorial sólo crea los modos de conservarse, que consisten, como acabamos de ver, en una misma cosa. El pensamiento de Ganivet se reduce a lo siguiente: todos los pueblos quieren su conservación; unos la confían al espíritu de independencia (la cual, como sentimiento, es el mismo deseo de conservarse); otros a la resistencia contra lo que ataca al hecho y al deseo de ser independientes, y otros «cuando la necesidad les obliga a ello» (la necesidad de conservarse) se convierten en agresores. Hemos dado un rodeo de palabras. Ganivet propende a multiplicar los entes sin necesidad.

Ganivet reserva la aplicación estricta de los efectos del espíritu territorial a la guerra. Cada país hace la guerra según su espíritu. Hay guerras de independencia, guerras de resistencia, guerras de agresión; las cuales son propias, respectivamente, de los países peninsulares, continentales e insulares. Ganivet confunde el fin político de la guerra, en virtud del cual se califica, y el puro concepto técnico o facultativo de la guerra misma. La confusión, fértil en resultados pueriles, proviene de un vicio de su discurso: confiere valor categórico a ciertos hechos colegidos en la historia de tres pueblos europeos, cuando sólo podían tenerlo demostrativo. Cree razonar, y sólo está reseñando. De ahí que las direcciones marcadas por Ganivet como explorador de la historia carezcan no sólo de valor filosófico, sino de toda virtud de generalización; de ahí también que algunas de sus generalizaciones —sería excesivo decir leyes— suenen pasmosamente a perogrulladas.

«Una isla —escribe Ganivet— busca su apoyo en el continente, del que es como una accesión, o reacciona contra el continente si sus fuerzas propias se lo permiten.» Esta máxima, generalización arbitraria de un caso particular, equivaldría, si fuese indiscutible, a decir que una isla es o no independiente según que tenga o le falten los recursos para serlo. Noticia poco importante en verdad, y además generalización equivocada. La disyuntiva es falsa. Otras islas no reaccionan contra el continente, ni en él se apoyan, sino que están sometidas a un poder remoto geográficamente, como Malta o Luzón; o reaccionan contra otra isla, como Irlanda; o se incorporan moral y políticamente, no al continente próximo, sino a tierra más distante, como las islas Canarias respecto de España. Los ejemplos podrían multiplicarse demostrando que el destino de una isla, grande o chica, no se resuelve en los dos términos de apoyo o reacción, puestos por la cualidad insular, sino en virtud de condiciones mucho más complejas. También es baladí en lo que tenga de cierto, y errónea en sus pretensiones trascendentes, la observación de que un pueblo insular no hace guerras de frontera o de resistencia, sino agresivas. Y esto cualifica el espíritu insular: que lleva sus armas lejos del territorio nacional. Es manifiesto que si las fronteras políticas de un Estado insular coinciden, como le ocurre a Inglaterra después de unirse a Escocia, con sus fronteras naturales, con sus riberas y playas, no tendrá guerras de las que pueda decirse que son materialmente fronterizas, mientras no lo invadan; sus guerras, de cualquier índole, transcurrirán, por lo común, lejos del territorio insular, y si un enemigo se le mete dentro tampoco será ya fronteriza la guerra sino de invasión, es decir, que la isla tendrá que sacar el «espíritu de resistencia» o pedirlo prestado. Pero no es menos manifiesto que, militarmente, un pueblo insular tiene frontera con todos los ribereños del mismo océano. Inglaterra es fronteriza de los Estados Unidos, de España, del Brasil... En este sentido, una guerra naval es guerra de fronteras, como que cierra el camino de acceso al territorio insular y lo defiende desde lejos; igual que en guerra terrestre defendían los romanos desde las márgenes del Rin y del Danubio los caminos de Roma. En Trafalgar Inglaterra defendió y ganó la invulnerabilidad de sus costas, de su frontera, como tantas veces, en el curso de la historia, franceses y alemanes han batallado, y hecho batallar a otros, disputándose la guarda del Rin. Cuando Ganivet afirma que Inglaterra se contenta con un ejército apropiado a las necesidades de su política y se apoya en las fuerzas navales, no dice cosa alguna significante. Todos los estados pretenden tener el ejército necesario para su política, y en la política británica la escuadra representa lo mismo que el ejército terrestre de otras naciones. Descubrir un espíritu insular peculiarmente agresivo, y comprobarlo en las condiciones de la guerra, no establece diferencia esencial con otros «espíritus». Los motivos de guerra son comunes a todos los pueblos. Rivalidades dinásticas, contiendas de religión, competencia económica, disputas de soberanía y empeños del amor propio...; éstos, y cuantos más se discurran, pertenecen por igual a isleños y continentales. Inglaterra, «la nación insular típica», ha guerreado por su comercio y su religión, por su dinastía y su independencia, por ser libre y dominar a otros; también por rapacidad. Como España o Francia. Y ha guerreado sujetándose cada vez —necesidad inexcusable— a los *datos políticos y estratégicos* del conflicto planteado. Ejércitos ingleses se han visto en el continente, desde Bolingbroke a lord French, pasando por Guillermo III, Marlborough y Wellington, en todas las grandes crisis de la historia europea. Armas españolas se veían en muchas tierras europeas cuando España era potencia naval y sus escuadras ejercían en los mares entonces navegados la misma función que las escuadras inglesas mientras las hemos visto predominar.

La semejanza, mayor en el fondo que en la apariencia, arruina los efectos del espíritu territorial. Ganivet lo percibe y sale del paso con desenvoltura. «En realidad *nosotros hemos creído que somos insulares,* y quizás este error explique muchas anomalías de nuestra historia.» ¡Singular espíritu, singular núcleo irreductible, que se eclipsa durante siglos y permite a un pueblo, en realidad, *creerse* que es de otra manera! Famosa explicación, si al adecuarla al fenómeno para que se inventó resulta enteramente contraria a la realidad, a la historia. Ganivet lo llama anomalía: la anomalía de morirse —como en la comedia de Molière— contraviniendo los principios de la medicina.

Hasta dónde se enreda Ganivet en juegos de palabras se verá finalmente en esta aplicación de su doctrina: «Europa lucha contra Napoleón en todas las formas que es posible luchar [*es decir, en cuantas dan de sí los espíritus territoriales*]: España, con una guerra de Independencia; Inglaterra, con ataques aislados y certeros; el Continente con la resistencia, y, por último, Rusia, valiéndose de una retirada». ¡Oh fuerza de las palabras! A los peninsulares (España es, por antonomasia, «la península») nos basta «unirnos ante el peligro común», y hacemos al invasor guerra de independencia, de acuerdo con el espíritu a que fiamos la conservación; Inglaterra, agresiva por espíritu insular, dirige contra Napoleón ataques *aislados*; y el continente, «pasivo y estático», se defiende con la resistencia, y Rusia con una retirada. Pero guerras de independencia son la de España en 1808, la de Rusia en 1812 y la de Alemania en 1813. Ni Rusia opuso al invasor una actitud pasiva, sino grandes ejércitos que libraron famosas batallas y, a no poder más, se retiraron; ni combatió Inglaterra con ataques aislados, como lo prueban, en el orden militar, la continuada presencia de los ejércitos británicos en la península, y, en el orden diplomático, las coaliciones antinapoleónicas, instigadas y subvencionadas por el gobierno inglés. En la península y fuera de ella, la guerra se hacía regularmente por iguales principios, aplicando el mismo arte militar; que unos lo aplicasen con más valor, talento o fortuna que otros no hace al caso. «Una batalla se gana —ha dicho un escéptico— porque hay un general que la pierde.» O que cree haberla perdido, corrige un fanático de la voluntad. Es errónea la conclusión de Ganivet: que hay un modo de hacer la guerra *a la española,* modo genial en la península, distinto de las complicadas concepciones militares del continente, cuando no sea opuesto a ellas. No hay un modo constante de hacer la guerra, valedero siglo tras siglo para el mismo pueblo. La conducta de la guerra —que en último término se propone aprovechar del modo más útil para el choque el esfuerzo moral y físico del mayor número de gente posible— está determinada por el estado de la industria, por los inventos, por las ciencias aplicadas que multiplican y preservan aquel esfuerzo y engrosan su poder. En este respecto, pues, nada tan variable como la conducta de la guerra: depende de los conocimientos técnicos en cierto día. Quien no pueda o quiera o sepa tenerlos ni aprovecharlos no se halla en posesión de un modo peculiar de guerra, sino en la impotencia de afrontar a quien los posee y utiliza. Es inconcebible un modo de guerra a la española, eficaz desde Viriato hasta nuestros días. Y es, además, contradictorio de la experiencia. Si las armas españolas brillaron en Europa débese a que alguien tuvo ocasión y se tomó el trabajo de aprender en la mejor y más moderna escuela militar de su tiempo. Gonzalo de Ayora estudió la táctica de la infantería suiza y alemana y la introdujo en España, venciendo la resistencia de los apegados a la tradición.[37]

37. «... Gonzalo de Ayora, varón muy leído, y asaz experimentado en las letras y armas, habiendo estado algunos años en Italia, Francia y Alemania, siguiendo los ejercicios de armas de guerra, vio y entendió la ventaja que tenía el ejército bien ordenado, aunque fuese de poco número, al de la muchedumbre, confuso; a cuya causa deseó introducir en España lo que suizos y alemanes usan en la guerra, y así lo propuso a los Católicos Reyes, cuya bondad y celo de mejorar en todo estos reinos, hizo que lo pusiesen en consulta. Y

Posteriormente, los mejores generales se formaron en la escuela práctica del Emperador, en las guerras de Alemania, donde los militares españoles vieron por vez primera en campaña ejércitos enormes para su época, y un armamento... colosal.[38] Si los españoles hubiesen llevado a las márgenes del Elba y del Mosa las milicias de los concejos y las mesnadas señoriales que durante siglos se entretuvieron en expugnar castillos y fuerzas de los moros («... e fué sobre Porcuna, e cercola, e tomola...») habrían hecho el ridículo.

Ganivet escribe bajo la ilusión peligrosa del guerrillerismo español. Mala escuela de militares sería ésta, y aun creo que lo ha sido. Nadie niega la importancia, así moral como estrictamente bélica, de la acción de las partidas; nadie ignora el destrozo que causaron en los efectivos franceses, destrozo posible, cabalmente, por una situación militar que no puede reproducirse; pero me cuesta trabajo creer que los guerrilleros, mano a mano con la *Grand' Armée,* sin el auxilio inglés, sin los ejércitos regulares españoles que, en su medianía, no fueron inútiles; sin el cataclismo de Rusia ni las victorias de la coalición en 1813, hubieran logrado echar de Madrid al rey José. En todo caso, recomendar para una invasión futura, como Ganivet lo recomienda, un ejército que pueda dislocarse fácilmente y acogerse a las montañas, «último y seguro refugio para defender la independencia nacional», me parece una fantasía de café. No sé yo qué ejército sería ése, disperso después de una derrota campal y adiestrado para enriscarse, obediente a la consigna, en una serranía. Las condiciones militares de la guerra de 1808 no se repetirán jamás, aunque hubiese una nueva invasión. España, por su economía actual, por la densidad de población, por los grandes núcleos urbanos y las cuencas industriales que se han formado, por los me-

---

aunque tuvo contradicción, como todas las cosas semejantes la suelen tener, acordaron de hacer ensayo de ello; y así lo mandaron al dicho Gonzalo de Ayora, el cual hizo muestra de ello en Medina del Campo. Y pareció tan bien, que por ello... le hicieron capitán de la guarda, que fue el primero que hubo en Castilla, por haber sido el primero que introdujo en ella el pelear en ordenanza, en la cual se mostró bien evidente en la toma de Orán y Almazarquivir, donde el mismo inventor fue por coronel.» *Historia de la antigüedad y nobleza de la ciudad de Palencia*; atribuida a Alonso Fernández de Madrid. Citado por Capmany, colector de las Cartas de Ayora, reimpresas en la B.A.E., tomo XIII. (La reforma de Ayora es de 1504.)

38.   La impresión que el poderío militar de la Liga de Smalcalda produjo en un observador español, se refleja en el *Comentario de la guerra de Alemania,* de don Luis de Ávila. B.A.E., tomo XXI.

dios de comunicación existentes, no se parece, como teatro de guerra, al país casi desierto, sin centros poderosos, sin riqueza mobiliaria, ni grandes corrientes comerciales interiores, que el Emperador se imaginó haber dominado con la ocupación de las capitales. Sobre todo, no se parecen nada los medios de acción. El adelanto industrial desiguala enormemente la potencia militar de dos pueblos si el uno, por ejemplo, es gran productor de acero y el otro no, si el uno ha montado una fuerte industria química y el otro la conoce apenas de oídas. La diferencia entre el poder ofensivo de las columnas del general Hugo, pongo por caso, y de las tropas del Empecinado, a que perseguían, era mucho menor de lo que aparenta, porque los dos bandos sabían y podían manejar las mismas armas. La situación sería hoy muy diferente. ¿Se imagina alguien, en los tiempos que alcanzamos, a un cura Merino, a un don Julián Sánchez fabricando gases tóxicos, aeroplanos y carros de asalto? ¿Dónde se producirían estas máquinas, por mucho que se emboscasen los guerrilleros, en cuanto la breve zona fabril de España estuviese ocupada o cortada del resto del país? ¿Quién les proveería de ellas, de no traerlas por el aire algún aliado providencial o de no trocar el apóstol Santiago su caballo blanco por un avión? Después de nuestra guerra de Independencia, cumplida una revolución industrial, han variado los medios de combatir; el arte de la guerra, que consiste en utilizarlos, es muy otro, y tanto más complicado y difícil de dominar. De resultas, España, con poca industria, se hallaría, para luchar mano a mano con una gran potencia, en indefensión igual, cuando no mayor, que en 1808 para repeler los ejércitos del Imperio. Ganivet, y cuantos magnifican la importancia de los guerrilleros, no ya en lo que hicieron, sino en lo que podrían hacer (éste ha sido lugar común del desvarío patriótico), se olvidan de un accidente: nuestra guerra de la Independencia fue exclusivamente terrestre. Los franceses no dominaban el mar; lo dominaban los ingleses, nuestros aliados. Gracias a eso la guerra pudo durar seis años, dando tiempo a que la catástrofe del Gran Ejército se consumara en Europa. Si la escuadra franco-española hubiese destruido a la inglesa en Trafalgar, nuestra situación hubiese sido mucho peor en la guerra de la Independencia. Tuvimos, pues, entonces, el imponderable socorro del dominio naval. Modernamente sería también preciso dominar el aire. No se ve claro qué función les estaría reservada a los guerrilleros en uno y otro elemento. Ni su utilidad en los entresijos de las montañas contra un poderío marítimo y aéreo que tal vez pudiera imponer a España la rendición sin echar en tierra un piquete de soldados. El cuento de los guerrilleros, malamente ingerido por Ganivet en su sistema español, denota una de las falsas representaciones románticas acreditadas en nuestro país a cargo de la altanería, braveza y singular independencia del carácter. Viviendo Ganivet, y en ocasión lamentable, muchos españoles confiaban en vencer a los Estados Unidos merced a nuestras aptitudes y experiencia para la guerra de corso. Es lo equivalente al espíritu guerrillero. Quizás habían leído a Fenimore Cooper. Quizás los más letrados decoraban las rotundas estrofas de Espronceda. Soñaron una guerra de naves sin máquinas, ni armas de gran alcance, ni otra velocidad que la del viento; previeron fragatas veleras, «forradas de cobre hasta las cintas», embestirse a espolonazos y las tripulaciones entrar al abordaje blandiendo el hacha. Ganivet, como cada cual, es muy de su tiempo. Y el suyo, en España, era más entusiasta que analítico.

Hombre de su tiempo, Ganivet lo fue con exceso. Más que innovador, el *Idearium* es un libro renovador. Reinstala en el aprecio público modos de sentir que, o habían caído en descrédito bajo las formas desgastadas por la vulgaridad y la algarabía, o suscitaban recelo porque solían tradicionalmente presentarse unidos a un dogmatismo religioso, o político, o patriótico. Ganivet no es dogmático, y por las vías de su libre juicio, restaura, aprueba o disculpa modos de la vida española, inclinaciones del carácter e incluso resabios patentes del espíritu nacional, nunca hasta entonces favorecidos a sabiendas por un pensamiento independiente. Ganivet lisonjea la propensión inflamatoria del sentimiento, y por él se deja conducir y elevar adonde sólo puede subirse mediante la inteligencia, lisonja más peligrosa en tanto que no es visible y adopta un sesgo curso razonante. La forma escueta y en apariencia descarnada del *Idearium* envuelve el mismo sentir alharaquiento, orgiástico, que otras plumas revestían de ropaje verboso. En el fondo de muchas conclusiones de Ganivet sólo hay por asiento un «No importa», un «Porque sí», o el postulado de la indómita genialidad española, irreductible a formas comunes con otros pueblos *también* civilizados. Los españoles no sólo somos incompatibles con ciertas hechuras políticas, según se ha visto en el ejemplo de la guerra; Ganivet repele asimismo las creaciones modernas del crédito, en proporción de las cuales crece la maldad: en ningún país una familia pobre saca «más partido que en España de una camisa vieja o de unos calzoncillos usados»; ni le parece más recomendable la gran industria; está por el zapatero de portal contra el fabricante de calzado: el zapatero trabaja para unos cuantos parroquianos y llega a conocerles los pies «y a considerar estos pies como cosa propia», y el fabricante y el obrero mecánico atienden sólo a su negocio y a su jornal; ni simpatiza más con otros derroteros de la civilización, sin duda porque trae el rebajamiento. En fin, la crítica independiente, demasiado revuelta con la polémica o nacida al calor de ella, ha solido adoptar un tono áspero, desamorado, y tratar duramente valores morales de la tradición española, bajo el cual trato duro parecía caer a veces la idea misma de España; o ha creído encontrar en la médula de nuestra estirpe lesiones incurables que la determinaban incapaz de subir a igual predicamento que los demás pueblos. Contrariamente, Ganivet es generoso, benigno; el *Idearium* respira amorosa solicitud por las cosas de España, preocupación paternal, más que filial, por sus destinos; no pide cuentas —que sería la actitud del hijo chasqueado y de mal humor, típica en otros escritores de fin de siglo—, advierte, aconseja, señala los tropiezos antiguos, y, cargado de intenciones absolutorias, invita a una reconciliación *in extremis,* debajo de la promesa de renacer a vida más bella. Y en cuanto a calidad del linaje, difícilmente se hallaría otro tipo de hombre más favorecido por los dioses que el español *sintético* de Ganivet. A estas cualidades debe el *Idearium* su atractivo comprometedor. Y ellas han ido labrando, por modo suave y recatado —halagüeño recato confidencial—, el crédito del libro.

Mas la causa primera de su crédito consiste, a mi parecer, en la índole de la composición. El *Idearium* pertenece al género de escritos que me permitiré llamar *licenciosos,* en cuanto se sustraen al rigor de los datos objetivos del problema planteado y epilogan sobre su materia tomándose libertades sólo admisibles, legítimas, respecto de un tema de pura invención personal. El autor entra en los problemas como quiere y cuando quiere, y sale lo mismo. Se encara con unas cuestiones, omite otras, porque las desconozca o no le importen. Y ataca por el lado que le conviene las cuestiones mismas enunciadas. Esta licencia les presta soltura, ligereza, facilidad encantadora. Todo es claro, llano. Tal vez cada palabra esconde una dificultad indecible; el autor licencioso pasa de largo, dejándose a la zaga la dificultad, que se ríe de tanta soltura y prepara un des-

quite. Ganivet trata de estética general, de pintura, de arte literario, de psicología y de estrategia, de finanzas, de historia de las reli-
giones y de filosofía, como si supiese al dedillo las más depuradas
conclusiones de tales disciplinas y todas convergiesen a sostener la
figura espiritual que el *Idearium* diseña. Plantearse a fondo los problemas pendientes en una de ellas, conocer siquiera los métodos, le
habría bastado para no escribir el *Idearium*. El hombre escrupuloso,
porque su inteligencia le aherroja al orden y a la claridad, se subleva contra el confusionismo y la desenvoltura. Contrariamente a un
aforismo escolar viejo, la única señal del estudioso debe ser: «Todo
es difícil». Si no se percibe la dificultad de lo más sencillo o se
carece de probidad para confesarla, o de ahínco para vencerla, es
mejor dedicarse a otra cosa. Pero el público semiculto que suele pla-
cerse en este género de tratados licenciosos, no necesita orden ni
claridad. Lee por distraerse, y cuando pasa de la literatura amena y
de imaginación a ésta que se reputa más grave y profunda, experi-
menta la lisonjera impresión de entrar a pie llano en arduas cuestiones de filosofía, o de crítica, o de historia, y entenderlas a maravilla, que redunda en crecimiento de la estimación del lector por
sus luces propias; gran socorro es contar con la ingenuidad del prójimo. El público semiculto se compone de muchedumbre de personas acaso ilustradas en su particular profesión, o en cierta curiosidad
que cultivan por pasatiempo, e ignorantes en lo demás, con la ignorancia atroz de quien vive adscrito a un oficio. Tal vez este lector
del *Idearium,* en las materias que conozca regularmente por su profesión, nota los deslices de Ganivet, pero no cae en sospecha, como
debiera, respecto del valor de todo el libro —la actividad crítica es
rara— y le perdona un pecadillo en gracia de la autoridad del con-
texto. Por ejemplo: un pintor se reirá de la «ignorancia técnica»
de Velázquez; si le hablan de Séneca, de los Reyes Católicos, de la
Reforma, probablemente se las tragará como puños. Así cada cual,
fuera de lo que entiende o sabe. El crédito del *Idearium* es igual
a la suma de cuanto sus lectores desconocen, multiplicada por la
inhibición del juicio al leer. Pocos advierten la mutación pasmosa
de la materia del libro manipulada por Ganivet. La oposición del
autor y el objeto desaparece. Y la actitud crítica. Por tanto, la necesidad intelectual de hallar la certidumbre. El prometido análisis
psicológico de un ser diferente del autor —España—, análisis fundado en datos del conocimiento, se trueca en revelación cuasi poemá-

tica de un espíritu personal; las nociones históricas, corrompida su
cualidad de especies inteligibles, obran como levadura del sentimiento. Ganivet efunde en el *Idearium* su emoción de contemplarse español.

Si lo trato con algún rigor, débese a la suplantación de valores
que el autor comete. Ganivet, sin saberlo, nos da una cosa por otra.
Su arabesco sentimental sobre motivos de la melancolía española reviste formas discursivas que pretenden encerrar una construcción
crítica. La mengua del discurso no sólo prueba lo desmesurado del
propósito con los medios del autor y su ejecución malograda dentro
de la línea que se imagina estar siguiendo, pero nos disgustan o
nos desvían del contenido auténtico e involuntario del libro o nos
lo ocultan. Pensar una cosa y que salga otra, no es mediano chasco.
Estoy pronto, con todo, a estimar en el *Idearium* la inspiración noble, el mandato que confía a la inteligencia, el esfuerzo por conce-
bir un evangelio español eterno, y el dramatismo de un alma que
sueña cómo pudo ser y no fue en el cóncavo de la historia. Pero
mientras el *Idearium* se me presente como una quintaesencia española, obtenida en virtud de tratar por el análisis más riguroso los
datos irrefutables de un saber objetivo, no puedo aceptarlo. Las conclusiones importan menos para el caso que el arte de obtenerlas. Ello
no significa, claro está, que las conclusiones mismas, logradas por
vaticinio y adivinación, parezcan aceptables, sólidas. Más que pensador, Ganivet es hombre ocurrente. Hay tales ocurrencias suyas,
ejemplo de indisciplina y de vehemente arrojo, sonoras como la
charanga periodística de su tiempo, habituada a meterlo todo a barato con un movimiento oratorio y unas frases rotundas que pos-
tulan la falta de discernimiento. Cerraré mi demostración con esta
perla: «Mientras en las escuelas de Europa la filosofía cristiana se
desmenuzaba en discusiones estériles y a veces ridículas, en nuestro
país se transformaba en guerra permanente, y como la verdad no
brotaba entre plumas y tinteros, sino entre el chocar de las armas
y el hervir de la sangre, no quedó consignada en los volúmenes de
una biblioteca, sino en la poesía popular. Nuestra *Summa* teoló-
gica y filosófica está en nuestro Romancero».[39] Me parece estar oyendo los bravos y palmadas que arrancaría ese párrafo voceado ante
un concurso ignaro. A estas alturas no llenaré una docena de páginas

39. *Idearium*, p. 13.

con el escrutinio de los dislates que incluye el lugar citado. Glosar las páginas del *Idearium* equivaldría a restituir cuanto Ganivet dejó de estudiar y de meditar antes de escribirlo. Lo hará por su cuenta cualquier lector de ilustración mediana. Se entiende mientras otorgue a Ganivet la prueba de estimación de fijarse en lo que dice. Estoy enseñado a leer de esa manera, en coloquio con el autor, pidiéndole sus razones. El autor se encierra voluntariamente en un círculo, dentro del cual no puedo sufrir que me diga cualquier cosa, ni con palabras impertinentes o de acepción errada. No afirmo que este método sea muy bueno. Quizás sea detestable. Quizás me priva del placer que otros hallan en libros equivalentes, para mi estómago literario, a una dosis de emético. Quizás mi resabiada actitud de lector me ha inducido a entender siniestramente el *Idearium*. Me pongo en lo peor (en lo peor para mí, es claro), y no me avergonzaría confesar que he entendido mal, o en modo alguno, ese librito. Entonces, no lo han entendido mejor cuantos desde su publicación hasta hoy, y abundando con justa razón en las intenciones de Ganivet, lo diputan ejemplario y doctrinal de la España por venir.

ASCLEPIGENIA Y LA EXPERIENCIA AMATORIA DE DON JUAN VALERA [1]

Más de una vez en el curso de los años me ha sucedido encontrarme en situación semejante a vuestra situación de ahora: entraba en una sala de espectáculos con el designio de ver, de oír, una obra teatral, y algún tiempo antes de alzarse el telón, tiempo que solía variar entre los quince y los sesenta minutos, un personaje literario, también de cuantía variable, se adelantaba a las candilejas y pronunciaba un discurso encaminado a probar que si la obra cuya representación aguardábamos no era de nuestro gusto, todos los espectadores, sin exceptuarme a mí, quedaríamos como unos cretinos. Y por más que yo estableciese a mi favor la excepción que omitía el disertante, su amenaza no dejaba de causarme alguna inquietud, sobre todo, si la obra me parecía mala. Equivalente de mi inquietud solía ser la buena voluntad del público por dejar a salvo su reputación de entendido. Es que el orador suspendía sobre los oyentes una amenaza de descalificación intelectual. He visto hacerlo así, menos por imponer un gusto que por apremio del canon de la oratoria, necesitada del buen éxito inmediato e irreversible, so pena de no existir. De todas las artes de la palabra, solamente la oratoria padece esa necesidad; mejor dicho, sólo ella se construye para satisfacerla, sobre el supuesto de acertar en un punto, en un momento, que no se repetirán. Solamente la oratoria. Aunque el poeta dramático no habla al público cara a cara, sino mediante el altavoz de los cómicos, la comedia, en su éxito, puede parecer sometida a la necesidad del discurso hablado, puesto que los oyentes la silban o la aplauden a su placer; pero una comedia

1. Conferencia pronunciada en la sala Rex, de Madrid, el 27 de diciembre de 1928, antecediendo a la primera representación de *Asclepigenia*.

puede repetirse ante el mismo público sin menoscabo de su ser artístico, y variar el éxito; el discurso, si lo es verdaderamente y no una lección ni un recitado, sólo puede decirse una vez. La obra dramática es poesía y vive por sí, como parto de la imaginación, separada de su autor y de la aquiescencia de un público determinado. El discurso, aunque tenga a su servicio la invención más poderosa y se eleve al orden de lo bello, está sujeto a la condición de su utilidad inmediata; no la utilidad lucrativa, sino la de servir un fin ajeno a la pura emoción estética: persuadir, demostrar, explicar... La utilidad necesaria de la oratoria la pone en condición subordinada de cumplir su fin, o de hacer fiasco, por elegantes y deleitosos que sean los medios: si no persuade, demuestra o explica lo que se propone, el discurso muere sin posible resurrección, porque las condiciones en que nace no se darán más. De ahí la preocupación del explicador de comedias por sujetar el asentimiento del público, y ponerlo en tal disposición que las palabras del discurso parezcan fianza y seguridad de pensamientos confusos que se imagina haber tenido y que el orador autoriza y corrobora. Esta captación no siempre se logra con más facilidad adulando al auditorio: cierto, en un debate público, cara a cara, el orador que acierte a concitar contra otro el despecho, el rencor, la envidia que una superioridad manifiesta suscita, no dejará de triunfar ruidosamente de su adversario aunque éste le sea superior; sobre todo si le es superior. Porque el yugo más insoportable al vulgo no es la opresión de su libertad, sino el dominio de una inteligencia, y la pifia menos perdonable en quien pretende caer en gracia es la de atinar más que el común de la gente y humillarla sin querer, teniendo razón demasiadas veces.

Hay un modo arrogante de llegar a la posesión del auditorio: acaudillarlo y, a fuerza de improperios, levantarlo al temple que el orador desea. Este modo no es literalmente aplicable a la misión que hoy me incumbe realizar. El ejemplo clásico del género es la arenga bélica: un caudillo, en el fragor de la batalla, tiene que persuadir instantáneamente a un puñado de hombres que si no se hacen matar estrellándose contra un parapeto quedarán muy mal y no tendrán gusto en seguir viviendo; y eso en virtud de palabras que si las oyeran en el café les harían reír, en vez de enardecerlos, o les enojarían contra quien las dice, en vez de secundarlo. Depende de la oportunidad del apóstrofe. Puede ser un insulto y si está bien colocado provocará un acto de heroísmo. Aplicación del modo arrogante, del empleo del insulto docente veíamos años ha en reuniones algo menos peligrosas que una batalla campal: un orador, de los grandes que hemos oído, se encaraba con una sala de mil o dos mil oyentes y los templaba volcando sobre ellos, con el raudal de una elocución prodigiosa, insultos atroces. La sala se hundía con los aplausos. El auditorio bramaba de gusto. Si el mismo orador hubiese dicho a cada oyente, mano a mano, una sola de aquellas injurias, le habría costado caro. ¿Qué pasaba allí? Pasaba que cada cual creía reconocer en aquella elocución inflamada su propio sentir y el orador decía —es el mayor acierto— lo que, uno por uno, todos hubiesen querido expresar. «Es verdad, es verdad. ¡Razón teníamos! —pensaba el oyente—. ¡Qué cobardes, qué degenerados... son todos éstos!»

De la evasión individual, voluntaria y secreta, respecto de un anatema, nace la aprobación de una sala entera, anatematizada o insultada colectivamente por el orador. Una coacción semejante va implícita en la maniobra del que se adelanta a las candilejas para decirme que si no me gusta la comedia probaré que soy necio, ignorante, o, peor aún, hombre de anteayer. Predisponer un auditorio a que reciba benignamente una comedia, o persuadirle que es plausible y excelente, puede ser un tema más difícil que el de la arenga militar, y no siempre por culpa de la comedia. Entonces o nunca es oportuna la astucia, tan usada, de sobrecoger al público con el riesgo de su descrédito: «¿Qué vamos a pensar de ti si no aplaudes? Que eres tonto». Y a favor de esta receta, que deja al público sano como anestesiado, se realiza la operación de partear una obra fastidiosa. Viene a ser una especulación basada en la fatuidad. ¿Quién no está seguro de tener talento, al menos el talento necesario para vivir sin hacer el tonto? Todos creen poseerlo. El talento está mucho mejor repartido que el dinero: nadie lo echa de menos, nadie se queja de falta de talento. Dinero pocos lo tienen, casi nadie. A nadie le sonroja confesar que es pobre; muchos fingen que lo son; y aun se siente una especie de orgullo —vano desquite de la pobreza— si el pobre se tiene por honrado. La falta de talento nadie la confiesa, ni la echa de ver en sí propio; todo el mundo se contenta con el que cree tener. Y adviértase qué rareza: el dinero, que todos quisieran adquirir, se multiplica en la imaginación cuando calcula el dinero ajeno; al rico le hacemos riquísimo, y siempre estamos dispuestos a creer, como si el dinero fuese una mala cualidad, que el prójimo tiene mucho más de lo que aparenta. Esta forma rara de la envidia, subida a despecho, procede con el dinero, que es repartible, al revés que con el talento, que no admite reparto. El pobre confiesa, encomia y exagera la riqueza del rico y ni siquiera con la imaginación la disminuye, siendo así que la mucha riqueza del uno es lo que constituye al otro en pobreza. En cambio, cada cual, satisfecho del talento que tiene, regatea, discute o niega el talento ajeno, del que no puede robar ninguna porción ni hacerse con ella más talentudo. Y aunque admitamos, apurando el símil con el dinero, que el talento del uno constituye al tonto en su tontería, la reflexión no me esclarece, porque el tonto se ignora, y si es avaricioso para otorgar talento al prójimo, no será por envidia, sino por codicia de acaparador. Se comprende, pues, que tocando este resorte de la presunción y empeñando en el éxito de una obra y en la paciencia para escucharla el aprecio que de sí mismo haga el espectador, se hayan obtenido resultados increíbles, que incluso sorprendían a la empresa y a los autores. Salvo cuando el resorte se dispara en sentido contrario y el deseo de no pasar por tonto produce la repulsa, el fracaso. Quizá lleguéis a conocer en este mismo local al doctor Cantarranas, persona por quien me intereso y de quien me excuso de hacer el panegírico, porque es algo pariente mío. El doctor Cantarranas, rehogado en madrileñismo, encastillado en su estudio de la calle del Álamo, es el hombre a quien nunca se la ha dado nadie. ¡Aún no ha transigido con los bailes rusos! Porque no se la dé nadie, cierra los ojos y se ataca los oídos. El doctor Cantarranas nunca ha escrito una línea. Si escribiese, sería polígrafo.

No necesito deciros que ni vosotros ni yo estamos en el caso de ensayar semejante maniobra. Ni vosotros ni yo la merecemos. Me basta ver la sala para advertir que no sois un público sano; vuestro menor defecto es la ingenuidad. Supongo que esto os halaga. Y no valdría la pena de reunirnos en este angosto recinto, haciendo del enterado y del «¡qué me va usted a contar a mí!», para verme en el trance de hablaros a bocajarro, diciéndoos de pe a pa y por sus nombres cierto número de cosas que yo mismo no sé cómo se llaman. En último término, soy incapaz de incurrir a sabiendas en esa falta de educación, apenas advertida ya, de puro frecuente, y que en tiempos urbanos se llamó pedantería. Descubierta de nuevo la importancia de tener estudios, desde que las empresas industriales invocan para sus negocios la cultura, el vicio de ser pedante causa estragos en España. Muchos quedan señalados en el cuerpo. Yo soy de los pocos españoles de mi tiempo a quien, sabiendo leer y escribir, no le ha nacido un cartapacio en la axila, horrenda deformidad que denota los casos más graves. Podéis escucharme sin miedo; y hoy mejor que nunca, pues hablando de *Asclepigenia,* la actitud profesoral agraviaría a la sombra amable de Valera, el hombre más cortés de su tiempo, que se habría dejado matar primero que cometer una grosería. Ya que mi deber es hablaros de la comedia, lo mejor será que os deje en libertad de que no os guste *Asclepigenia*; o en libertad de que os guste, si preferís tomarlo por otro cabo. Bien entendido que el gustar o no gustar de *Asclepigenia* no da ni quita calidades al espectador.

Con mayor despreocupación, con ánimo más libre no puede escucharse una comedia. Todo ello es necesario para oír sin despistarse el breve texto de *Asclepigenia*: ironía recóndita, gracia interior, candor aparente, que disimulan todo lo posible, por elegante desdén de la exhibición personal, sentimientos nacidos de una experiencia íntima. Dejando, pues, que la obra, tal como está, corra la suerte que vuestro gusto le depare, iremos en este introito al tiempo anterior a la composición de *Asclepigenia,* para mostrar con qué hilos de la sensibilidad de Valera está tejida. Por corta que sea la excursión y reducido el terreno que exploremos, no dejará de brindar alguna amenidad, y, quién sabe, alguna sorpresa. Un intento de mayores pretensiones, más importante en apariencia, por ejemplo: un retrato literario de Valera, de cuerpo entero, suponiendo que alguien lo esperase en esta ocasión y que cupiese en ella, sería en realidad fútil, tal vez engañoso. Muchos meses, años quizás, he tratado y manejado cuanto se conserva, que no es poco, de la vida personal de Valera. Desde la adolescencia a la senectud lo he seguido, por temporadas día tras día, en su formación literaria, en su carrera política, en su ambición, sus amores, sus repulsiones, en su interior doméstico. Después de revolverlo y analizarlo, he sometido mis resultados a la prueba orgánica de escribir sobre ello. Pues bien: conociéndole en tantos aspectos, me sería imposible decir, sin aventurarme demasiado, cómo fue su hombría, el filo de su carácter, en suma: quién fue Valera. Esto me desengaña de las reconstrucciones biográficas buscadas por la vía de la erudición, quiero decir, de la recomposición de una fisonomía moral, propia de una persona cierta, con su expresión peculiar. Reunidos los más fidedignos datos, acumulados con abundancia los materiales, y aun acertando a combinar felizmente la imaginación descubridora y la disciplina, puede obtenerse un hombre artificial, como se obtiene el alcanfor sintético; será un *ersatz*. Un escrúpulo más de cualquiera componente altera la combinación; me parece una falta de probidad intelectual omitir la duda, suprimir la perplejidad. Es forzoso decir, cuando se han acumulado sobre la historia de un hombre todos los datos posibles y se quiere inducir de ellos su ánimo, que lo mismo pudo ser de otra manera; debe dejarse al lector en libertad de cometer el mismo desafuero y de figurarse al hombre como se le parezca más, según los datos irrefutables allegados por el biógrafo. «Concluir es necio» —dice Flaubert. La suma necedad es concluir —robando a la ciencia una seguridad intransferible— en la restauración de un ser moral. Sólo el arte, por su medios, puede penetrar en el interior de una conciencia, cerrada a las asechanzas de la investigación, y caracterizarla vivamente. Pero la obra de arte concluye en sí misma; no es comprobable por contraste con lo que pretende representar. Sería falso valorar la obra de arte por la exactitud del parecido. El artista, cuanto más fuerte, más densamente proyectará su sombra propia sobre el país que explora, sobre el alma ajena. Pensemos en una vida de Jesús escrita por Juan Jacobo. En vez del suave pescador de Tiberiades, apenas gravitante, blandamente resignado por lástima del pueblo al prestigio de los milagros, imaginado por Renan, tendríamos un filósofo, si no misántropo por impedírselo la caridad, al menos melancólico, lloroso, roído de amor secreto por la Magdalena, y a quien no solamente Judas sino los doce apóstoles le serían sospechosos. Juan Jacobo se placería no en coloquios con las santas mujeres, sino en la escena más rusoniana del Evangelio: la expulsión de los mercaderes del templo; y en vez del paisaje del lago y sus lejanías azules, Juan Jacobo habría puesto en primer término la esquivez del desierto y la roca de la tentación donde vencer a Satanás con raudales de elocuencia. Quiere decirse, pues, que cada hombre es un misterio impenetrable, en vida y en muerte. En vida, la ocultación es voluntaria, necesitada por el bien social y útil al progreso. En muerte, el misterio es irrevocable. Algo destruye: la expresión misma del carácter; un acento, un ápice, impalpable como el timbre de la voz, y no menos necesario. ¿Qué sabemos de una persona a quien no hemos oído hablar? ¿Qué nos queda de una persona si la inflexión de su voz se nos escapa? Una representación desfigurada, incompleta. Por este misterio, ya presente, ya lejano, el hombre —y aun la mujer— no es para el hombre sino un cebo de la imaginación.

Entonces —preguntaréis— ¿qué venimos a hacer aquí? ¿Qué nos cuenta este hombre? Si nada puede saberse, ¿qué sabrá él? ¿Qué hablaremos que no sea un hablar inútil? Justamente ahora, propuesta aquella duda, podemos hablar de los sentimientos de Valera sin miedo de calumniarlo. La duda es mi precaución personal contra la pedantería, precaución que puedo llevar hasta el heroísmo, es decir, hasta el suicidio, representado en el silencio y la abstención, antes que consagrarme a la siembra de verdades. Presidiendo la duda podemos explorar parte de su jardín interior, de límites inciertos, y entrever algunos paisajes que no pretendo dar como durables, pues cambiarían al cambiar las luces en el dilatado curso de su vida. Es muy problemático que un escritor conserve al concluir una obra los mismos sentimientos que se la inspiraron. A propósito de *Asclepigenia,* los paisajes que conviene explorar están marcados: la experiencia amatoria de Valera y el influjo del amor en su vida.

Asclepigenia es acaso la obra excelente de Valera. Ved qué destino: una vida de ochenta y un años, empleados más de sesenta en producir medio centenar de volúmenes, da su flor más lograda en un folletito de cincuenta páginas. Es, sin disputa, una joya. En ninguna otra la adecuación entre el pensamiento, el asunto en que se cifra y la expresión es más perfecta. En ninguna fue más leal a su designio. En ninguna tuvo más gracia. Este don versátil, caprichoso en apariencia, sopló en el espíritu de Valera al componer *Asclepigenia.* La gracia que le asiste es cualidad que no reside determinadamente en un giro, en una facción, en un movimiento, ni pende de la sorpresa del chiste; proviene de una fluencia sin esfuerzo visible, del sesgo curso de una obra, de la rigurosa sutileza con que llena sus límites lógicos, sin profusión ni escasez, por modo tal, que a un ingenuo no le parece forma arbitrada, sino traída a este mundo desde el mundo de los arquetipos, adonde basta encumbrarse con el ingenio para encontrarla, y que es fácil tener ingenio. Esta gracia, signo indubitado de la maestría, a nadie se le niega si la merece, a semejanza de la gracia de los cristianos, y se merece con desvelos y obras, porque nadie sabe cuándo soplará en el espíritu. Hay otra gracia, que podría llamarse gracia adolescente, más conturbada, más inquietante, en rigor menos profunda, que puede captar por su misma indecisión una simpatía fácil; pero es propio de lo adolescente el descontento de sí, la agitación y el barruntar una plenitud venidera: la sazón en que el espíritu no sólo suelta sus frutos, sino que se suelta de ellos y cobra la ironía suficiente para no tomarlos ni tomarse demasiado en serio. La gracia de *Asclepigenia* es de este orden. Valera estiliza una copiosa experiencia personal, la reduce a una sencilla expresión emblemática y se sonríe.

Asclepigenia tiene de obra teatral el ser una acción que se expresa en diálogo y se ordena en los límites de un escenario. Le falta nada menos que la figuración de los caracteres, la corporeidad, el volumen resultantes de la personificación, el temblor pasional y el chispazo que brota del choque. Debe tomarse por lo que es: un coloquio para animar plásticamente los conceptos y deleitar con el juego de las alusiones. Valera tenía de artista lo bastante para que una representación intelectual excitase su sensibilidad pugnando por encarnar en criaturas de la imaginación; pero su plasticidad no era tan poderosa que acertase siempre a infundirles vida propia, separada del tronco imaginario. Muchas veces se quedó a medio camino entre la disertación y la creación. En *Asclepigenia* hizo lo que se propuso hacer. «La necesidad de encerrarlo todo en breve cuadro —dice el propio Valera— y de callarme y dejar hablar a los personajes, me ha obligado a ser sobrio, a no divagar y a ir al grano.» Él bien sabía que *Asclepigenia* no es obra propiamente teatral; todo lo más una tentativa, y con otras dos obritas la publicó bajo el título de *Tentativas dramáticas*. El nombre de tentativas no anuncia el propósito de escribir para el teatro y de consagrarle obras de más empeño. Cuando publicó las tentativas, ya se daba por fracasado y había desistido de seguir ese camino. Valera se formaba del teatro una idea magnífica y justa:

«... la flor más bella de toda literatura, el último y más espléndido brote del árbol del arte, es el teatro. Con él la poesía vuelve a ser objetiva por reflexión, como en la epopeya lo fue por instinto. En él caben todos los géneros, el lírico, el didáctico, el satírico y el narrativo, concurriendo a hacerle cifra de la poesía... En el teatro es donde da y debe dar un pueblo adulto, fecundo y brioso, amplia muestra de su ingenio, y donde hace y debe hacer alarde brillantísimo de toda su cultura.»

Con tal idea del teatro, y siendo el escritor más avisado, malicioso e instruido de su tiempo, escribir comedias no era para don Juan Valera «caer en una tentación», como se oye decir en Madrid cada vez que un poeta verdadero se acuerda de que el teatro pertenece también a la literatura, sino proseguir una vocación de las más altas y llevarla a su logro completo. Además se propuso —y tampoco esto es malo, aunque deba ser secundario— convertirse en escritor popular y buscar ganancia y aplauso en la escena. En el género de las fantasías de Gozzi, escribió el libro para una zarzuela, *Lo mejor del tesoro*; se lo leyó a varios peritos y a dos o tres empresarios de los más famosos. «Ninguno vio los chistes ni las lindezas que yo había creído ver», dice lastimosamente Valera. La obra era costosísima; podía arruinar al empresario. Valera se llenó de terror. Arrieta no había querido poner la música; Barbieri iba a escribirla y Valera le relevó del compromiso. «Desistí para siempre de mi fugitiva pretensión de ser poeta dramático.» Desistió no por soberbia ni por modestia ni humildad.

«... Mi resolución nació del pleno convencimiento de que, con toda independencia del valor literario de un drama, se requiere para ser aplaudido una condición de que yo carezco sin duda: se requiere cierta virtud magnética, por la cual el poeta comprende el sentir y el pensar del público, en un momento dado, y se pone en consonancia simpática con dicho pensar y dicho sentir. Repito que carezco de esta virtud como de otras muchas, y esta virtud es el más esencial requisito para ser autor dramático».[2]

Sin pensar ya en el teatro escribió *La venganza de Atahualpa*, pálido reflejo de las fulgurantes piezas del *Teatro de Clara Gazul*, y *Asclepigenia*. La superioridad de esta obra proviene de que Valera, falto de «virtud magnética», o sea, la emoción comunicativa y el poder plasmante del estilo dramático, se atuvo en *Asclepigenia* a sus talentos peculiares, ya probados, obedientes a su mandato. Sus dotes se acicalan y advienen al primor: el talento discursivo, ingenioso, reticente; la amenidad, sacada de tratar con poco respeto un fondo de erudición muy serio; la sátira de costumbres que finge disimularse (y son dos disimulos) en una alegoría; y la dicción sin apresto visible, feliz y cristalina. Situar la acción de *Asclepigenia* en Bizancio, en el siglo v, es alegoría. La obrita se escribió pensando en cierta parte de la sociedad madrileña y se teje con las preocupaciones y

2. *Tentativas dramáticas*: dedicatoria a la marquesa de Heredia.

resabios imperantes en los primeros meses de la Restauración. Es fácil desenmascarar a los personajes. Crematurgo, hacedor de riqueza, no es un negociante bizantino, enriquecido en un tráfico vil y que ha obtenido del emperador un título de conde, sino un negrero antillano, millonario y título de Castilla, como había más de un ejemplar nuevecito en aquel tiempo. Este género de aventureros, de mucho peso en la vida pública por consecuencia de su poder en las colonias, y que ostentaba en Madrid con insolencia sus medios de corrupción, enojaba mucho a Valera. «No hay gran fortuna —viene a decir en una carta— que no sea en su origen un raudal de lágrimas o de sangre, o un montón de basura.» En otra obra se había burlado de ellos un poco: el hermano de Pepita Jiménez, emigrado a Cuba, anda en mil trapisondas, defrauda, quiebra, comercia con esclavos, se enriquece, le conceden un título, entra en la aristocracia, lo mismo que... Fulano y Mengano. «Si de todos modos había de ser un pillete —dice Valera—, ¿no es mejor que lo sea con buena suerte?» Otro personaje, el galán Eumorfo, es un pollo cualquiera del Veloz-Club: Gorito Sardona, u otro de los cretinos que escandalizaban al padre Coloma, tomándolos por el fruto nefando de una Babilonia moderna. Al padre Coloma, Madrid, visto desde el colegio de Chamartín, le parecía «la gran charca». ¡Ganas que tenía el padre Coloma de asustar a las señoras! Eumorfo es un pollo lanzado en sociedad, que desea adquirir un barniz de filosofía para brillar en los salones. Él mismo lo dice: «La filosofía se ha puesto en moda entre las señoras de los círculos aristocráticos, a quienes sirvo, pretendo y tal vez enamoro. Me falta este charol». Ocurrían estas cosas en 1875. Nada hay nuevo bajo el sol carpetano.

Los salones donde Eumorfo quería brillar, y en los que don Juan era principalísima gala y ornamento, no los nombro por ciertos respetos. Valera los designa en cartas a un amigo como «la escuela de Atenas», «la escuela de Alejandría», y a las damas algo filósofas que en ellos presidían, Hipatia, Rodopis. De la mano de Valera pisaba por primera vez estos salones un jovenzuelo como de dieciocho años, extraña réplica del tipo de Eumorfo: muy elegante, cumplido y servicial era Eumorfo, pero ignorante y algo tonto; de gran entendimiento, sapientísimo en su corta edad, apasionado, pero menos desenvuelto y de un desaliño personal que llegó a la celebridad, el joven Telémaco que tenía por mentor a don Juan Valera; poeta, humanista, filósofo, orador elocuente aunque algo tartamudo: se llamaba

Marcelino Menéndez y Pelayo. Valera se le aficionó en seguida, quizás por encontrar en él una persona capaz de seguirle la conversación en puntos de erudición clásica. Le predijo: «Usted será personaje de gran cuenta en las letras», antes que Marcelino hubiese publicado una línea. Le dirigió y favoreció, no sólo en los comienzos de su carrera literaria, sino en sus relaciones mundanas, llevándolo a filosofar y enamorar en las «escuelas» de Atenas y Alejandría. Es fama que el discípulo se atrevió con la misma Hipatia, con la misma Rodopis, sobre las que don Juan creía tener un derecho exclusivo, fundado en la prioridad. Existió una «Carta cosmética sobre el modo de conducirse en sociedad con las señoras», dirigida a don Marcelino, en la que Valera resumió, en el estilo elegantemente licencioso que la materia pedía, su experiencia de medio siglo. La carta, con otros documentos preciosos relativos a la vida personal de don Marcelino, ha sido tontamente destruida. Filosofar en los salones, Marcelino no dejaría de hacerlo, muy de acuerdo con el capricho reinante y la tendencia de las opiniones: se había inscrito en el neocatolicismo. Cabalmente *Asclepigenia* pretendía —y esto la sitúa más en Madrid— oponerse, con suavidad y sin perder la sonrisa, al auge de la devoción y a la tendencia gazmoña, que sería impropio llamar misticismo, subsiguientes al efímero triunfo del radicalismo político y filosófico en 1873. Don Alejandro Pidal vociferaba una especie de filosofía, elaborada por otros, llamada tomista, que ha logrado recientemente la consagración oficial de todos conocida, para que el estado español no pierda la costumbre de saber y decir dónde está la verdad, dónde el error. Pues bien: Valera, que se llamaba a sí mismo *pangreco-latino*; que había cursado de joven y en sus fuentes la filosofía crítica; que, más adelante, avergonzado de la zafiedad de las disputas, quiso tomar la defensa de los krausistas por el original camino de probar que no había en Krause, respecto de la intuición de Dios, nada que no estuviese ya en San Juan de la Cruz o en fray Juan de los Ángeles; Valera, para contradecir el divorcio de espíritu y naturaleza, compuso *Asclepigenia,* la leyó en los salones a que iba dirigida, y, según recuerda en alguna parte, no la entendieron. La entendería el joven don Marcelino. No calaban muy hondo, preciso es reconocerlo, en las escuelas de Atenas y Alejandría.

El divorcio de espíritu y naturaleza y la errónea dirección de la vida resultante de ello, aparecen figurados en la obra por dos personajes: Asclepigenia y su antagonista el filósofo Proclo. No es que el filósofo personifique el espíritu, por ejemplo, y Asclepigenia la naturaleza. Ambos, por causa distinta, padecen el infortunio de no haber armonizado las inclinaciones más fuertes, y al parecer incompatibles, de su vida: Proclo, por su voluntad, y Asclepigenia en virtud de la decisión de Proclo. La materia sentimental, si puede decirse, o el orbe afectivo de esa contienda es el amor, la esfera de los sentimientos eróticos, de dos modos: contraponiendo al amor otras aplicaciones y vocaciones de la vida que pretenden ser más graves y levantadas, y figurando la pasión amorosa escindida por una operación del juicio en dos tendencias: la primera, llamada pura, desinteresada, noble o, como dicen, platónica, que el espíritu confiesa con orgullo; y la segunda, baja y grosera, un apetito de placer, común al reino animal. Proclo personifica la deformación del amor y su postergación. No podría representar la una sin la otra. Porque cree en la escisión del amor en aquellas dos tendencias, lo pospone a los placeres de la inteligencia, reservándose lo que a su parecer basta para colmar la vida: la pura contemplación del objeto en el fondo del alma. El fracaso de Proclo, su incurable amargura, constituyen el asunto y el objeto de la comedia.

Valera padeció en la mocedad la misma escisión del erotismo, y la admitió y consintió como ley natural inexcusable, aunque dolorosa. Estado verosímil únicamente antes de la experiencia. Valera pasó por él de joven, inexperto, y lo representa en Proclo, viejo, y poco menos inexperto que un niño. En Valera, desengañarse y conferir al amor el puesto que siempre le confirió en su vida: el primero, fue simple aprendizaje, en tanto que en Proclo es tardío escarmiento. Quedan en los borradores y tanteos literarios de Valera adolescente huellas de un ardimiento amatorio sin objeto, que en vez de alentar su inspiración y levantarla, la detiene, la falsea, la extravía. Transporta sus ensueños a una esfera que su gusto ineducado creía más noble, mortal para su auténtico lirismo: cantaba *a la tumba de Laureta,* a la maga de los sueños y otros lirismos ejemplares, muy distintos de los que su robusta capacidad amatoria concebía. Campando por sus respetos en Madrid, más adelante, Valera buscaba el amor y no sabía encontrarlo en su propio espíritu. Los jóvenes amigos y émulos de Valera en aquel tiempo —tenía poco más de veinte años— se admiraban de que su buena presencia, sus modales, su gracia, su amena conversación, su talento y su saber fracasaran con las mujeres. «Es que las desprecias y no lo disimulas», le dice un amigo. Hablaba mal de ellas en su propia presencia, y no se lo perdonaban. Su violencia amatoria se exasperaba. Tenía fama de conquistarlas, o de querer conquistarlas, a la cosaca. Él mismo dice de su aventura más ilustre en aquellos años, que requirió de amores a Gertrudis Gómez de Avellaneda. Eso de requerir le cuadra. Por cierto que el padre de Valera, comentando la pretensión de su hijo, le dice a propósito de la Peregrina: «no es para que estés orgulloso, como no sea por el rango literario de la interesada».

Debió Varela a la dolida experiencia sentimental de la marquesa de Bedmar y al regalado ambiente napolitano donde esparcía sus primeros ocios de diplomático, la revelación del amor apasionado y la integración en su facultad amatoria de todas las potencias, la idea y el deseo, que antes no podían concentrarse en un mismo objeto. La marquesa de Bedmar, con bastantes más años que don Juan, enferma, desolada, sedujo el ánimo de Valera por su brillante conversación, su inteligencia, su saber y su finura de sentimientos, exaltada por la enfermedad y los pesares. El espíritu macerado de la marquesa destilaba no sé qué virtud embriagante que mareó a Valera como un sorbo de vino generoso. Valera soñó las cualidades físicas de la marquesa, y se las prestó después de soñadas. Amaba a un espíritu como si lo envolviese un cuerpo hermoso; amaba una quimera, una ficción, más bien a un cadáver: de ahí el apodo de *La Muerta* impuesto por el duque de Rivas. *La Muerta* correspondió, en espíritu, a Valera. Le amaba sin duda alguna; pero estando ella en la declinación de la vida y Valera en su orto, estimó que no podía corresponderle con la novedad perteneciente a la juventud y le impuso un régimen de amistad respetuosa, infrangible, pese a las protestas, las lágrimas y la desesperación de Valera. Que *el* conquistador a la cosaca llorase de amor, y de amor mal pagado, fue novedad increíble para sus amigos. El suceso dejó huella profunda en el ánimo de don Juan: «la persona a quien yo más he querido en el mundo», decía años más tarde, refiriéndose a *La Muerta*; y le valió, para su gobierno, descubrir que el amor es una facultad íntima y personal, semejante y a veces rival de la facultad artística, un poder de creación que saca a los seres de la nada, es decir, de la apatía.

Fuera de lo anecdótico, el efecto de su aventura con *La Muerta* consiste, una vez que la separación le permitió saborear la experiencia, en restablecer un equilibrio merced al cual reconstituye la integridad del amor y desecha la viciosa costumbre, tan usada, de discriminar calidades en los sentimientos eróticos, introduciendo conceptos morales en lo que por esencia no los admite. O existe o no el amor. Si existe, todo rechaza la gradación de lo puro a lo impuro. El apoderamiento del ser humano en el amor es total con cuanto le constituye en humanidad. Un ángel es asexuado; una bestia, aunque camine en dos pies, carece de la divina facultad quimérica. Valera se opone a la escisión de la capacidad amatoria. El amor platónico —dice— estando cabales la mujer y el hombre es una sofistería. Rechaza la perversión sentimental que pretende idealizar el amor precisamente con la privación que lo enfurece. Valera se habría reído, acercándose al Ariosto, del tipo de amador encumbrado por la caballería andante. A mi modo de ver más se habría acercado al buen sentido de don Quijote. Es en vano que don Quijote se inscriba entre los que él llama «platónicos continentes»; en vano que Dulcinea personifique a la mujer amada de este modo. Don Quijote nada quería de Dulcinea mientras no fuese emperador o arzobispo, es decir, mientras no tuviese una colocación.

Don Juan, en su fructuosa y larga carrera, no logró siempre un amor bien equilibrado; antes, se le frustró en casos muy notables; de todos ellos, como si la desventura lo impulsara a buscar este consuelo, hay señal en sus obras de imaginación. Así en San Petersburgo, rival casi venturoso del pródigo duque de Osuna con la actriz francesa Magdalena Brohan, se quedó, tras mil favores, en el umbral del paraíso, como él ha contado más graciosamente en prosa que en verso. Y en Río de Janeiro, donde halló una de esas damas bellas, expertas, pedantuelas, superferolíticas y bastante licenciosas con quien le gustaba platicar, llegando al amor por los más inesperados rodeos de un coloquio literario y filosófico. La bella brasileña Armida lo desahució por pretendiente pobre, y Valera, que la había enamorado agotando en las cartas a Armida el repertorio de finezas, requiebros y ternuras sacado de los escritos de Santa Teresa, trocó esta pluma por la del Aretino o la de Francisco Delicado, para contar, con el desenfado más crudo, los regalos y diversiones que por manera de desquite buscó y encontró en una Venus erudita. Por estos y otros casos pudiera creerse que fracasó en las empresas amatorias de más empeño. La realidad es otra. De los fracasos, sinsabores y derrotas, queda largo rastro en sus escritos; se queja mucho; en cambio, de los triunfos apenas deja traslucir cosa, y no por reserva, que en nada fue reservado, sino por la misma llaneza y naturalidad con que la fortuna se los deparaba. Sólo recuerda los vencimientos extraordinarios de su amor propio, y con tal fuerza, que desconocía su acción personal. Recontando las derrotas atribuía las victorias al ímpetu y descomedimiento de las mujeres; eran ellas las victoriosas. Valera compartía con otros don Juanes la creencia de que él nunca era conquistador, sino conquistado. Textualmente lo dice: «nunca he conquistado a ninguna mujer. Una vez sola me atreví a ser conquistador y lo pasé tan mal que compuse estos versos:

> *Ved aquí a un hombre que en la cama yace*
> *por haberse metido a Lovelace».*

La madurez había serenado a Valera cuando escribió *Asclepigenia*. Las ilusiones juveniles, descabelladas, ya pasaron. Valera se disponía a reír melancólicamente de sus quimeras de mozo escribiendo *Las ilusiones del doctor Faustino*. Los sueños de gloria, de mando, de poder; la nombradía, la posición social, el respeto público y la autoridad literaria pierden incentivo: logrados los menos, imposibles algunos, vanos después de alcanzados los más de los que alcanzó. Sólo quedaba en su espíritu, fulgente más allá del medio siglo lo mismo que a los veinticinco años, la seducción del amor. Ya había proclamado en *Pepita Jiménez,* defendiendo contra las extravagancias místicas del seminarista los derechos de su pasión natural, la primacía del amor sobre los demás ornamentos de la vida. Resolvió el caso de Pepita Jiménez con un criterio conciliador, o como él decía, panfílico: los esposos, en la vida retirada y bastante ñoña que inauguran, tienen en su casa, al lado de preciosas capillitas católicas, un templete de mármol en que se representa a Cloe cuando la cigarra fugitiva se le mete en el pecho y Dafnis procura sacarla de allí. En *Asclepigenia* el emblema es más escueto y va teñido de burlas. Postergar el amor es un crimen contra la vida. El saber, la riqueza, la gloria, no lo reemplazan. Valera nunca lo postergó. Su adhesión a la vida, su inteligente alegría se representan en el fervor de su culto amatorio mientras pudo hacer ofrendas y sacrificios. Perderse para el amor y dudar de la vida por vez primera fue todo uno; cierto que el amor le despidió de un modo solemne, como cumplía a tan gran secuaz, dejando a sus pies un despojo sangriento. Más que sexagenario, Valera, embajador en Washington, conoció y trató de amistad a una joven inteligente, Catalina Bayard, hija de un ministro de aquel país. No contaré la historia, sino el desenlace. Catalina enloqueció de amor por don Juan y se dio muerte. Quién sabe si entonces advirtió Valera —ocurridas las cosas como yo me las imagino— el poder creador de las palabras. El desconcierto, el asombro, el pavor de don Juan son tales, que, contribuyendo otras desgracias, blasfema de la vida: «La vida es muy funesto don —dice—, y el mismo estúpido e irracional temor de perderla, hace este don más funesto todavía». Estas palabras brotan de la más profunda tiniebla en que nunca se hundió su espíritu. De esa tiniebla irá saliendo, y no muy tarde, a la luz plateada que esclarece su vida declinante. «Me declararé viejo, jubilado», dice respecto del amor, después del suceso de Catalina Bayard. Buscará en las letras, en el estudio, en la política, nuevo aliciente en su vida, hasta ahora inquietísima, y en que su menor propósito era escribir. Lo buscará porque el amor le deja; lo buscará a no poder más, con melancolía: «en el abrazo de la mujer querida está el cielo», escribe entonces. ¿Qué serán para don Juan los dilatados años de su senectud? Como no podía faltarnos una representación dulcemente risueña de esta experiencia, Morsamor halla en el fondo del Indostán el *Cenobio de la jubilación varonil,* donde los varones senescentes, merced a la dieta herbívora y a la conducta morigerada prolongan la vida; el que por accidente muere antes de los ciento cuarenta y cuatro años, dicen que se malogra. Estos varones jubilados de la vida activa, tenían una vez por semana *Recordatorio galante,* o sea, que visitaban el *Cenobio de la jubilación femenina,* donde las ancianas, compañeras de su mocedad, entre agasajos y recuerdos juveniles, solían cantar y bailar, «si bien con la majestad, el entono y el sereno juicio que importan en la edad madura».

Más de una vez pudo Valera tener en Madrid *Recordatorio galante,* como los ancianos que, vestida una blanca túnica y apoyados en báculo dorado, dilataban en el *Cenobio* el fin de sus días. Es notable la altiva serenidad con que don Juan esperó a pie firme, en plena posesión de su mente, el término de los suyos. «Aún me anda por el espíritu una música divina», decía, cuando sobre todos los achaques la ceguera lo recluyó en su casa. «El optimismo y el buen humor no me abandonan.» Amaba la vida y no le empavorecía la muerte. En los insomnios de su ancianidad formaba largos soliloquios preguntándose qué sería el más allá inminente y el porvenir de su conciencia: «¿Se conservará algo de mí, o habrá pasado todo como si yo no hubiera existido? Confieso que no me apura mucho quedarme sin contestación». Recluido, meditando y soñando, los ratos que no empleaba en dictar o en conversar, una llamita temblaba en su viejo corazón: a veces, creyéndose solo, iba a tientas a su librería y tomaba en sus manos y acariciaba largamente un libro que había pertenecido a Catalina Bayard.

JORGE BORROW Y *LA BIBLIA EN ESPAÑA*

Tomás Borrow, de familia de labradores, establecida desde muy antiguo cerca de Liskeard, en Cornwall, se fugó de su casa, siendo todavía mozo, por esquivar las consecuencias de una fechoría juvenil, y sentó plaza de soldado en 1783. Diez años más tarde, cuando era sargento, se casó con Ana Preferment, hija de un agricultor de East Dereham, Norfolk, de abolengo francés probablemente. En 1798 Tomás Borrow obtuvo el grado de capitán, del que no pasó en su carrera militar. En 1800 le nació un hijo, Juan Tomás, que fue pintor y soldado y acabó por emigrar a México en busca de fortuna, muriendo en aquellas tierras en 1834. El 5 de julio de 1803 nació, en East Dereham, el hijo segundo del matrimonio Borrow, Jorge Enrique, el cual, treinta y tres años más tarde, había de ser popular en Madrid con el nombre de *Don Jorgito el inglés*. La infancia de Jorge transcurrió en diferentes poblaciones de Inglaterra y de Escocia, merced a los cambios de guarnición del regimiento en que servía su padre. Viajó primeramente por las provincias de Sussex y Kent, y en 1808 y 1810 estuvo otra vez en su pueblo natal. Jorge era «un niño triste que gustaba de permanecer horas enteras en un rincón solitario, con la cabeza caída sobre el pecho, dominado por un abatimiento peculiar; a veces sentía una impresión de miedo muy extraña, sin causa real». Sus padres le dejaban vagar libremente por los campos. En 1810 conoció a Ambrosio Smith, el gitano a quien después representó en sus escritos con el nombre de Jasper Petulengro, y se juraron fraternidad. El desarrollo mental de Jorge fue algo tardío. Comenzó los estudios de humanidades en Dereham y los continuó en Edimburgo, después en Norwich, y el año 1815 en la «Academia Protestante» de Clonmel (Irlanda), adonde el regimiento de su padre fue destinado. La vida escolar le curó de sus hábitos insociables y de su reserva. A Jorge le gustaban los estudios, pero no la sujeción de la escuela. Sentía inclinación natural por los idiomas, y los aprendía con desusada facilidad; su memoria era descomunal. Amaba la vida al aire libre y los deportes. Las aventuras, propias o ajenas, reales o soñadas, encandilaban su imaginación. En Irlanda, además de aprender la lengua del país, se había hecho gran jinete. Terminadas las guerras napoleónicas y licenciado el regimiento, los Borrow se establecieron en Norwich. Jorge leía griego en la *Grammar School,* y de un emigrado francés tomaba lecciones de este idioma, de italiano y de español; cultivaba, además, la caza y el pugilismo. Los gustos y las costumbres de Jorge le hicieron antipático a su padre; no se le parecía en nada; teníale por un verdadero gitano, y, desentendiéndose de él en lo posible, le dejaba hacer cuanto quería. En 1818 Jorge se encontró de nuevo con Ambrosio Smith, o Jasper Petulengro, y, yéndose con él a un campamento de gitanos, los acompañó por ferias y mercados, se inició en sus costumbres y aprendió su idioma.

Llegado el momento de adoptar una profesión que le diese para vivir, Jorge, dudoso entre la Iglesia y el Foro, se decidió por el último; así se lo aconsejó un amigo en situación semejante a la suya, diciéndole que la abogacía «era la mejor carrera para quienes (como ellos) no pensaban ejercer ninguna». El padre de Jorge le costeó el aprendizaje, colocándolo en 1819 de pasante en casa de unos curiales de Norwich. Pero Jorge debía de tener mediana afición a los pleitos. Aprendió galés, danés, hebreo, árabe, armenio, y en el despacho de sus maestros trabajaba en traducir de esas lenguas al inglés; su amigo William Taylor le enseñó el alemán. Así vivió el pobre cinco años, amarrado a un oficio tan opuesto a su vocación. Quizá la lectura de libros de viajes y aventuras le fue entonces más gustosa y necesaria que nunca, como desquite de la aridez de su empleo. A Jorge Borrow le gustaban mucho *Gil Blas, el Peregrino,* de Bunyan, Sterne, el *Childe Harold,* y, sobre todos, De Foe. «¡Oh genio de De Foe, yo te saludo! —exclama en su autobiografía—. ¡Cuánto no te debe el mío pobrísimo!»

En 1824 el capitán Tomás Borrow murió, dejando por heredera de sus escasas rentas a su mujer. Jorge, que llegaba entonces a la mayor edad, se marchó a Londres a buscarse la vida en cuanto terminó su contrato de pasantía. Llevaba por todo capital un legajo de traducciones; pero sus esperanzas eran muchas. Su primera estancia en Londres fue poco placentera. Luchaba con la escasez, con la falta de salud, con la inseguridad del trabajo, y padeció además la crisis característica de la juventud al encararse indefensa con la vida y las amarguras de la vocación, que busca a tientas su camino. Jorge se interrogaba acerca del valor de la existencia y de la verdad. «¿Qué es la verdad? ¿Qué es lo bueno y lo malo? ¿Para qué he nacido? ¿Todo perecerá y será olvidado, todo es vanidad?» Y no encontraba respuesta satisfactoria. El futuro misionero era entonces ateo empedernido; su amigo Taylor, además de enseñarle el alemán, le inculcó la irreligión. La tristeza y el descorazonamiento de Jorge fueron tales, que sus amigos temieron verle poner fin a sus días. Por aquella época publicó Borrow algunas traducciones de poesías extranjeras (varios romances españoles); [1] escribió, por encargo de un editor, una colección de «causas célebres»,[2] y tradujo para una revista fragmentos de leyendas danesas.[3] Pero en 1825 el periódico en que escribía desapareció; riñó, además, con el editor que le daba trabajo y se quedó en la calle con sus manuscritos y un puñado de dinero. Supónese que el anuncio de un librero le indujo a escribir, para zafarse de sus apuros del momento, una *Vida y aventuras de José Sell,* obra publicada, al parecer, con otros cuentos y narraciones en una colección que hoy no se sabe cuál fue. Vendida la obra, Borrow se marchó de Londres, abandonando la literatura, y viajó a pie en busca de salud corporal y de paz para su ánimo. Cuatro meses duró su vida errante. Volvió a encontrar a Jasper Petulengro y se fue con él a vivir en hermandad con los gitanos trabajando en hacer herraduras y preso en las redes honestas de una linda moza de la tribu. Después compró un caballo y recorrió Inglaterra en busca de aventuras. Cuando estos viajes concluyeron, Jorge Borrow tenía veintidós años. Era alto, flaco, zanquilargo, de rostro oval y tez olivácea; tenía la nariz encorvada, pero no demasiado larga; la boca bien dibujada y ojos pardos, muy expresivos. Una canicie precoz le

1. *Bernard's Address to his army,* a ballad from the Spanish; *The Mariner,* a ballad from the Spanish; *The French Princess,* a ballad from the Spanish. En *Monthly Magazine,* vol. 57 (1824).
2. *Celebrated Trials, and Remarkable Cases of Criminal jurisprudence, from the earliest records to the year 1825.* 6 vols. Knight and Lavy, Londres, 1925.
3. *Danish Traditions and Superstitions.* En *Monthly Magazine,* vols. 58, 59, 60.

dejó la cabeza completamente blanca. Las cejas, prominentes y espesas, ponían en su rostro un violento trazo oscuro.

Jorge Borrow, al escribir, andando el tiempo, sus narraciones autobiográficas, se empeñó en rodear de misterio ciertos años de su vida (1826-1832), y con alusiones más o menos veladas quiso dar a entender que se había visto envuelto en misteriosas aventuras y dado cima a dilatados viajes por países como la India, China y Tartaria. Ignórase, en efecto, lo que Borrow hizo en esos años; pero en sentir de sus biógrafos más autorizados, es excesivo tanto misterio. Probablemente, Borrow vivió todo ese tiempo sin ocupación fija, viajó un poco y escribió por gusto y por encargo. En 1826 se publicó una colección de sus traducciones del danés [4] con otras composiciones suyas. Dos años más tarde apareció una traducción de las *Memorias de Vidocq* [5] atribuida a Borrow; insertó en algunas revistas trabajos de menos importancia. Viajó por la Europa occidental y parece que estuvo en Madrid, pero este viaje no pudo entrar en el marco de *La Biblia en España.*

Un gran cambio sobrevino en la vida de Jorge Borrow durante el año 1833, que decidió de su destino. Conocía Jorge Borrow a una familia residente en Oulton Hall, cerca de Lowestoft (Suffolk), de la que formaba parte Mrs. Mary Clarke, de treinta y seis años, viuda de un marino. Un reverendo pastor, relacionado con esta familia, indujo a Jorge Borrow a solicitar de la Sociedad Bíblica Británica y Extranjera un empleo donde pudiera utilizar su conocimiento de los idiomas. Jorge se fue a pie a Londres, y en veintidós horas recorrió una distancia de ciento veinte millas. En su frugal pobreza, Jorge sólo gastó en el viaje cinco peniques y medio, en un litro de cerveza, medio litro de leche, un pedazo de pan y dos manzanas. Los señores de la Sociedad Bíblica, después de examinarle de lenguas orientales durante una semana, le preguntaron si estaba dispuesto a aprender en seis meses la lengua manchú. Aceptó Jorge, y con un buen viático se volvió a Norwich, ya en diligencia; estudió con ahínco, y a los seis meses triunfaba en las pruebas a que sus futuros jefes le sometieron. Por aquellos mismos días, Jorge Borrow

4. *Romantic Ballads, translated from the Danish, and Miscellaneous pieces,* by George Borrow; S. Wilkin, Norwich, 1826.
5. *Memoirs of Vidocq, principal agent of the French police until 1827. Written by himself translated from the French,* 4 vols. Whittaker Treacheh and Arnof, Londres, 1828-29.

se retractó de su ateísmo; ya fuese por influjo de Mrs. Clarke, o porque las ideas que le inculcó su amigo Taylor arraigaron poco en su espíritu y se marchitaron al acercarse la treintena, lo cierto es que Borrow profesó un protestantismo tan fanático como el ateísmo que abandonaba. No tardó en asimilarse el «tono misionero» ni en adoptar la jerga propia de sus patronos. Cuando aún se hallaba en curso su nombramiento, uno de los secretarios de la Sociedad Bíblica censuraba así el estilo de una carta de Borrow: «Perdóneme usted si, como sacerdote y mayor que usted en años, aunque no en talento, me atrevo, con la mejor intención, a hacerle una advertencia que podrá no ser inútil». Acota una frase que ha llamado la atención de alguno de «los excelentes miembros de nuestro Comité»; aquella en que «habla usted de la perspectiva de ser *útil a la Divinidad, al hombre y a usted mismo*. Sin duda quiso usted decir la *perspectiva de glorificar a Dios,* pero el giro de sus palabras nos hizo pensar en ciertos pasajes de la Escritura, tales como Job, XXI, 2, etc.». La respuesta de Borrow debió de ser tal, que el mismo reverendo le escribía: «El espíritu de su última carta es verdaderamente cristiano, en armonía con aquella regla sentada por el mismo Cristo y de la que Él dio, en cierto sentido, tan prodigioso ejemplo, que dice: "El que se humille será ensalzado"». Finalmente, la Sociedad Bíblica aceptó los servicios de Borrow y le envió a Rusia, para donde salió sin dilación, a mediados de año, a colaborar en la transcripción y colación del manuscrito de la Biblia, traducida al manchú, y en la impresión del Nuevo Testamento en la misma lengua.

Jorge Borrow estuvo en Rusia hasta septiembre de 1835. Sirvió con celo y buen éxito a la Sociedad Bíblica; visitó Moscú y Novgorod y proyectó un viaje a China, a través del Asia, para distribuir el Evangelio por el Oriente. El gobierno ruso le negó los pasaportes. Ese proyecto de viaje fue, en opinión de uno de sus biógrafos, el único motivo que tuvo Borrow para creer, y hacérselo creer a sus lectores, que había estado en el Oriente remoto.[6] Durante su estancia en Rusia tradujo al ruso unas homilías de la Iglesia anglicana y

6. «¿No le ha chocado a usted nunca —le escribía en una ocasión su amigo el danés Hasfeldt— cuánto se parece usted al buen hidalgo don Quijote de la Mancha? A mi juicio, podría usted pasar fácilmente por hijo suyo.» W. Knapp, *Life, writings and correspondence of George Borrow,* Murray, Londres, 1890, vol. I, p. 100.

publicó en San Petersburgo dos colecciones de poesías traducidas por él al inglés: *Targum* [7] y *El Talismán*. [8]

En octubre de 1835, volvió Jorge Borrow a Inglaterra, y, apenas llevaba un mes en su país, la Sociedad Bíblica decidió utilizar de nuevo sus servicios, enviándole a Lisboa y Oporto con encargo de acelerar la propagación de la Biblia en Portugal.

Ni la Sociedad Bíblica ni Jorge Borrow preveían entonces que sus campañas en la Península iban a tener la importancia que después adquirieron. Para la Sociedad, el envío de Borrow a Portugal era un empleo interino, en espera de que se decidiese su viaje a China. Borrow ignoraba si tendría o no en Portugal libertad suficiente para lanzarse a una propaganda intensa ni si el ánimo de la gente se hallaba bien dispuesto para recibirla.

Jorge Borrow se embarcó en Londres el 6 de noviembre de 1835, y llegó a Lisboa el 13 del mismo mes; [9] visitó los alrededores de la capital, hizo una excursión por el Alentejo, y de estos viajes y de sus conversaciones con el representante de la Sociedad Bíblica en Lisboa nació la determinación de aplazar sus trabajos en Portugal. Borrow resolvió pasar a España. Salió de Lisboa para Badajoz el 1 de enero de 1836, cruzó la frontera el día 6, detúvose en Badajoz diez días, y por Mérida, Oropesa y Talavera llegó a Madrid. Por el camino fue madurando su plan de campaña; le pareció necesario, ante todo, hacer una tirada de la Biblia en castellano, porque sólo podían circular las impresas en el reino. Pero lo difícil no era eso; lo difícil era obtener permiso para imprimirla *sin notas*. Desde la invención de la imprenta hasta 1820, no se había impreso en España ninguna traducción de la Biblia descargada de comentarios y notas, y que fuese, por tanto, de tamaño manual y de precio reducido, accesible a todos. En 1790 apareció la traducción de Scio, en diez volúmenes en folio, y en 1823, la de Amat en nueve volúmenes en cuarto. Al amparo de la fugaz libertad política instaurada por la revolución de 1820, se imprimió en Barcelona (1820) el Nuevo Testamento, traducción de Scio, pero sin notas; desde entonces,

---

7. *Targum, or metrical translations from thirty languages and dialects,* by George Borrow. Schulz and Beneze, San Petersburgo, 1835.

8. *The Talisman, from the Russian of Alexander Pushkin, with other pieces.* Schulz and Beneze, San Petersburgo, 1835.

9. Fechas establecidas por Mr. Knapp, separándose de las que Borrow da en *The Bible in Spain.*

hasta la llegada de Borrow a España, nada más se había hecho. La propaganda de las Sociedades Bíblicas no consiste, esencialmente, en predicar una confesión determinada, sino en difundir la lectura de la Biblia, poniendo al alcance del mayor número el texto genuino de la Escritura. Como, en opinión de los cristianos reformados, los dogmas y prácticas de la Iglesia romana contradicen la letra y el espíritu del libro sagrado, basta la lectura de su texto auténtico, y la restauración del sentido propio en su inteligencia e interpretación, para minar las bases de la dominación papista. Así Borrow, abundando en las intenciones de sus directores y con autorización expresa de ellos, gestionó desde luego el permiso que necesitaba para imprimir el Evangelio sin notas, y, vencidas no pocas dificultades, se dispuso a reimprimir en Madrid la traducción del Nuevo Testamento, de Scio, editada sin notas por la Sociedad Bíblica en Londres, 1826. Borrow y la Sociedad Bíblica desconocían las versiones castellanas de la Biblia, hechas por los antiguos reformistas españoles, libros rarísimos entonces.

Borrow se fue de Madrid a los pocos días de la revolución de La Granja, estuvo en Granada y Málaga (viaje no referido en *La Biblia en España*), se embarcó en Gibraltar, llegó a Londres el 3 de octubre, instó en la Sociedad Bíblica la inmediata apertura de la campaña de propaganda en España y, aceptados sus planes, se reembarcó el 4 de noviembre, llegando a Cádiz el 22 del mismo mes. Por Sevilla y Córdoba se dirigió Borrow a Madrid, adonde llegó el 26 de diciembre. No perdió el tiempo. En 14 de enero de 1837 firmaba con Andrés Borrego el contrato para la impresión del Evangelio, y en 1 de mayo siguiente se publicó el libro.[10] Borrow obtuvo de la Sociedad Bíblica autorización para repartir en persona la obra por los pueblos, y dejando en Madrid encargado de sus asuntos a don Luis Usoz y Río, emprendió, acompañado de su famoso criado griego, el larguísimo viaje por Castilla la Vieja, Galicia, Asturias y Santander, que duró desde mayo a noviembre de 1837. De regreso en Madrid, imprimió dos nuevas traducciones parciales del Nuevo Testamento, una tra-

10. El Nuevo Testamento, traducido al español de la Vulgata Latina, por el Rmo. P. Phelipe Scio de S. Miguel, de las Escuelas Pías, obispo electo de Segovia, Imprenta a cargo de D. Joaquín de la Barrera, Madrid, 1837. En 8.º, 534 páginas.

ducción del Evangelio de San Lucas al caló,[11] hecha por él, y otra del mismo Evangelio al vascuence, por un señor Oteiza.[12]

La publicación del Evangelio en caló, la apertura de un Despacho de la Sociedad Bíblica en la calle del Príncipe, los métodos empleados por Borrow para llamar la atención del público hacia su obra y ciertas imprudencias de otros agentes de la Sociedad en España provocaron la intervención de las autoridades y desencadenaron una borrasca en la que naufragó la propaganda evangélica, y, a la larga, puso fin a los trabajos de Borrow en España; de ella nació también un primer disentimiento entre la Sociedad y su agente, disentimiento que terminó en ruptura. En enero del 38 el jefe político de Madrid secuestró los libros existentes en la tienda abierta por Borrow, en mayo fue preso *Don Jorge* por desacato a un agente de la autoridad y por vender libros impresos fuera del reino, introducidos en España con infracción de las leyes vigentes. Borrow cuenta en *La Biblia en España* la historia del secuestro y de su prisión; pero omite ciertos hechos que influyeron grandemente en aquellas resoluciones del gobierno, hechos que Borrow no conoció hasta después de salir de la cárcel. Había por entonces en España otro agente de la Sociedad Bíblica llamado Graydon, que operaba principalmente en las provincias de Levante. Graydon, que imprimió en Barcelona una edición del Nuevo Testamento y otra de la Biblia (A. y N. T.), sin notas, en 1837, no se limitaba como Borrow a propagar el libro, sino que repartía folletos, prospectos y opúsculos atacando al gobierno moderado, y al clero español y sus doctrinas. Esta conducta produjo algunos escándalos en Valencia, Murcia y Málaga, y como Graydon se proclamaba no sólo agente de la Sociedad Bíblica sino íntimo colaborador y asociado de Borrow, dio pretexto para que el gobierno, movido por los curas, desfogara su inquina tratando a *Don Jorge* con extremado rigor. La prisión de

11.   *Embeo e Majaró Lucas. Brotoboro rodado andré la chipé griega, acána chibado andré o Romanó o chipé es Zincalés de Sesé.*
El Evangelio, según San Lucas, traducido al Romaní, o dialecto de los gitanos de España, Madrid, 1837. En 16.°, 177 páginas.
Segunda edición: *Criscote e Majaró Lucas, chibado andré o Romanó, o chipé es Zincalés de Sesé.*
El Evangelio, según San Lucas, traducido al Romaní, o dialecto de los gitanos de España, Lundra, 1872. En 16.°, 177 páginas.
12.   *Evangelioa San Lucasen Guissan.* El Evangelio, según San Lucas, traducido al vascuence, Imprenta de la Compañía Tipográfica, Madrid, 1838. En 16.°, 176 páginas.

Borrow y las reclamaciones del ministro británico produjeron, como puede suponerse, una reunión precipitada del Consejo de ministros, un ofrecimiento de dimisión por parte del jefe político e interpelaciones en las Cortes censurando al Gobierno... por su lenidad. Excarcelado Borrow supo por el ministro británico la parte que la conducta de Graydon había tenido en sus persecuciones, y se le ocurrió escribir sendas cartas al *Correo Nacional* y a la Sociedad Bíblica desautorizando y condenando el proceder de su colega. En la carta al *Correo Nacional,* publicada el 27 de mayo,[13] se titula «único agente autorizado en España de la S. B.». En la carta a sus directores de

13. La carta dice así:

«Habiéndose divulgado la noticia de que algunos individuos que se titulan agentes de la Sociedad Bíblica inglesa y extranjera, con el pretexto de distribuir ejemplares de la Sagrada Escritura, han recorrido ciertas ciudades del Sur y del Occidente de España, y han publicado escritos en los cuales no se ha guardado el debido respeto a las autoridades eclesiásticas y civiles de España, sino que, por el contrario, se ha manifestado una intención evidente de desacreditarlas a los ojos del pueblo de aquellos puntos, me apresuro a declarar públicamente: que dichos individuos, si es cierto que los haya, han obrado en esta parte bajo su propia responsabilidad, sin anuencia y aun contraviniendo las instrucciones de la Sociedad Bíblica; pues que ésta, siguiendo los principios del Nuevo Testamento, está obligada a reprobar y a mirar con horror semejantes tentativas, por estar en oposición directa con los expresos mandatos del Salvador y de sus Apóstoles, quienes en sus predicaciones y escritos han exhortado en varias ocasiones a los fieles a guardar respeto y obediencia a sus jefes y superiores, aun cuando éstos fuesen herejes o idólatras.

»Y como además ha corrido la voz de que ciertos sujetos, con pretexto de ser agentes de la Sociedad Bíblica inglesa y extranjera, han desplegado cierto celo para persuadir, y aun han persuadido en algunos casos, a varias personas que firmasen documentos en forma de declaraciones de separación de la fe católica; yo declaro aquí públicamente que la Sociedad Bíblica inglesa y extranjera no tiene noticia de semejantes sujetos, ni en caso que los haya, está dispuesta a corroborar ni aprobar sus procedimientos, sino que por el contrario, desea manifestar del modo más enérgico y solemne que desconoce y rechaza toda relación o simpatía con ellos.

»La Sociedad Bíblica inglesa y extranjera se compone de individuos de todas las sectas en que se hallan divididos los que siguen la fe de Jesucristo, entre los cuales se ven, cooperando todos a un grande y santo objeto, apostólicos romanos y miembros de las iglesias griega y anglicana, cuyo objeto es la propagación de la palabra de Cristo por todos los países, prescindiendo enteramente de las formas de la disciplina de la iglesia, materias secundarias, que demasiado tiempo han llenado el mundo de sangre y de desastres y han alimentado en el corazón de los cristianos, miserables y malignas rencillas. Muy lejos de proponerse hacer prosélitos apartándolos del culto católico, la Sociedad Bíblica se tendrá siempre por dichosa en tender una mano de fraternidad al clero de España, y en cooperar con los que creen, como el clero católico cree seguramente, que: "Se salvarán todos aquellos que teniendo fe en Jesucristo, lo manifiestan con buenas obras". Madrid, 12 de mayo de 1838. Oficina

Londres, luego de referir las entrevistas del ministro británico con Ofalia, dice respecto de Graydon: «Hasta el momento presente, ese hombre ha sido el ángel malo de la causa de la Biblia en España, y también el mío, y ha empleado tales procedimientos y escogido de tal modo las ocasiones, que casi siempre ha conseguido derribar los planes hacederos trazados por mis amigos y por mí para la propagación del Evangelio de una manera permanente y segura». La respuesta de la Sociedad fue un cruel desengaño para Borrow: reconocíase en ella que Graydon era tan legítimo representante de la Sociedad Bíblica como él; no se accedía a desautorizar y condenar su proceder, y, además, se le advertía a Borrow que en adelante se abstuviese de publicar cartas como la del *Correo Nacional*. Por su parte, el Gobierno español, tras algunos artículos oficiosos en que se le excitaba a proceder «con mano dura» contra los escarnecedores de la religión, prohibió, de real orden, la circulación y venta del Nuevo Testamento editado por Borrow.[14]

de la Sociedad Bíblica, calle del Príncipe. — *Jorge Borrow,* único agente autorizado en España por la Sociedad Bíblica inglesa y extranjera.»

Y la *Gaceta de Madrid* contesta:
«Esta declaración era ya necesaria para poner a cubierto el buen nombre de la Sociedad Bíblica y de su agente; pero sentimos que en el aviso se hayan deslizado algunas expresiones que, además de ser inútiles para el objeto del señor Borrow, no están muy de acuerdo con la creencia de la nación donde se ha impreso... 1.ª Que las controversias de los católicos con otras sectas son meramente disciplinarias. Jamás la iglesia católica ha separado de su seno a nadie por divergencias de disciplina; díganlo, si no, los griegos católicos. 2.ª Que la fe en el Redentor, sin atención a la iglesia, por cuyo medio la hemos recibido, basta para salvarse... No concluiremos este artículo sin dar el merecido tributo de alabanza al proyecto verdaderamente grandioso de la Sociedad Bíblica, considerado no bajo el aspecto religioso, sino bajo el social... En España, donde está prohibida toda traducción de la Biblia, y en general todo libro de religión sin previa censura y autorización de la autoridad eclesiástica, podrá hacerse mucho bien distribuyendo cualquiera de las dos traducciones, o la de P. Scio, o la del Sr. Amat; pero como están, y sin supresión de las notas que explican algunos pasajes difíciles... Publicar una Biblia sin notas es una permisión tácita concedida a cada lector de ponerle las que le parezca, y entre nosotros no hay ese permiso.» (*Gaceta de Madrid,* 27 de mayo de 1838.)
14. Decía, por ejemplo, la *Gaceta de Madrid*:
«El Gobierno debe comprimir con mano fuerte los ataques contra la religión de los españoles, mucho más ahora que causaría perjuicios a nuestra causa y a la nación cualquier fermento religioso que se introdujese en ella. Tiene inmensos recursos a su arbitrio, el de las leyes, el de la opinión nacional y el derecho y la obligación de no permitir que se perturben las con-

En relaciones poco cordiales con sus jefes, y frente a la hostilidad resuelta de los gobernantes españoles, Borrow no podía ya realizar en la Península una obra duradera ni fructífera. Aquel verano del 38 anduvo *Don Jorge* por la Sagra y por tierras de Segovia. El 24 de agosto llegó a sus manos la orden de sus jefes llamándole a Inglaterra, y allá se fue, a través de Francia, y en tres o cuatro meses que permaneció en su país zanjó sus diferencias con los directores, y logró que le enviaran a España por tercera y última vez. El 31 de diciembre de 1838 desembarcó en Cádiz, y, salvo los tres primeros meses que pasó en Madrid dedicado a la propaganda, casi todo el año 39 estuvo en Sevilla, en relativa inacción. Allí fueron a buscarle Mrs. Clarke y su hija, a quienes instaló en su propia casa de la Plazuela de la Pila Seca. Hizo, solo, un viaje a Tánger, donde le alcanzó la orden del Comité de la Sociedad Bíblica, dando por terminada su misión en España, y en Tánger se acaba bruscamente la narración de sus aventuras. De retorno en Sevilla, anunció su matrimonio con Mrs. Clarke (la *Señá Biuda* con *Don Jorgito el Brujo*), y comenzó los preparativos para volver a Inglaterra. Una disputa con un alcalde de barrio, en Sevilla, le costó ir a la cárcel, donde le tuvieron treinta horas; todavía estuvo en Madrid gestionando las reparaciones debidas por el agravio, y en abril de 1840 se embarcó para Inglaterra con Mrs. Clarke y su hija y su corcel árabe. Apenas tomó tierra, se casó y fue a instalarse en Oulton Cottage (Lowestoft), propiedad de su esposa, donde vivió muchos años entregado a las pacíficas tareas literarias.

Lo primero que publicó fue su obra sobre los gitanos,[15] en la que había trabajado mucho durante su permanencia en España. Contiene

---

ciencias con la introducción de una secta. La nación española, que tantas pérdidas ha sufrido, a la que tantas calamidades han afligido, no tiene ya otro bien que perder sino la fe de nuestros padres; y ésta se la quieren quitar ahora unos pocos aventureros con una osadía que carece de ejemplo. Se han creído que porque ya no existen el tribunal ni las formas inquisitoriales, se han abrogado nuestras leyes antiguas contra los dogmatizantes; se han engañado mucho si se han persuadido que nuestro régimen de *libertad* permite toda *licencia,* y que es lícito escribir cuanto se quiera y como se quiera; no tienen más que leer la ley de la libertad de prensa, que a pesar de sus imperfecciones no deja de señalar todos los delitos que pueden cometerse con la pluma.» (*Gaceta de Madrid,* 9 de junio de 1838.)

15. *The Zincali, or An Account of the Gypsies of Spain With an original collection of their Songs and Poetry, and a copious Dictionary of their Language.* By George Borrow... 2 vols., John Murray, Londres, 1841.

una descripción preliminar de los gitanos de diversos países, y un estudio de la historia y costumbres de los de España, compuesto de observaciones personales y extractos de libros referentes a ellos. Siguen una colección de poesías populares en caló, recogidas verbalmente por Borrow, y un vocabulario. En *The Zincali* se aprecia «una fuerte personalidad y una observación extraordinaria»; [16] pero cualquiera puede advertir el desorden con que está compuesto el libro. Es importante para conocer las costumbres de los gitanos, y completa además algunas aventuras que en *La Biblia en España* sólo están indicadas.

La publicación de *The Zincali* puso a Borrow en relación con Ricardo Ford, docto en cosas hispánicas, que preparaba por entonces su *Manual* de España.[17] Ford aconsejó a Borrow que publicase sus aventuras personales y se dejara de extractar libracos españoles. Al saber que tenía entre manos una *Biblia en España,* insistió en sus advertencias: nada de vagas descripciones, nada de erudición libresca; hechos, muchos hechos observados directamente, arrojo para no caer en las vulgaridades; no preocuparse del buen decir; evitar las gazmoñerías y la declamación. Borrow se aprovechó de esos consejos. En su retiro de Oulton ordenó y completó los materiales de que disponía: diarios de viaje, cartas a la Sociedad Bíblica, y en diciembre de 1842 se publicaba la obra [18] que velozmente le llevó a la celebridad.

Su triunfo fue inmenso. En el primer año se agotaron seis ediciones de a mil ejemplares en tres volúmenes, y una edición de diez mil ejemplares en dos tomos. Dos veces reimpresa en Norteamérica aquel mismo año 33, fue traducida al alemán, al francés y al ruso: en 1911 iban publicadas más de veinte ediciones inglesas de la obra. Borrow saboreó la popularidad; sus escritos posteriores contribuyeron poco a sostenerla. Sus aventuras en España despertaron en el público un deseo muy vivo de conocer hechos de la vida del

16.   E. Thomas, *George Borrow, the man and his books.* 1 vol., Chapman and Hall, Londres, 1912.

17.   *Hand-Book for Travellers in Spain and Readers at Home,* Murray, Londres, 1845. 2 vols. en 8.º. «Las ediciones posteriores están abreviadas o adaptadas a los itinerarios del ferrocarril. El verdadero Ford no ha vuelto a parecer.» (Knapp.)

18.   *The Bible in Spain, or the Journeys, Adventures, and Imprisonements of an Englishman, in an attempt to circulate the Scriptures in the Peninsule.* By George Borrow, author of *The Gypsies in Spain,* In three volumes. John Murray, Londres, 1843.

«héroe». Ricardo Ford le aconsejó que escribiese su autobiografía.
Don Jorge, sin levantar mano, compuso el *Lavengro,* historia de su
niñez y juventud, continuándola años después,[19] hasta la fecha en
que comienza aquel misterioso período de su vida, de que ya se
hizo mención. La obra defraudó las esperanzas del público: los crí-
ticos, con gran indignación del autor, pronunciaron sobre ella un
fallo adverso; se aguardaba una narración rigurosamente veraz, y
aparecía un revoltijo de sucesos reales e imaginarios, más que suficiente para desorientar al lector. Borrow se consoló difícilmente de
lo que algunos llamaron su «fracaso». La vanidad herida no iba a
contribuir a suavizarle el humor, cada día más áspero y agrio. Llevaba con impaciencia la vida sedentaria de escritor. Sentía, además,
inquietudes religiosas; los antiguos «terrores» le atormentaban. Borrow quería viajar y solicitó empleos fuera de su patria: misiones literarias en Asia, el consulado de Hong-Kong; pero sin resultado.
Hizo un viaje por el oriente de Europa, y recogió nuevos datos acerca de la vida y lenguaje de sus amigos los gitanos en Hungría, Vala-
quia y Macedonia. Anduvo también por su país; visitó Gales, Escocia y otros lugares, y recogió parte del fruto de estas jornadas en
un libro,[20] que fue la última obra importante que publicó. Desde
1860 residía en Londres, donde vivió catorce años sin producir nada
después de la aparición de *Wild Wales,* sumido en tanta oscuridad,
en tal silencio, que algunos le creían muerto. Estimulado por el deseo de conservar su antigua primacía en los estudios gitanos, que
otros cultivaban ya con diferente método, se lanzó a publicar en
1873 un vocabulario [21] del dialecto de los gitanos ingleses, obra que,
al aparecer, era ya anticuada. En suma: Borrow se sobrevivió; tan
sólo la muerte —observa Mr. Knapp— podía devolverle la notoriedad perdida. La muerte tardaba en llegar. Borrow se marchó de Londres en 1873 y se refugió en su casa de Oulton; estaba viudo desde
1869. El arriscado *Don Jorge* de otros tiempos era un anciano de
mal humor, que vivía triste y solo en una casa de campo mal cui-

19. *Lavengro; the Scholar - the Gypsy - the Priest.* By George Borrow...
In three volumes, John Murray, Londres, 1851. *The Romany Rye; a sequel
to Lavengro.* By George Borrow... In two volumes. John Murray, Londres,
1857.
20. *Wild Wales: Its people, Language, and Scenery.* By George Borrow...
In three volumes, John Murray, Londres, 1862.
21. *Romano Lavo-Lil: Word-Book of the Romany, or English Gypsy Language...* George Borrow. John Murray, Londres, 1874.

dada, y se paseaba solo por el jardín recitando poemas de su cosecha. Su extraño continente, su soledad y sus conversaciones con los gitanos, a quienes permitía acampar en la finca, crearon en torno suyo una especie de leyenda. Los muchachos, en viéndole pasar, le gritaban: «¡Gitano!» o «¡Brujo!». Muy cerca ya del fin, su hijastra fue con su marido a vivir en su compañía. En la mañana del 26 de julio de 1881 el matrimonio se fue a Lowestoft a sus asuntos, dejando a Borrow completamente solo; mucho les rogó que no se fueran, porque se sentía morir; pero le dijeron que ya otras veces había expresado igual temor sin fundamento alguno. Cuando volvieron, a las pocas horas, se lo encontraron muerto.

Aunque *The Bible in Spain* no fuese, en términos absolutos, el mejor libro de Borrow, sería en todo caso, con enorme diferencia respecto de sus otros escritos, el que más títulos tendría a la atención de nuestro público. El mérito intrínseco del libro y la singular reputación de España le hicieron popular en Inglaterra y Norteamérica y conocido en varias naciones de Europa, motivos también valederos para su divulgación en nuestro país, con más el de ser los españoles, no lectores distantes, sino parte interesada, actores en las escenas y su tierra marco de aquella narración. No es muy honroso para nuestra curiosidad que hayan transcurrido cerca de ochenta años desde que vio la luz, sin ponerlo hasta hoy, traducido, al alcance de todos.[22]

El libro fue compuesto, en su mayor parte, en los lugares mismos que describe. Borrow redactaba un diario de viaje, y remitía, además, a la Sociedad Bíblica, cartas de relación de sus aventuras y trabajos. La Sociedad prestó a Borrow las cartas luego de cerciorarse de que, al aprovecharlas, no cometería ninguna indiscreción. «¡No he revelado los secretos de la Sociedad!» decía después Borrow; en efecto, no mienta su desacuerdo con los directores, y tributa a Graydon, el «ángel malo» de la causa bíblica, ardientes elogios. Las cartas de Borrow a la Sociedad Bíblica [23] son tan extensas como la mitad de *The Bible in Spain*; pero sólo aprovechó la tercera parte de ellas en la composición del libro; lo demás salió de sus diarios,

---

22. *La Biblia en España, o viajes, aventuras y prisiones de un inglés en su intento de difundir las Escrituras por la Península*, Colección Granada. 3 vols. Madrid, 1920 y 1921.

23. *Letters of George Borrow to the Bible Society*, edited by T. H. Darlow, 1911.

fundiéndose todo al calor de su espíritu cuando recordaba y revivía a distancia las impresiones indelebles recibidas.

Tres son los temas de la obra: la difusión del Evangelio, *Don Jorge el inglés* y España. Los tres se enlazan en un conjunto armónico;. la propaganda evangélica es el propósito deliberado de que remotamente trae origen el libro, y constituye su armazón interior; todas las idas y venidas de *Don Jorge,* todos sus pensamientos van encauzados a la divulgación de la palabra divina. Los hombres y las tierras de España, materia de su experiencia, constituyen, no sólo una decoración de fondo, asombrosa por el relieve y el color, sino el ambiente en que se mueve y respira un personaje extraordinario, algo distinto de Borrow, pero que es Borrow mismo, despojado de toda vulgaridad y flaqueza, elevado a la categoría de semidiós. De esos temas, el evangélico es el que nos importa menos. España, país de misiones, España, país de idólatras, era un punto de vista nuevo, dentro de nuestro solar, en 1835, e irritante para quienes, dueños de la religión verdadera, habíanla exportado durante siglos. No será hoy menos irritante para buen número de personas el antipapismo de Borrow; pero es improbable que los españoles descontentos, los no conformistas, rompan a gritar: ¡*Al campo, al campo, Don Jorge, a propagar el Evangelio de Inglaterra!* En el fondo, la preocupación de Borrow es de la misma índole que la de los «idólatras», sus enemigos. La regeneración de España por la lectura del Evangelio sería un programa que acaso hiciera hoy sonreír.

El mayor número seguiría una opinión análoga a la de Mendizábal, que a la insistencia con que Borrow solicitaba el permiso para imprimir el Testamento, salvación única de España, respondía: «¡Si me trajese usted cañones, si me trajese usted pólvora, si me trajese usted dinero para acabar con los carlistas!». Pero *Don Juan y Medio,* y los liberales que hicieron la desamortización eclesiástica, no se atrevían a permitir que circulase el Evangelio *sin notas.* Aunque movido por un fanatismo antipático, en favor de Borrow hablan su osadía personal, la consideración de que luchaba contra un poder omnímodo, irresponsable, y la de que formalmente pugnaba por un mínimo de hospitalidad y de libertad, sin las que los hombres en sociedad son como fieras, y eso está siempre bien, hágase como se haga. El libro de Borrow es un precioso documento para la historia de la tolerancia, no en las leyes, sino en el espíritu de los españoles.

The Bible in Spain es un libro autobiográfico. «El principal estudio de Borrow fue él mismo, y en todos sus mejores libros él es el asunto principal y el objeto principal.» [24] No emplea en esta obra las confidencias, no se confiesa con el lector; su procedimiento consiste en dejar hablar a los que le tratan para pintar el efecto que su persona y sus hechos causan en el ánimo del prójimo; asomándonos a ese espejo vemos la imagen de un *Don Jorge* muy aventajado: subyugaba y domaba a los animales fieros; los gitanos le adoraban; era la admiración de los *manolos*; temíanle los pícaros; confundía al posadero ruin y a los alcaldillos despóticos; encendía en sus admiradores devoción sin límites; era afable y llano con los humildes; trataba a los potentados de igual a igual y hacía bajar los ojos al soberbio; nunca se apartaba de la razón, ni perdía la serenidad; en suma: el héroe y el justo se funden en su persona; es un apóstol que propaga la palabra de Dios, pero sin el delirio de la Cruz, sin romper el decoro; es un caballero andante que se compadece de la miseria, y a cada momento cree uno verle emprender la ruta de don Quijote, pero sin burlas, sin yangüeses, en una España que creyese en él y le tomase en serio. Apóstol y caballero están bajo el amparo del pabellón británico.

Borrow se colocó, o colocó a su héroe en un escenario sin segundo, de tal fuerza que, para nuestro gusto, el aventurero se borra, se disuelve en el paisaje o queda a la zaga de la muchedumbre española que suscita. Es difícil encontrar otro caso en que un escritor haya triunfado con más brillantez de la hostil realidad presente. Borrow lucha a brazo partido con la realidad española, la asedia, poco a poco la domina, y con la lentitud peculiar de su procedimiento acaba por poner en pie una España rebosante de vida. No se atuvo a una realidad de «guía oficial». Lo que le importaba era el carácter de los hombres, y no de todos, sino de los de la clase popular, donde los rasgos nacionales se conservan más puros. Labradores, arrieros, posaderos, gitanos, curas de aldea, monterillas, mendigos, pastores, pasan ante nosotros y al verlos gesticular y oírlos hablar, creemos encontrarnos con antiguos conocidos. Unos son pícaros, otros santos; unos son listos, otros muy zotes; casi todos groseros, muchos con sentimientos nobles, y unidos, en general, por un aire de familia inconfundible, y la verdad es que, con todas sus picardías o su zafiedad, no puede uno dejar de quererlos. Tuvo ade-

24. Ed. Thomas, cap. II.

más Borrow una espléndida visión del campo, y lo sintió e interpretó de un modo enteramente moderno. Así, *Don Jorge* descubrió y pintó, en realidad, lo que quedaba de España. Arrancados los árboles, agostado el césped, arrastrada en mucha parte la tierra vegetal, asomaba la armazón de roca, con toda su fealdad y su inconmovible firmeza.

No puede reprocharse a Borrow lo que con justicia se reprocha a otros autores de libros sobre España: falta de información, ligereza de juicio, frivolidad en los puntos de vista; tampoco podría reprochársele desamor o menosprecio del pueblo español. Por haber opinado aventuradamente acerca de nuestro país, Borrow se enoja con uno de sus grandes compatriotas. «¿Quién ha escrito —dice Borrow [25]— que *La mofa de Cervantes ahuyentó de España el heroísmo?* No lo sé; el autor de ese libro apenas merece recordación.» Borrow no ignoraba que el autor era Byron; [26] y achaca ese juicio a la tentación de emborronar papel, tan violenta, que mueve a muchos a escribir de pueblos y países sin saber nada de ellos. «¡Vaya! El haber visto una corrida de toros en Madrid o en Sevilla, o gastado un puñado de onzas en una posada en cualquiera de esos puntos, regida acaso por un genovés o un francés, no da competencia para escribir acerca de una gente como los españoles, ni para decir al mundo cómo hablan, cómo piensan y cómo proceden. ¡Ahuyentar con burlas el espíritu caballeresco de España! Cuando todas las probabilidades son de que la gran masa de la nación española habla, piensa y vive exactamente como sus antepasados hace seis siglos.» Borrow, antes de venir a España, conocía la lengua y la literatura españolas. Que esta preparación, útil y necesaria cuanto se quiera, no lo extravíe, poniéndole delante una España fingida, libresca, falsamente poética, que le impida ver lo real cotidiano, denota su lu-

25. Cap. XLIII de *La Biblia en España.*
26. El pasaje de Byron es:

> *Cervantes smiled Spain's chivalry away;*
> *A single laugh demolish'd the right arm*
> *of his own country; -seldom since that day*
> *Has Spain had heroes.*

Don Juan; XIII-II.
Hace un cuarto de siglo era frecuente desleír ese concepto —sin citar su origen— en artículos de periódico consagrados al análisis de la decadencia española. Cervantes venía a ser un gran culpable; alguien le trataba como a un artista malhechor, que hubiese minado la robustez del espíritu de la raza.

cidez, la lealtad de sus propósitos y su ingenua curiosidad. Lector de romances y novelas españolas, acomete «la aventura de España... tierra de antiguo renombre, tierra de maravillas y de misterios», que siempre había ocupado lugar considerable en sus ensueños infantiles. Este prestigio español no le alucina al poner la planta en nuestro suelo. Deja en paz a los mitos. Va en derechura al pueblo genuino, vivo y parlante. Si hay en sus percepciones alguna influencia literaria, es una saludable influencia de fondo, que le guía a descubrir, no a remedar. Borrow debía de ser profundo lector del *Quijote*; sobre todo, aprovechado admirador de la porción popular del *Quijote*: venteros, arrieros, Sancho y su familia, los alcaldes del rebuzno, Ginesillo, y tantos más. Comparar esta caterva, como parece en el libro, a sus congéneres vivos, debió de producir en Borrow el deleitoso pasmo reservado a quien logra, a fondo, esa experiencia. La realidad le enseñó a maravillarse del libro; y el libro le enseñó a entender la realidad, trasladada con aparente llaneza en palabras henchidas de saber. Me imagino lo bien que comprendía Borrow el *Quijote,* y su placer al ir comprobándolo, en vista de la gracia, de la profunda y sencilla veracidad con que trata la materia popular: baste por prueba el relato de su estancia en Villaseca de la Sagra, página de hechizo indecible.

Buena parte de la experiencia de Borrow en lo popular español, equivale a la experiencia de los grandes escritores de la picaresca. En el espíritu de Borrow coexisten dos cualidades muy desemejantes al parecer, pero no incompatibles, puesto que en medida grandiosa y levantadas a la proporción del genio, las poseyó Cervantes, como las han poseído otros grandes españoles. Son el realismo que agota lo concreto, y si es lo concreto popular, exalta lo enorme e inurbano de sus formas, sacando de ello un regocijo zumbón que viene de la misma cepa; y junto a eso, la facultad quimérica, desvariante, el poder de alucinarse y de tomar en serio y aun en trágico los propios ensueños. Borrow en su juventud leía y traducía romances españoles, baladas danesas y las *Aventuras de Vidocq,* presidiario y polizonte. Gastar unos años en España, peregrinando por los caminos de un país apenas gobernado, en plena guerra civil, a todo riesgo, no es concebible sin afición innata a las aventuras, y a las aventuras en el mundo de la picardía, ni sin sentir gozo especial en el trato de posaderos, gitanos, soldados y ladrones. Ahí se ceba la comezón realista y picaresca de *Don Jorge,* y por ahí se explaya su admirable don literario al mando del realismo. En esta línea sobresalen los capítulos IX y X; viaje de *Don Jorge* con Antonio el gitano, de Badajoz a Jaraicejo, y sobre todo, la incomparable escena del vivac nocturno en el monte de Las Gamas, tan rica de movimiento, perfecta de claroscuro, a fuerza de sobriedad, de tino y de prestigio evocador de las palabras. Pero el andariego *Don Jorge,* que pasaba por *caló* entre los del *errate,* cuando no por brujo entre los *busné,* se guiaba de más altos designios que el puro regalo de su inclinación personal. A lo mejor, ante una gavilla de ganapanes manifestaba el Nuevo Testamento y les leía en alta voz un capítulo; o en una madriguera de ladrones dejaba un ejemplar del sagrado libro, confiando en su influencia salutífera sobre las almas perdidas. Es el rasgo quijotesco, la facultad alucinante y quimérica, y no la de menos monta en el espíritu de *Don Jorge,* por lo que sabemos de su vida.

La índole del libro —un viaje— impone a Borrow, sin propósito de imitar, una composición semejante no sólo a la de muchas vidas de pícaros, sino también a la del *Quijote,* que, en su estructura aparente, es un viaje desde la Mancha a Barcelona y regreso. (¿No podrá aspirar el *Quijote* a ser el mejor libro de viajes por España?) El procedimiento (exploración y descubierta de mundos desconocidos), consiste en hacer pasar ante gentes comunes un personaje descomunal, ya por la truculencia y enormidad del ánimo —caso de Cervantes—, ya por lo estupendo e inmensurable del físico —caso de Swift—, para obtener el contraste y la oposición más fecundos. Aparte de esa hechura quijotesca de puro nombre, en virtud de la disposición andante del protagonista, Borrow manifiesta, como se indica más arriba, un quijotismo esencial: consiste en colocarse, personalmente investido de una misión de soñada excelsitud, en un medio indiferente, cuando no hostil, y siempre inferior. La semejanza es más tentadora por el recuerdo imborrable del escenario cervantino. En Villaseca de la Sagra pudo entrar don Quijote en persona, el mismo día que Borrow, y, ante los mismos interlocutores del inglés, entronizar a Sancho en su silla de gobernador.

La gran demanda de *Don Jorgito* en España no es menos ambiciosa que algunas quimeras de don Quijote: el cual se jactaba de que un solo caballero andante podría desbaratar las armadas del turco, como *Don Jorge* soñó derrocar la autoridad del Papa a fuerza de vender Biblias a bajo precio. El Papa y sus huestes equivalen para *Don Jorge* a los gigantes, malsines y encantadores cuyos entuertos pretendía enderezar don Quijote; y lucha con endriagos que toman cuerpo en un corregidor, en un monterilla, en un alguacil. Mas, al quijotismo del inglés —enderezado a restaurar el Evangelio en España, como don Quijote se propuso restaurar la edad de la andante caballería— le falta para ser cabal, es decir, sublime, la insondable ternura de que mana el mito erótico y, sobre todo, la abnegación ante el riesgo mayor: el riesgo de jugarse la razón de la propia existencia en el albur de un fracaso, y de perderla, como don Quijote la pierde, al recobrar la cordura. *Don Jorgito* no arriesga nada. Se pierda o se gane la causa del Evangelio, le satisface cumplir un deber que excede en inmensa medida de su órbita personal. No conturba su alma el éxito, bueno o malo.

Dirigirse al encuentro del pueblo, y del pueblo bajo exclusivamente, no es simple gusto personal de *Don Jorge* ni arbitrio de colector de tipos pintorescos. Es gusto romántico y rasgo común a no pocos escritores extranjeros hispanizantes. Las virtudes del pueblo estaban en auge, dentro del aprecio de los entendidos, precisamente los no conformistas, los extravagantes y, es claro, los revolucionarios, se volvían al pueblo como al minero inagotable de donde podía sacarse la sociedad nueva, o donde se conservaba en su prístina entereza el carácter nacional. Le demofilia de Borrow, espíritu conservador, no es revolucionaria. Proviene del empeño de ser veraz, y de ofrecer, no de España, sino del carácter español, una imagen auténtica. La distinción no es baladí. Ante algunas páginas sombrías, y aun tremebundas, del viaje de Borrow, podrá un español, de los que temen ser calumniados, preguntarse con espanto: ¿Y esto es España? Otros echarán de menos la descripción y la alabanza de «los progresos morales y materiales» del país en aquella data. Borrow es ajeno deliberadamente a los más de los seres, términos y valores (humanos y extrahumanos) incluidos en el vocablo España. Busca lo principal: el carácter, la índole propia del espíritu español. Va a buscarlo, no en la literatura, no en los monumentos ni en testimonios elaborados, sino en la fuente original, en las personas vivas. Les hace hablar, observa las costumbres, nota la reacción espontánea del español libre de influencia extranjera. «Quien desee conocer al español genuino —dice— no debe buscarlo en los puertos ni en las grandes ciudades, sino en los pueblos solitarios y apartados, como los de la Sagra. Allí encontrará la gravedad en el porte y la caballeresca disposición del ánimo que se dan como destruidas por la sátira de Cervantes».[27] Podría acotarse en el libro muchas declaraciones como esa, si todo su contenido no fuese diciendo en cada página cuál es el criterio que lo determina. De las clases más elevadas se mantuvo tan apartado como se lo permitieron las circunstancias. Lo que vio de sus costumbres «no era muy a propósito para sublimarlos en mi imaginación». En otras capitales la parte más notable de la población es la aristocracia, por su prestancia, valentía, posición y amabilidad. «Pero tratándose de la aristocracia española, así de las señoras como de los caballeros, cuanto menos se diga en cada uno de los puntos aludidos será mejor.» Nada habría perdido *Don Jorge* con observar de cerca aquella esfera social, entonces recién removida, aunque todavía no arrancada de su quicio secular. Hubiera comprobado hasta dónde calaba el influjo extranjero en las clases altas madrileñas; y se habría evitado el error de creer que Le Sage trazó en su *Gil Blas* un retrato auténtico de la sociedad española en su época. «Un español de la clase baja —añade— sea *manolo,* labriego o arriero, me parece mucho más interesante que un aristócrata. Es un ser poco común, un hombre extraordinario. Le faltan, es cierto, la amabilidad y la generosidad del mujik ruso... En el carácter español hay menos abnegación y más dureza; le anima, en cambio, un sentimiento de altiva independencia que roba la admiración. Es ignorante, por supuesto; pero cosa singular, invariablemente he encontrado en las clases más bajas y peor educadas, mayor generosidad de sentimientos que en las altas. Mucho tiempo ha sido moda hablar del fanatismo de los españoles y de su mezquino recelo de los extranjeros. Esto es verdad hasta cierto punto; pero es verdad principalmente respecto de las clases altas.»[28] En estas palabras late la experiencia personal de Borrow. Debió de darse cuenta pronto, si no lo sabía de antemano, que la sociedad española, de burgués para arriba, estaba cerrada a sus trabajos de misionero.

Compartía la afición de *Don Jorge* al pueblo bajo, y, en cierta medida, sus opiniones sobre el carácter español neto que el pueblo conserva, don Serafín Estébanez Calderón, de quien *el Inglesito* fue, además de amigo, discípulo en materia de gitanismo. Conocería a Estébanez mediante Usoz y Río, editor de los antiguos protestantes

27. Cap. XLIII.
28. Cap. XII.

españoles (y del obsceno *Cancionero de burlas*), que secundaba en España las miras de la Sociedad Bíblica y ayudó mucho a *Don Jorge* en sus tareas. Ignoro por dónde vino la relación de Borrow y Usoz; puede suponerse que el modo de pensar de Usoz designaría prontamente su persona a la atención de Borrow, si ya no se la habían señalado antes. Usoz y Estébanez eran muy amigos. Un tipo extravagante como *Don Jorge,* hombre de campo y plaza, gran jinete, noticioso de costumbres y países exóticos, aficionado a cosas de España, y que alternaba con la gente del bronce, no podía menos de agradar e importar a Estébanez, español hispanizante y escritor costumbrista. Estébanez hizo adelantar a Borrow en su conocimiento de la gitanería. Borrow no lo dice en parte alguna, y Estébanez se lamenta de la ingratitud del inglés, que no reconoce su deuda. Es imposible calcular su cuantía. Pero la erudición libresca que sobreabunda en la obra de Borrow sobre los gitanos españoles bien puede resultar de noticias dadas por Estébanez.

En el fondo, Borrow y don Serafín no parecían destinados a entenderse. Estébanez, asesor jurídico del ejército, titular de cargos políticos, militante en el moderantismo (partido que, desde el poder, rehusaba el permiso para imprimir el Nuevo Testamento sin notas), fervoroso patriota, aborrecía en conjunto a ingleses y franceses y soñaba restaurar en Roma, merced a las armas españolas, «el Siglo de los Leones y de los Píos»; sueño poco a propósito para adquirir la estimación del inglés. No es imposible que Borrow comprobase en Estébanez rasgos españoles, o tenidos por tales, que le enojaban mucho, y que la omisión del nombre de Estébanez no sea indeliberada.

En resolución, *La Biblia en España* no aspira a describir el cuerpo nacional; se dirige a los valores morales, y los pone a contribución para exprimir el carácter; con la limitación muy grave, ya indicada, de reducir la experiencia a las clases más rudas. Debemos estar agradecidos a los pastores, arrieros y labriegos que dejaron en *Don Jorge* un recuerdo agradable del carácter español *puro.* Resumiendo sus impresiones, dice: «Entre muchas cosas lamentables y reprensibles, he encontrado también muchas nobles y admirables; muchas virtudes heroicas, austeras y muchos crímenes de horrible salvajismo; pero muy poco vicio de vulgar bajeza, al menos entre la gran masa de la nación española». España no le parece país fanático: «ni es fanática ni lo ha sido nunca: España no cambia jamás». El motor de su política europea no fue el fanatismo, sino su orgullo fatal. Borrow descubre que España es un gran pueblo, distante del agotamiento, y de muy levantados ánimos; lo prueba el hecho de que a pesar del desgobierno de los Austrias y de la estupidez de los Borbones, todavía España se mantiene independiente, y los españoles «no son aún esclavos fanáticos ni mendigos rastreros». Borrow alaba sobremanera en los españoles el respeto a la dignidad del hombre: «ningún pueblo del mundo muestra en el trato social un aprecio más justo de la consideración debida a la dignidad de la naturaleza humana, ni comprende mejor el proceder que a un hombre le importa guardar respecto de sus semejantes. Ya he dicho que éste es uno de los pocos países de Europa en que no se mira con desprecio la pobreza; añado ahora que es también uno de los pocos en que la riqueza no es ciegamente idolatrada. En España, los mismos mendigos no se sienten seres degradados, porque no besan ningún pie e ignoran lo que es verse abofeteados o escupidos; en España, el duque y el marqués con dificultad pueden alimentar una opinión excesivamente presuntuosa de su propia importancia, porque no encuentran a nadie, quizá con la excepción de su criado francés, que los adule o los halague».[29]

Es notable la indiferencia o la ceguera de Borrow por las artes plásticas. Vio monumentos espléndidos (Sevilla, Córdoba, Salamanca, Santiago...): o no los mienta, o sale del paso con frases de trivial admiración. No parece haber estado en El Escorial. Fue a Toledo con propósito de difundir las Escrituras. Una semana estuvo allí. Toledo... «encierra todavía muchos edificios notables, a pesar de que se halla en decadencia hace mucho tiempo. Su catedral, la más espléndida de España, es sede del Primado». Y prosigue diciendo lo que pesa la campana gorda. Muchos cuadros buenos hubo en Toledo. «El más notable de todos, acaso, aún se encuentra allí: aludo al que representa el *Entierro del conde de Orgaz,* la obra maestra de Domenico, el griego, genio extraordinario, algunas de cuyas obras poseen méritos de altísima calidad. El cuadro a que me refiero está en la pequeña iglesia parroquial de Santo Tomé, al fondo de la nave, a la izquierda del altar. Si pudiera comprarse, creo que en cinco mil libras sería barato.»[30] Y dedica una página a la fábrica de armas.

Sin gusto formado para la pintura, Borrow era muy sensible a

29. Cap. XX.
30. Cap. XXXVI.

la belleza natural: efectos de sol, paisajes, misterio de la noche en un bosque, le impresionan noblemente y los expresa con elevación y vigor. Aun en tales momentos se percibe en el texto de Borrow una resonancia más profunda y menos tranquila que el puro goce sensual de la naturaleza. Se presiente al moralista, al psicólogo, al misionero. No falta nada para que del paisaje se remonte a considerar el destino del hombre, o su felicidad, o la omnipotencia del Hacedor... Mas la presencia continua de lo humano en las preocupaciones elevadas de Borrow y su sensibilidad para el espectáculo de la naturaleza, le valen, cuando se conjugan, un acierto de escritor de primer orden: sabe colocar al hombre en el paisaje, armonizado con el sentimiento. Traslado, por conclusión, esta escena en el camino de Salamanca a Medina:

«El día fue por demás caluroso, y con mucha lentitud proseguimos la marcha a través de las llanuras de Castilla la Vieja. En todo lo perteneciente a España, la inmensidad y la sublimidad se asocian. Grandes son sus montañas y no menos grandes sus planicies, ilimitadas al parecer; pero no como las uniformes e ininterrumpidas llanadas de las estepas rusas. El terreno presenta de continuo escabrosidades y desniveles; aquí un barranco profundo o rambla excavado por los torrentes invernales; más allá una eminencia, muchas veces fragosa e inculta en cuya cima aparece un pueblecito aislado y solitario. ¡Cuánta melancolía por doquier; qué escasas las notas vivas, joviales! Aquí y allá se encuentra a veces un labriego solitario trabajando la tierra; tierra sin límites, donde los olmos, las encinas y los fresnos son desconocidos; tierra sin verdor, sobre la que sólo el triste y desolado pino destaca su forma piramidal. ¿Y quién viaja por estas comarcas? Principalmente los arrieros y sus largas recuas de mulas, adornadas con campanillas de monótono tintineo. Vedlos, con sus rostros atezados, sus trajes pardos, sus sombrerotes gachos; ved a los arrieros, verdaderos señores de las rutas de España, más respetados en estos caminos polvorientos que los duques y los condes; vedlos: mal encarados, orgullosos, rara vez sociables, cuyas roncas voces se oyen en ocasiones desde una milla de distancia, ya excitando a los perezosos animales, ya entreteniendo la tristeza del camino con rudos y discordantes cantares.» [31]

Lo que más puede perjudicar a la obra de Borrow en el aprecio

31. Cap. XXI.

de un español, proviene de ciertas ideas generales sobre la historia de Europa en lo pertinente a España y a su papel en las contiendas religiosas. La convicción de Borrow gira sobre dos polos: un providencialismo candoroso y el patriotismo inglés. Le impulsa una fuerza violenta: el antipapismo rabioso, que parece pura negación, y es el reverso, o si se quiere el aspecto polémico de su protestantismo. Ahí aparece el partidario, que piensa de España, *la verduga* de Roma, cosas equivalentes a las que dicen de la hereje Inglaterra algunos españoles de ardiente catolicismo cuando discurren de historia. Borrow era un espíritu preocupado de proselitismo evangélico y orgulloso del poderío de su país. Si parece, en ocasiones, menos inteligente, lo debe a esos caracteres. A buen precio los paga el autor, a costa de la misma obra, que sin perder nunca vitalidad ni prestigio decae de su rango cuando deja ver demasiado al ciudadano inglés y al misionero.

Mas, ante los méritos y defectos de *La Biblia en España,* ante los juicios de Borrow que parezcan menos lisonjeros, conviene prevenirse para no incurrir en las descarriadas apreciaciones que acerca de este libro se han proferido en nuestro país. *La Biblia en España* es una obra de arte, una creación, y con arreglo a eso hay que juzgar de su exactitud, del *parecido* del retrato y de las «invenciones» del autor. Los paisajes, los lugares, las figuras, están notados con puntualidad; excelente en la inteligencia de las costumbres, no hay en el libro caricatura ni falsificación de sentimientos. Episodios compuestos, no vistos por Borrow; personajes inventados aglutinando rasgos dispersos, sin duda los ha de haber; pero eso ¿es ilícito? Pudiera compararse la creación de Borrow a una estatua de mayor tamaño que el natural. La verdad artística del conjunto y su efecto conmovedor son innegables. El libro no es sólo verdadero; es, en ciertos puntos, revelador.

OBJECIONES

ALMANZOR

Los hombres de mi generación habíamos esperado —esperanza huera— vernos libres de la morería. Metido en su arca de tres llaves el cadáver del Cid: tachado de apócrifo el testamento de Isabel la Católica; en decadencia el orientalismo romántico, lícito era el regocijo de pensar que el africano no volvería a entorpecer el discurso natural de nuestras vidas, ni a embarullarnos el trabajo, ni a corrompernos el gusto, como solía en estos doce siglos últimos. ¡Al Rastro las cimitarras, los alfanjes, los añafiles, donde podrían adquirirlos a bajo precio los rimadores verbosos! No más almalafas ni almaizares, ni marlotas y alquiceles; no más sultanas sensuales, ni más Leilas de ojazos profundos, ni otros ripios sarracenos. Tras de los bandidos y arrieros iríase el moro imaginario que los cursis ven aún vagando en la plaza de cada pueblo andaluz: el moro caballeresco, sentimental, tañedor (el moro de Irving), que exhala ternezas al pie de un torreón; y el moro sediento de sangre, fanático islamita, con que atemorizan a sus ovejas los obispos belicosos. No más cruzadas, no más triunfos sobre la media luna; acabáronse los arrebatos, la gritería, las membranzas de las Navas y del Salado. Aunque el Estrecho —nos decíamos— sea breve reparo, por pronto que la furia española resucite y queramos pasar allá nuestros pendones, ya los moros usarán chaquet y perilla y tendrán escuelas laicas. Quedaremos, una vez más, lastimados en nuestro derecho, ejecutados en la honra; pero la epopeya de la Reconquista —con este su reato dañino— habrá concluido. No oyendo el galopar de la morisma, pensábamos que, al fin, podría hacerse en la Península algo serio: labrar, fabricar, leer en buenos libros, allanar las cuestas, cultivar con curiosidad los jardines... La guerra que venimos haciendo en Marrue-

cos, más larga ya que ninguna campaña de la Reconquista, más sangrienta que cualquiera gran victoria cristiana de aquella edad y que
muchas juntas, más desgastadora de haciendas que la Reconquista en
pleno, descubre la condición inacabable de nuestra epopeya cristiano-
bélica; habrán de ponerle apéndices cada quinquenio, cada decenio,
para archivar las memorias de las proezas cumplidas, como se los
ponen al repertorio de Alcubilla, donde se archivan el *fas* y el *jus*,
el fruto de la inspiración de las covachuelas hispánicas. Es lo debido; una minerva rige armas y leyes.

Si este es mi destino de español, pienso que no lo hay más
negro. Creíamos desembocar en el siglo xx, y nos vuelven a uno
de aquellos que nada tuvieron de dorados, poniendo en armas la
frontera contra los moros. Eso basta. Hoy, los moros son nuestros
amos. Lo primero, porque al enemigo se le otorga siempre un poder
incalculable en teniéndolo por tal, con romper la paz y disponerse
a guerrearlo; poder no sólo físico, pendiente del albur en las batallas, pero moral, que obra sobre las mentes y deja al ánimo obseso.
Los españoles nos arruinaremos si los moros quieren, haremos infinitas locuras, porque les hemos entregado el resorte de nuestra conducta; tienen en su mano la mortificación de nuestro orgullo; pueden infligirnos, sin salir de su breñal, humillaciones crueles; cubrir-
nos de ridículo. Lo segundo, porque España venía curándose, despacio, de la infección muslímica, y soltaba el veneno a fuerza de pri-
varse, como se abstiene el morfinómano procurando su salud. Todavía el régimen era laxo, reciente. Hacía falta más rigor en la nutri-
ción mental, expurgar la fantasía, buscar el aire tónico del Norte;
extremar la defensa, brutalmente, hasta que el organismo perdiese
la memoria de ese vicio y pudiésemos entrar en las mezquitas sin
emoción histórica, con tanta naturalidad como en la barbería, y hablar de los almohades con el displicente gusto que pondríamos en
disertar de los esquimales. No estábamos curados. *Todavía fulguraba
sobre nuestro horizonte la media luna.* (De hallarme limpio del veneno, no se me habría ocurrido esa imagen.) Con un pinchazo re-
caemos en la dañada afición que iba perdiéndose; el morbo musul-
mán recupera su virulencia. Poner en curso sangriento la frontera
contra moros, es abrir la fuente mal cerrada: el organismo español
retrocede a la edad en que ese manantial bermejo, perenne, era la
condición de su vida. Las cuestiones, los sentimientos, los presagios,
la armazón política, lo que nos preocupa o conmueve torna a ser

medieval, como en los siglos en que guerrear con los moros era la rueda catalina de nuestra economía.

Medievales los sentimientos. Tratamos a muchos españoles que se han rehecho un alma del siglo décimo y odian a los infieles como fueron odiados en tiempo de Almanzor. Admirable privilegio de España. Ningún europeo, aunque imbuido de cultura clásica, llegará a compartir los sentimientos locales de un ateniense o de un romano; podrá imaginárselos, describirlos como se los imagina, mas no podrá odiar con pasión nacional a Xerjes ni a Alarico. Apurándolo más, ¿qué europeo está cogido en una misma onda sentimental con sus compatriotas de hace mil años? Quiere decirse que no son ya compatriotas; el lazo de la tierra se suelta solo, y todos los muertos no nos emocionan; la compasión nacional se deslíe en sentimientos más generales, vagos, de humanidad, de curiosidad, o en puro goce estético, en cuanto sin salir del país se pasa de una civilización a otra. El español se exceptúa. Le cumple la virtud de desposarse con las antigüedades de esta tierra, de prestarles su apellido a cierra ojos. ¿Por qué ha de ser Numancia presea nacional, un timbre de gloria equiparado a Zaragoza o Gerona? Toda España es antinumantina. Debemos España a la destrucción de las Numancias —soñadas o no— por el romano. ¿No se advierte que es profanar el idioma de Cicerón emplearlo en alabanzas de los bárbaros? ¿O ya nos despagamos de ser latinos?

Enojada estaba Roma con ese pueblo soriano

canta el romance. Roma, a quien llamamos madre, nos libró, con su enojo, del peligro berberisco. He llegado a ver las estatuas de los últimos numantinos (me regocija que fuesen los últimos): un hombre peludo se degüella; una mujer —no mal formada— con el hijo muerto sobre las rodillas, se apresta a ingerir un bebedizo. El exterminio de esa horda me asegura que no corre por mis venas gota de su sangre. Si el español entiende tan mal lo que debe a su origen, y odia un momento a Roma por fraternizar atolondradamente con el numantino, no es milagro que se zambulla en lo más negro de la Edad Media, sienta a lo mesnadero de un Bermudo, de un Ordoño, en cuanto las guerras del moro le reaviven ciertas pasiones oscuramente adormiladas en su alma. Tal convecino adocenado nos saluda en la calle, que lleva dentro un conmilitón de Mauregato; en el horizonte de diez, de doce siglos, no halla otro árbol donde ahorcarse. El tipo no es del pueblo, sino de español mediano, que ha recibido instrucción general, patrañosa, y le tolera algunos deslices a la imaginación, cebándola en los recuerdos del bachillerato. Suele vivir adscrito a profesión sedentaria; aprecia que una ciudad esté «amurallada»; se desquita de la aridez de su monogamia fingiéndose la desenfrenada lascivia de los harenes; se persuade que también él sería poeta si por deber no mantuviese aherrojada la fantasía. Es patriota; cayendo de bruces en los desengaños, que no puede negarlos, se recobra y dice: «Pero la raza es sana; y muy inteligente. La más inteligente de Europa». En suma: es tan recio y duradero como el muro ciclópeo de Tarragona. Están al unísono con ese tipo: el rentista, si ha leído a Villoslada y los deportes no le han vuelto tarumba; el erudito local, conocedor del punto de la muralla (derruida hace quinientos años) que aportillaron las huestes de Alfonso VI. De otras gentes sospechosas —caballeros de las órdenes, académicos de la historia— nada digo, porque no los he observado de cerca. Así, el primer fruto de la guerra nacional contra los moros es restaurar los entes más viejos, arrancar del alma a los españoles toda una edad, y encenderlos en la misma pasión que los míticos guerrilleros de la caverna astúrica —la misma por su objeto, su expresión, y los modos de saciarse que propone.

Medieval la armazón política. La vida española recae en el ínterin donde estuvo empantanada ocho centurias; igual ceguera: obstinarse en derribar una puerta abierta; codicia tamaña: quitarles tierras a los moros por «haber más hacienda» y repartir mercedes a los ladrones; descuartizamiento de la potencia pública, único paladión de pobres, por los oligarcas desmandados que la emplean en el gran despojo. Que sean los ricos-hombres o las sociedades anónimas quienes trasquilen al pueblo; que sea el oligarca don Lope Díaz, o el señor de Cameros, o don Juan el Tuerto, u otro bandido de gran solar, o el gerente de un banco, de una compañía minera o ferroviaria, y sus mesnadas en las Cortes, síguese la misma procesión del dinero: se estruja al cristiano —al humilde, no al poderoso—, para costear las armas y los brazos que han de someter al moro; disípanse los acostamientos; cuando llama el rey, no le acuden, o mal, y tarde. Entonces, como ahora. Y tales han acudido a veces, que mejor les estuviera no ir. Vasto latrocinio, *chantage* desaforado viene siendo para España la guerra contra los moros, desde antes de Covadonga;

y no han robado más los que allanan una choza, saquean un aduar: «El mayor ladrón —dice Quevedo— no es el que hurta porque no tiene, sino el que teniendo da mucho, por hurtar más». El desvalido, el ignorante, o el que posee un talento y pretende hacerlo valer, habrán de perdonar por este siglo, y por el próximo, si la morisma no se rinde. Lo que presta la nación al individuo, el auxilio de vivir socialmente, se pierde en esta guerra, hoy por modo más estúpido que en el siglo décimo, pues lo aventuramos en disputar con mayores bárbaros que nosotros. No me conviene depender en lo más mínimo de la razón o sinrazón de un puñado de berberiscos cerriles. Si los españoles lo mirasen bien, de vergüenza y de rabia romperían el hechizo que los tiene alelados y verían que es poco estimar a España restituir al moro su rango antiguo, otorgarle sobre nosotros tanto poder como de enemigo hereditario. Debieran levantar a más la soberbia. No apellidar causa nacional a empresa donde sólo puede haber manteamientos, pedradas y estacazos, empresa guardada para Sancho, ayudado desde lejos por el caballero «con advertimientos y consejos saludables». Mirar en la calidad del enemigo, y si hemos de tenerlo, buscar alguno que nos honre. O crearse un enemigo de igual condición, o sufrir la que el enemigo nos imponga. Francia tiene el suyo. Dicen maliciosamente que Francia muda de enemigo hereditario cada veinte años; pero va de Inglaterra a Alemania, de Alemania a Inglaterra; y si quisiéramos nosotros entrar en turno, habríamos de instituir —hermanos y todo— un poder económico y militar que la amenazase; Francia no se estima en menos. Ni Alemania, que tiene el odio portátil. Y el inglés no se declara enemigo hereditario del zulú ni del birmano a quien oprime. Tal el enemigo, tal la enseñanza, o el contagio. Francia ha adelantado en la química y en la mecánica; no se consolará por eso de la guerra, pero algo sabe hacer mejor, o de nuevas, que antes no hacía. Cosa que los españoles hayan aprendido en Marruecos, no se conoce ninguna: como no sea cortar cabezas de moros y mostrarlas en las tabernas, o enviar a la Península, bajo sobre, dedos y orejas berberíes. Cúlpese a sí propio si aún anda embarazado en compañías que lo degradan; si desperdicia el seguro que le ofrecía el mar, apartándolo, por fin, del poder islamita derruido; si en vez de irse cara al mundo en que siempre debió asistir, mira al Atlas, captado por el funesto prestigio que desde siglos lo atrae.

Mirando en el bullicio de Marruecos, la inútil mortandad, los destrozos, la ineptitud, el sonrojo público, nadie pensará que en África esté escribiéndose un apéndice de la ilustre epopeya de ocho siglos; fue otra la calidad de los hechos —se dirá—; otros eran los modos; menos fangoso el manantial de la gloria. Si en trescientos o cuatrocientos años, nuestra entrada en el Rif no provee de metáforas altisonantes a los retóricos que nos sucedan («¡... la enseña roja y gualda se paseaba triunfadora por la planicie de Zeluán!»), o no sirve de pretexto para incursiones nuevas («¡...nuestros antepasados introdujeron en el Rif la civilización cristiana!»), será que el caletre español se haya recompuesto; pero la materia histórica que amasamos en el Rif, contra aquella opinión superficial, es la de siempre. Los términos, en armas y gobierno, con que los cristianos de España entran a guerrear a los moros son, en sustancia, siglo tras siglo, invariables. Adviértase que al español moderno, oído el proceso de la Reconquista, sólo le queda en la memoria una explicación polémica fraguada por la propaganda; al valerse de aquel vocablo, no maneja un caudal de hechos, sino un concepto político. La Reconquista, si en algún modo nos determina, no es tanto por rechazo de los sucesos sobrevenidos en esa edad, como amarrándonos al razonamiento con que la explican. Toda guerra, para ser bien entendida, erige una oficina de propaganda. Las dilatadas guerras entre cristianos y moros por el dominio de la Península, suscitaron en el campo cristiano una legión propagandista descomunal; ocupaba la cátedra de San Pedro y el púlpito de la más pobre aldea; el alcázar, el hospital, el convento; el pretorio y la catedral. ¿Adónde iría el hombre simple, el idiota, que no blandiesen sobre él un hisopo o una lanza, exhortándole o conminándole a pelear, e inculcándole por qué peleaba? Pero nadie es tan ingenuo que confunda la guerra, los móviles de los potentados que la encienden, las razones del hombre vulgar para someterse a los padecimientos y extorsiones, con la figura levantada sobre la guerra para inscribirla en la historia. De la explicación aducida por los propagandistas del plan cristiano, poco caso se ha de hacer (salvo en lo que a su pesar confiesan), sobre todo si fueron testigos presenciales: los testigos ven lo que creen; lo demás, no entienden. Peor, si detentan el mando. La fuente última a que acudiríamos para trazar la crónica de nuestra guerra en

África serían las arengas de los generales o los partes del gobierno; valdrían como recurso desesperado, por no perderlo todo y guardar alguna memoria de los acontecimientos: como si de un reino desaparecido nos quedase una estela en un desierto. La propaganda del plan cristiano en la Reconquista puso al servicio de la historia, por modo exclusivo, partes oficiales, arengas de prelados o grandes señores, comunicados regios.

Que nuestra entrada en el Rif parezca, cumplidos los tiempos, tan gloriosa como el hecho del Salado o de Granada, se antojará supuesto inverosímil; peor: chocarrero. ¿Es acaso menos estrafalario someterse, siglo tras siglo, al patrón explicativo de nuestra historia, puesto por los bárbaros? ¿Se puede comulgar con mayores ruedas de molino? El concepto político de la Reconquista surgió en la edad de más espesa barbarie conocida en la Península desde la caída de Numancia; seres montaraces, crédulos, lo adoptaron. Cortos de entendimiento, largos de manos, las tragaderas anchas. Si hoy un corresponsal nos mandase a decir que había visto los acorazados de la escuadra anclados en los picos del Gurugú, o que las nubes llovían sobre Melilla riquísimo aceite, podríamos dudar si era un mentecato o un bromista, pero no creerlo. Las remotas noticias de la Reconquista no son más serias; las explicaciones tocantes con el origen vienen de autores creyentes en las encarnaciones del diablo. Se imaginaban que el demonio, en cuerpo de hombre, iba, por los riscos de Sierra Morena, tocando un tamboril, cantándole coplas a Almanzor. ¡Necia diablura! ¿Para quién iba a cantar en la sierra el pobre diablo? De chico, tales fantasías me impresionaban vivamente, y también yo creía ver a un diablo viejo, negro y cornudo, brincar entre los jarales, profiriendo con voz cascada: «En Calatañazor, Almanzor perdió el tambor. ¡Plán! ¡Rataplán! En Calatañazor, Almanzor perdió el tambor!». Y esto era muy triste; la voz del diablo no tenía ecos; nadie la oía en aquellos cerros candentes, desiertos, que yo me imaginaba; el diablo parecía desconcertado, corrido de su mal suceso, y se iba a pordiosear, lamentable. En rigor, al diablo no debe achacársele tontunas. Perdió la capacidad de amar, no el entendimiento angélico. No es fornicador, ni borracho, pero soberbio y envidioso; le conoce mal quien le pinta necio. Si Dios creó al hombre a su semejanza, el hombre crea, también a semejanza suya, al diablo de las apariciones; cuando es imbécil, a su creador se lo debe. Concluyo de la estupidez del diablo en Sierra

Morena la modorra de quien lo trajo, y que eran mentecatos o farsantes los autores gravísimos que con tal cuidado lo ingieren en sus textos; sus demás opiniones y cuentos quedan, con eso, dañados. Pensará algún moderno que no pueden correr sobre Melilla tan gruesas fábulas, de aguzado que tenemos el sentido crítico. Es según la materia. Si al corresponsal de marras se le apareciese el diablo, el público se burlaría, en efecto, hallando excesivo el anacronismo. Tolera otros: si ve a un fraile arengar en lo más recio de la batalla, blandiendo un crucifijo, espectáculo desusado, a lo que creo, desde la toma de Orán, nadie se espanta. Es el primer paso, el segundo sería que al corresponsal se le apareciese el apóstol Santiago, con peto y quixotes, encasquetado, fulminando la terrible espada, subido en el caballo blanco, o bien uniformado a la inglesa —que sería más tolerable—: guerrera de kaki, correaje avellana, prismáticos en bandolera y un junquillo con mango de cordobán. Al punto, muchos lo creerían. Millones de españoles no podrían quebrantar el dicho del corresponsal con una objeción de principio; los que impetran del omnímodo poder divino el triunfo de nuestras armas, alabarían a Dios. Tenemos, pues, en África lo necesario, falta lo que debe faltar, para que la entrada de los cristianos en Morería resplandezca mañana con tanto brillo como la cruzada nacional. No es tan descaminado poner en los altares de África a Santiago Matamoros. Lo que es yo concentraría la Guardia Civil en Sierra Morena para vigilar las apariciones del diablo, y que le tomasen juramento de decir verdad si voceaba un triunfo nuevo. Comprenderíase entonces el emblema de Almanzor, vencido por el apóstol Santiago en una batalla que no se dio.

LOS CURAS OPRIMIDOS

He observado poco las costumbres de los curas, digo los modos de vivir determinados por el orden sacerdotal, en que consiste el papel de cura. Defecto es de mi sagacidad, que gusta más de lo general, y de generalizar con cualquier motivo, que de esparcirse en lo ameno, en lo especial, o en lo pintoresco. El defecto es grave, en un siglo de documentación y de rarezas, donde luce más el fichero que el raciocinio; pero es mejor abundar en estas inclinaciones, que contrariarlas; remedio, no tienen. Mi propensión a lo absoluto no me deja ser misericordioso: a un axioma abstracto, intemporal, subyugaría mil libertades particulares. Tiranía inexorable, porque no es desorden del temperamento, sino rigorismo extremado de la inteligencia, ofendida de no ver las cosas gobernarse por lo que manifiestamente es verdad. Me place lo que se razona, refiriéndolo a un canon bien demostrado; no lo que vale sólo por su fecha, o por sus facciones singulares. Arqueólogo, ni pensarlo. Prefiero levantar hoy un discurso sobre datos que pueden ser erróneos, al acarreo de materiales para que otro, más dichoso, discurra mañana en mi puesto. Del mundo físico, el mejor regalo es una llanura no muy opulenta, con buenos árboles, cerrada por alguna barrera natural en el extremo donde alcanzan los ojos. Del mundo moral, como estoy exhausto de compasión, me importa, a lo sumo, lo que conviene al mayor número, o a todos, no lo que le cumple a Fulano. Si es en las letras, el color local no lo percibo; lo vistoso me irrita; y en los modos de tratar el lenguaje, pongo al escritor que acerca nuevamente dos vocablos desgastados, y saca de ellos un acorde también nuevo, delante del que va volcando en la senda trillada del estilo, palabras como pedruscos, para que tropecemos, y caigamos de bruces, y se nos acuerde lo que hemos leído.

Que mis observaciones acerca de los curas sean, cuando más las habría menester, pocas, viene de esa tendencia descrita, que no me ha dejado escudriñar la huella de cada profesión en el carácter humano, o las variantes de la probada zafiedad general, según los oficios. Se me ha atrampado la vena de lo cómico. A dos pasos estoy del aborrecimiento de Alceste. Con que sea ingrato el comercio social me sobra: no tengo por qué dividir en dos manadas, una para los clérigos, otra para los laicos, a tanta pécora como me aflige con su cacumen estrecho y sus intenciones podridas. Faltándome preparación especial, se tachará de frívolo este parecer, parecer vago, de simple aficionado: que no pueden ser los curas gente oprimida. El clérigo irredento es invención nueva, contraria a las promesas del bautismo, a lo que nos enseñaron en la cuna, a nuestra experiencia, por truncada que brote, y a los fines de la vocación de cura. «Este hábito es una libertad», decía un gran misionero, no inscrito en nómina ni amedrentado por el peso de la cruz. Ya no lo es. Ufanos porque entienden de curas, pintan algunos a la clerecía en cadenas, o igualan al clérigo con el soldado, el presidiario u otros tipos sujetos a una autoridad que no rinda cuentas. Leo el escrito de un capitular reverendo, donde se llama (¡a buena hora, señor ilustre!) a los espíritus liberales del país en auxilio del clero oprimido. Los sacerdotes ya no se sienten libres en su hábito. Van camino de formar una de esas clases sufridas que impetran mercedes del estado. Los partidos extremistas, si perseveran en la cordura española, que manda no suscitar recelos, no espantar a las fuerzas sanas, acabarán por tomarlos bajo su protección. El levantamiento general de los presbíteros daría a la revolución en ciernes una faz original, y tal vez fuese la prenda del buen éxito. Pero esto es lo exterior. Si la opresión es cierta, psicológicamente, y los curas lo sienten así, o no son lo que dicen, o no son como deben. Me niego a ir en socorro de las sotanas cautivas.

El cura que primeramente conocí era capellán de ladrones. Donde otros correligionarios suyos, más sufridos, conllevaban capellanías de monjas, oyéndolas suspirar, plañir, diciéndoles una misita despaciosa, una plática gazmoña, tomándoles por regalo un chocolate con agua, el cura de mi amistad servía las querencias religiosas de los huéspedes del presidio. Misa sucinta, al vuelo, que los galeotes no pedían floreos; confesión por los Mandamientos, en víspera del domingo *in albis*; y en caso de muerte, exhortaciones a la conformidad,

proferidas con la más llana franqueza, por este tenor: que si les iba
mal en el otro mundo, peor que en presidio, con tanta habichuela
podrida y tanto verdascazo, no podría ser. Confortadas las almas,
mi amigo el capellán asumía el hábito, el porte y el lenguaje de su
pasión dominante. Era pescador. De las fangosas entrañas del río
sabía sacar, contra todo presagio razonable, fuesen cualesquiera el
tiempo y la razón, abundante pesca. Calzadas unas botas altas, oculta
la mitad del rostro pizmiento bajo el sombrerote de paja, al hombro
las artes de pescar, rompía por entre el carrizo y los mimbres, en
demanda de los sitios buenos. Nadie se los disputaba. Era el amo
de la ribera. Más de una vez lo sorprendí, en los anocheceres sosega-
dos del verano, tendido en la margen, vigilando las zambullidas de
sus corchos, o de pie en el filo del agua quebrando con la red el
cristal del remanso. Llegaban los sones discordantes de la música
del presidio, el vocerío, los cánticos de los feligreses del cura. Parecía un hombre profundamente dichoso. Cuando era permitido hablar, el rebote de su vozarrón en la haz del río ahuyentaba a los
peces y a los genios. Volvíamos juntos a la era; en el chozo cor-
taba un cantero de pan y se lo comía, engañándolo con un tomate
reventón, jugoso. Apostaba con los agosteros, por la cabida de los
montones de grano; pretexto para meterse en ellos y pisarlos en el
copete, hundiendo los remos hasta la corva. «¡Qué gusto da!», decía con entonación pueril. Dentro de las botas se llevaba el cura
una almorzada de trigo.

Otro clérigo me salió al paso en la carretera de Guadalupe: el
fuego del hígado le resecaba la piel, adherida al esqueleto; con su
bonete de dos cuartas calado hasta la nuca, parecía más largo; los
ojos, saltones; el gesto, de hombre muy padecido. «En estos tem-
peramentos —recordé entre mí— el calor excede a la frialdad, y
la sequedad a la humedad. Será propenso a la cólera y a la hipo-
condría.» Hablamos. Él, con voz muy grave, mudándola de tiempo
en tiempo al tono declamatorio, tremante, que echaba de menos el
eco de la iglesia parroquial, se declaró ocupado en poner chinitas en
el camino de la anarquía. Tres palurdos lo acompañaban, tan parecidos, tan feos, que cada uno se me antojó caricatura de los otros
dos. Eran hermanos, caciques repezuñados. Llamábanse «los Tuertos», aunque ninguno lo fuese; pero lo fue su padre, de quien he-
redaron poderío y mote. Cosechaban votos, ayudados del cura, por
la intención de un candidato que le había donado tres mil pesetas

para recomponer el órgano. Caminando juntos me explicó su política, que era desvelarse por la salvación de sus ovejas, y no exponerlas a los ataques del lobo.

—Contribuyo a restaurar el poder espiritual —decía—. Su cometido es grandioso, si hemos de buscar la resolución armónica de los conflictos entre el capital y el trabajo, como enseñó el inmortal pontífice León XIII.

El enfático cura trataba de imponérseme. Se detenía, con un brazo en alto, dilatando las sílabas sonoras. Dijérase que, sólo en tantísimo campo, apostrofaba a los vientos, a los terrones, a las encinas. «Los Tuertos», formados en ala, nos seguían sin escucharle, pensando en sus cosas. Me despidieron a la entrada de las labranzas de un propietario remiso, a quien iban a embaucar. «Veremos —dijo un Tuerto— por dónde sale este ahorcado.»

Pasados veinte años de no verlo, topé una tarde, volviendo de caza, con cierto cura barbián. Le conocí al momento: enjuto, trigueño, los ojos garzos alegrillos; la nariz recta, fina; la boca delgada, con fugaces mohínes de burla: tal fue, y tal lo encontraba, sin otra mudanza que habérsele retostado la tez y abierto la pata de gallo en la comisura de los párpados. Venía por el borde de una arroyada —la escopeta a punto, los perros cazando—, en busca de un rodal de codornices. Era su habilidad excelente: la caza. Dominaba muchas. Buen servidor del altar, puntual en el coro, atacaba el tono ferial en la misa o despachaba los sermones de tabla con el desembarazo de quien posee al dedillo una técnica y la aplica en frío. Obtuvo su mayor triunfo exhortando a dos reos de muerte: halló palabras y acento tales, que los curas fanáticos y los Hermanos de la Paz y Caridad, maravillados, ponderaban entre burlas y veras el suceso. Desbravar caballos, enseñar perros, atronar los billares aporreando la tarima con el taco, desfogaban su robustez corporal; pábulo de su facultad discursiva era el tresillo, tomado con aliento de gigante, en jornadas cumplidas, entreveradas de disputas, donde el clérigo, por guardar el decoro, adecentaba los vocablos obscenos poniéndoles desinencias nuevas. Ningún macho de perdiz más célebre que los suyos; dos perros traía, príncipes de los perdigueros. Le pregunté por su caza. Había marrado algunos tiros: me probó con razones palmarias que estuvieron muy bien marrados: nada podía ocurrirle mejor que marrarlos. Tiró por tirar, por meter ruido y darle gusto al dedo. Ponderándome sus blancos y las muestras de los perros, abordamos en el río. Nos sentamos en el poyo de piedra, delante de la fuente antigua, quien sostiene en sus hombros de mampostería el acirate desplomado. El agua surte a par del suelo; para catarla, ha de hacerse la triste figura. Comimos y bebimos reposadamente. El clérigo contaba los cismas del Cabildo, roto en dos bandos por si había de imponerse o no, a cierto canónigo que lo rehusaba, el uso de la luenga cola negra, prolongación del balandrán con que asisten a coro. Pensando que las canongías iban a perder su valor proverbial de emblemas pacíficos, me distraje en mirar los giros de las golondrinas, que volaban a ras del espejo empañado del río, y los perros retozones que en la arena marginal, blanca, suelta, erizada de regaliz, se refregaban después de chapuzarse. El aroma del torvisco frondoso, cargado de flor en racimos, tan fuerte, disuelto en la emanación caliente del agua, entorpecía los sentidos. Vinieron los perros a prestar al discurso del amo más atención que yo. Oíanlo inquietos; remuzguillos eléctricos serpenteaban por su piel; lo devoraban con los ojos o volvían hacia mí, entre latidos, la mirada, tan chispeante y franca, tan aguda, que nos entendíamos muy bien, por comunicación directa; las maravillosas criaturas enloquecían de gozo, viéndose así entendidas, muy cerca de un corazón humano, y yo creo que algo debía de robarles, a mi vez, de su expresión canina y su dulce lealtad, para serles acepto. Este juego rompieron ciertas palabras del cura:

—¡Los prelados son unos granujas, desengáñese!

Me sonó a que empezaba de nuevo el discurso. No entré en su desengaño: tan sin cuidado estaba yo, tan sin malicia de la opresión contra los clérigos, que no se me ocurrió tirar del hilo de esa sentencia. Hombre libre en la naturaleza no lo había visto tan acabado como en el cura cazador.

Apenas he ampliado después mis observaciones personales en los curas. Vísperas de Navidad vi a uno, joven, bien portado, rollizo, brillar en la cadena de holgazanes famélicos enroscada a la Casa de la Moneda, esperando el sorteo de la lotería. La expresión de manso regocijo, de pacífica y segura tenencia que advertí en su semblante, mostraba que tras de echar cuentas con el premio, no quiso esperarlo en su casa o en la sacristía: prometíase verlo salir del bombo. A otro encontré, viejo y raído, de porte rústico, embelesado en el umbral de una taberna: apoyado en el quicio, laxas las facciones, la boca entreabierta, clavados los ojos, oía la música dulzona y aflautada de un órgano mecánico como si fuese la de las esferas. Ninguno de estos curas me dejó conocer que estuviesen corroídos por el descontento.

De no repugnarlo mi gusto, las novelas con cura hubieran suplido por mi experiencia. Pude, si no observar la naturaleza, estudiar los buenos modelos, graduarme de doctor en papalogía a fuerza de leer narraciones de amores sacrílegos, hacerme papálogo libresco. Hay quien sabe mucho de amor según Stendhal, o de ambición según Balzac, y se precia de haber explorado lo más recóndito del corazón del hombre, aunque no haya sentido palpitar el suyo propio. Pero la simple entrada del cura en la novela me infunde desconfianza; y si el autor describe principalmente el erotismo del clérigo, su enredo con tal señora o damisela más o menos almibarada y redicha, me invaden sentimientos ingratos: asco y despecho, templados por la presunción de que allí va a suceder algo muy ridículo. Menester es que el público español, lector de novelas, se haya pasado de gazmoño, y los autores de tímidos, para que un día pudiesen los unos hacer el descubrimiento de las pasiones carnales del cura y el otro recibir por tema peliagudo la descripción de esas fatigas. Si a una señora le ronda un sacerdote, ¿a quién le importa? Tal vez ni a la señora; ¿y hemos de ver en el caso un conflicto raro, y convertir un trapicheo vulgar en cuestión de orden público porque el galán lleve sotana? Suele poner el novelista buena porción de sus terrores propios en la conciencia del cura enamorado; le sobrecoge de espanto el sacrilegio; échase de ver que, metido a cura, jamás habría afrontado pasión igual ni declarádose a la dama de sus pensamientos: hubiera probado mejor cura que su héroe. Esta noción: que el sacerdote, cediendo a su apetito incurre en culpa ominosa, puede mucho con el escritor laico y lo desvía, a su pesar, del propósito original; en vez de pintarnos la pasión de amor, bastándose a sí misma, bastante para la obra de arte, se enzarza en el caso de conciencia, en el miedo, en los remordimientos del tonsurado. La pasión, en los curas de novela, suele adquirir lóbregos tonos, causa de mi despego. Es propio del clérigo, dirán, dejarse atormentar por la moral de sus creencias. Yo lo dudo; la virtud y el vicio, la conducta en general, poco tienen que ver con las ideas; y el clérigo que, rota su fortaleza, se allana a la pasión, recae en el estado natural, como cualquier hombre o mujer picados por el tábano. Su conducta depende de su historia sentimental, no de la profesión.

Los aspavientos, zozobras y poquedades que un clérigo de novela, si se rinde a ser amante, prodiga en negocio tan natural, no pertenecen al estado eclesiástico, sino a la condición de primerizo, de hombre sin mundo ni cortesanía, criado aparte del otro sexo. El novelista cuida de poner un clérigo que desbrava su inocencia en el primer amor; mostrándolo en lances ulteriores, se las compondría por otro estilo; la absurdidad de aquellos sentimientos postizos quedaría al descubierto. Pero nada es comparable al rencor que siento por las damas de cura. Sobre todo, si las inventan para deleite y pasmo de otras damas de cura en ciernes: así *Doña Luz,* cuyo enamoramiento no puedo recordar sin náusea.

Mi aversión literaria no me priva de tratar con templanza en materia clerical. Cierto, una puntita de clerofobia descubrí en mi ánimo tiempo atrás, adquirida en contagios callejeros, de quien nadie está libre. En un teatro averigüé, de súbito, que aborrecía a los curas, sin saber la causa; revelación fue, o dicho en otro estilo, flechazo. Habríame inficionado profundamente, hasta la muerte de la razón entre bascas horribles, sin la alarma que me movió a extirpar en el acto el germen del mal, cortando lo dañado y lo sano. Oíamos un concierto de música eclesiástica. Tenía yo tanto hábito de encuadrar en el velludo rojo de los palcos el descote, las plumas, las joyas y los gestos de muchas damas conocidas, que en levantando aquella tarde la vista a los lugares donde solían estar, nunca pude reprimir un movimiento de sorpresa al ver trocadas en obispos las señoras. Repartidos por parejas o por ternas en los palcos, bastantes había de manifiesto con su cortejo de familiares negros. Lo demás del público, también clerical o asacristanado, se congregaba por ser la música de iglesia, y eclesiásticos el director y los ejecutores. Gustamos unos trozos de misa y unas cantatas en el modo altisonante, vulgar, que corresponde a sentimientos triviales hinchados. El autor —aunque la música me pareció inclusera— estaba presente; ya desde esta vida terrena «había entrado en la inmortalidad»; el programa omitía que fuese «el primer músico del mundo», pero yo rellené mentalmente esa laguna. Granizadas de aplausos, arrebatados, descubrían la intención de desquite y de trágala, presente en todo alarde profano de la clerecía cuando se manifiesta a solas. El director, frenética batuta, se retorcía como un poseído. La sotana bailábale en los hombros, subía, bajaba, dejando al descubierto los pantalones y los zapatos, volaba de una a otra parte según el meneo de los brazos. Entonces me entró el acceso de clerofobia. Zafiedad, palabrería, ignorante engreimiento, chabacano gusto: eso vi en tantas almas de pazguato. Me abrasó la cólera, y comencé a odiar al director en representación de todos, por zurdo, por basto; no podía reírme de él, no obstante sus ridículas contorsiones; la saña vencía a la risa. Salí a la calle preguntándome el motivo de aquel rapto; si no fue persuasión del demonio, sería un estallido de los malos humores almacenados sin advertencia mía por el despecho y la inquina. Me pareció desatinado y feo enviar al corazón los residuos de ciertas hogueras; y peor aún, en la cabeza de un pobre diablo, no muy seguro de lo que representa, vengar la perdición de una gran causa histórica. Me esforcé a la piedad, a no quitar la vista del chasco postrimero, común a todos; creo haberme portado desde entonces blandamente con los curas y hasta los he favorecido en persona. Al capellán pescador, mi amigo, lo saqué de las garras de la policía. Es tal su catadura que al subir a un tren lo detuvieron, sospechando que fuese un asesino a quien buscaban. Le arrancaron la teja, y en viendo la tonsura, quisieron someterlo a más apretado reconocimiento. Por mí lo soltaron en la estación misma; el cura, con el susto, se fue sin decir adiós ni dar las gracias.

Guardo, en fin, delante del clero, la actitud ingenua de quien fía en el testimonio de los sentidos y cree que el sol rueda sobre nuestras cabezas. El clero es un cuerpo inmune, con más predicamento e imperio que pudieran tener el médico, el maestro y el militar si los fundiesen en una pieza. Único tronco venerable de España: puede probar que a su amparo y costa han vivido, como el muérdago en la encina, las clases españolas. Es más antiguo que el reino; ya el godo soberbio se prosternaba ante el clero; todavía el rey a ciertos dignatarios de la Iglesia los llama primos, y son los únicos personajes a quien hace acatamiento. Que un gremio tan potente gima, teniéndose por desheredado en este siglo, no pasa de ser un melindre gracioso: ignora lo que son apuros. Como a criatura mimada, el revés más fútil lo llena de pesadumbre y se imagina que le es contrario el universo. Esta explicación plausible vale para otros clamores y alborotos, triunfantes porque los promovía gente de mucho peso, no con intención mala, pero temiendo por las franquicias y exenciones que siempre han gozado y gozan. Y si el clero está descontento, escarmiente en cabeza ajena; tómese la justicia por su mano; emplee la acción directa: ya contra la sociedad española, cuando se crea —inverosímil supuesto— aminorado en rango, ya contra sus jerarcas y príncipes, si cometen desafuero. El clérigo tropezará con los cánones, a veces, o con la institución divina de ciertos poderes, y tendrá que reformar la Iglesia, o arrepentirse de no haber mirado mejor dónde se ponía, o ejercitar la paciencia. Ándese con tiento, no vaya a pisotear el espíritu cristiano, sola razón de su vida; o a rebelarse alocadamente contra algunas privaciones, fruto de la sabiduría, de la cordura de los siglos traducida en leyes, como la de tenerle sin mujer, a lo menos sin mujer que pueda alegar derechos civiles. Duélense algunos curas de su pobreza. Deploran la desigual repartición de los bienes de la Iglesia. Que un obispo tenga automóvil, no teniéndolo el cura rural; que el párroco de Madrid devengue miles de duros en la misma función que desempeña su colega de pueblo por unos ochavos, parecerá irritante si se mira con ojos terrenales. Pero los curas saben que siempre hubo pobres y ricos; que los bienes del espíritu son la única riqueza; y que nada importa ganar un tesoro si se pierde el alma. Deberán, pues, callar sobre eso. Pónganse en lugar de la parroquia: el vecino de la capital reclama un cura suntuoso, como llama para que le mire la lengua a un médico que sepa alemán y que cobre diez o veinte duros por visita, mientras el médico de aldea se satisface con la iguala de una fanega de trigo por familia. Ese desnivel, admitido en una profesión asimilada a la del clérigo («el cura es médico del alma», se dice a la cabecera de los enfermos; o también: «¡aquí la ciencia humana ya nada puede hacer!»), debiera servir de ejemplo a los curas, moviéndolos a escarnecer la civilización y el lujo: inventan necesidades fingidas, elevan a quien los sirve, dejan a otros olvidados en el santo suelo; y moverlos también a contentarse con la pobrecilla mesa, bien abastada, de que habló el clérigo poeta. Contentos o no, lo que el gremio clerical pretende, habrá de lograrlo por sus puños. Su apelación a los espíritus liberales no carece de ironía. Por luengos siglos los curas han perseguido el exterminio de esa planta; si no lo alcanzaron no fue culpa suya. Pero ha quedado tan endeble que los partícipes en ese famoso espíritu liberal no pueden malgastar sus energías en acorrer a los antiguos perseguidores.

DE ENERO A ENERO...

Los bienes de la Iglesia —decíase en tiempos de Mari-Castaña— son de los pobres. Y aún lo dicen hoy aquellos devotos del santuario que nunca han girado una letra contra el haber clerical. Los curas devengaban una comisión bastante gruesa, una comisión de librero, por regir los caudales del prójimo: los derechos de estola y pie de altar, invocados sin elegancia por la plebe en este refrán: «El abad, de lo que canta yanta». (Algunos yantan a dos carrillos sin haber dicho jamás esta boca es mía.) En ninguna edad de la historia ha sido tan envidiable la condición de pobre; primeramente, porque eran riquísimos: dueños de las mejores tierras, de muy buenos castillos, abadías y palacios, de encomiendas, diezmos, tercias, censos y otras gollerías. No hay accionista ni propietario en nuestros tiempos de americanismo que tengan su dinero mejor colocado que lo tuvieron los pobres de la Iglesia de Dios. Después, no administraban, ni le pedían cuentas al clero administrador; su hacienda, a prueba de desfalcos, engordaba por días; cada pobre estaba seguro de que, al morir, dejaría aumentados a sus hijos de pobre los bienes que él heredó. En fin, absteniéndose de tocar en las riquezas, guardaba en espíritu la pobredad significante de la vida cristiana. Los pobres han sido los más liberales mecenas del mundo: con sus rentas, quitándoselo del comer y del vestir, han pagado los monumentos y joyas de la cristiandad: los bordados, los esmaltes, las estofas, los recamos, todo ese ajuar deslumbrador y los aposentos maravillosos, propios de quien no tenía con qué cubrirse la carne ni dónde reposar la cabeza. Al encararse con la Revolución desamortizadora, la Iglesia decía: «A quien robáis es a los pobres». Quizá. La Revolución tuvo que poner a los pobres (escarmienten los ricos) ante el dilema de morirse de hambre o trabajar.

Que los ricos escarmienten no es creíble. Los pobres siguen también en sus trece; la técnica del pobre es porfiar. Vivieron de las rentas acumuladas por la caridad y ahora viven de un diezmo sobre la codicia. Se han mudado a otra puerta; pero el vicio puede ser tan productivo como la virtud. Los pobres son los explotadores del juego; detentan la Chirlata Universal, cobran puerta en el Tapete del mundo, y el más sucio pordiosero de Madrid posee acciones liberadas en todos los garitos nacionales. El pobre de solemnidad, con tafurería abierta, es el verdadero chupóptero del país; muchas son las expensas, muchas las pensiones y comisiones, pero todo acaba en la *cagnotte*; déjenle jugar diez, veinte siglos, y el pobre, con sus casinos y sus palaces, se habrá hecho el amo del mundo. Ya, dentro de pocos años, sólo los pobres tendrán dinero. Ellos costean las fiestas y las armas, sostienen a los poetas, fomentan las artes... Era urgente una Gran Persecución contra los pobres. El cierre general de garitos equivale a desamortizar la riqueza que iba concentrándose en pocas manos. La sociedad, que sólo atiende a la razón política, aplaude; pero el hombre tierno, compasivo, el dilettante que ve alicortado el vuelo de las artes y el que esperaba la nueva edad de oro del mecenazgo anónimo, protestan: «Si cerráis los garitos daremos suelta a los pobres. ¿De qué vivirán, privados de rentas? Habrán de echarse a pedir».

Si es plaga social la mendiguez, acorrer a los pobres para que no mendiguen debiera ser función pública; la caridad y la codicia rentas estancadas. ¿Qué es la profusión de hospitales, refugios y asilos, de bancas y burlotes, puestos por los particulares, sin otra guía que su inspiración personal? Un desorden. La señora devota que manda unas pesetas para el caldo de los enfermos o que ofrece dotes a las doncellas, precisamente (¡inopinado premio, singular encono!), para cuando dejan de serlo, se irritaría oyéndose llamar usurpadora. Pero a nadie se le tolera que funde un juzgado municipal o un ayuntamiento, o que ponga cárceles y guardia civil en competencia de precios con el estado. Aunque en Madrid se permite todavía a los particulares fundar cementerios y cobrar el pasaje en la barca de Carón, es desbarajuste español, rebelde a toda disciplina, a todo pensamiento orgánico. En el estado actual de la civilización, la caridad (sección de juegos de azar), fuente de la riqueza de los pobres, puede regirse tan sólo de uno de estos dos modos:

o el estatismo absoluto o la gestión directa por las agrupaciones profesionales de los interesados.

> *Una baraja sola, un solo paño,*
> *un fichero común, una raqueta.*

Tal es la expresión del estatismo absorbente, nivelador, unitario. En el escudo de esa monarquía universal, a lo Carlomagno, sobre campo sinople, la bola de la ruleta y el sable del faraón.

La gestión directa será el término de la crisis de la timba en nuestros días. Los pobres, constituidos en sindicatos locales, en federaciones de asilos, se alzarán con el santo y la limosna, expulsarán a los intermediarios, llámense casinos, asociaciones caritativas o estado, y se pondrán a explotar por su cuenta las casas de juego. Con menos dinero estarán mejor atendidos, y a los puntos no les gravará tanto la puerta. Va dicho en futuro, porque es indudable que los pobres adquirirán conciencia de su poder y le ahorrarán al gobernador civil la deshonra de prevaricar. Más difícil parecía inculcar en los presidiarios la noción de sus derechos; no obstante, ya existe en los presidios de España una «corriente de opinión» favorable a la defensa colectiva contra los desmanes de los tribunales de justicia. Es el huevo de Colón. Los pobres volverán a ser la sal de la tierra.

EL LEÓN, DON QUIJOTE Y EL LEONERO

El escándalo movido por la visita de Unamuno al Palacio Real es lisonjero en cierto modo para el mismo Unamuno, en cuanto prueba la autoridad de su campaña. El público, receloso o frívolo, por lo común, le había tomado profundamente en serio. Este es buen síntoma. Primero, porque descubre una capacidad de confianza, una largueza en el crédito, que apenas podíamos sospechar: tan amargada por los desengaños suele mostrarse la que llaman opinión pública. Segundo, porque Unamuno había captado el asentimiento de la masa en méritos de su prestigio intelectual. La reputación sólida de Unamuno se funda en una gran obra literaria que la mayoría de sus hoy chasqueados partidarios desconoce. En esa reputación, consagrada y, pudiéramos decir, respaldada por un corto número de gentes, ha consistido la fuerza de Unamuno en su empeño de debelar la dinastía. Nadie pretenderá que Unamuno engrosaba sus huestes de asalto contra palacio por la fuerza de los argumentos ni la novedad de sus tesis políticas. La honestidad personal no decide del triunfo de un caudillo. Demagogos que son granujas notorios andan por ahí haciéndose temer y, por ende, corromper. Otros hombres, de tan honesta vida como la de Unamuno, y con más fuerte posición doctrinal, han perecido arrinconados, sin que nadie escuchase sus monólogos. Unamuno, al descender a la agresión virulenta, al ataque personal que todo lo empequeñece, se ha impuesto a la atención española porque metía en ese juego la autoridad de su imponente figura, labrada por cierto en una vocación que está a mil leguas del oficio de libelista. Que un poeta, un filósofo, un gran literato pueda, dando en prenda la admiración un poco supersticiosa, distante, que en España se granjea con esas profesiones, acaudillar a los descontentos y devolver ocasionalmente cierta eficacia aparente a las armas desacreditadas por otras manos, es cosa notable, que nadie ha de llevar a mal. Pero es también confusionismo, donde se arriesga lo que no debe ponerse en litigio. De tal confusión, del uso que Unamuno ha hecho de aquel poder, viene, a juicio mío, lo lastimoso de este paso. Unamuno se niega a ser político sectario; es su derecho (aunque no entiendo cómo podrá ser un corifeo no tocado de sectarismo); pero venía siéndolo, porque sectario ha de ser el vocero de resentimientos exasperados. El público, que no le pedía lecciones de filosofía de la historia, le llama resellado. Unamuno invoca su libertad de pensador independiente. Es admirable que Unamuno no advierta la incongruencia entre sus respuestas y las preguntas de sus amigos.

En la campaña de Unamuno era esencial el tono. Con el acento expresaba Unamuno lo que ya no cabía en la virtud expresiva directa de los vocablos. Sacaba su idea de los modos normales de difusión de una propaganda política, y planteaba el caso en términos de urgencia, de inminente desenlace, en ese punto en que todos los razonamientos están ya hechos, todos los discursos son inútiles, y el ánimo debe esforzarse a la acción. Desde los tiempos de Costa no habíamos oído igual rebato. Pero las adjuraciones de Costa se dirigían al pueblo español para traerlo al buen camino. Costa soltaba cataratas de improperios, rugía, pero sus lágrimas ardientes caían sobre el pueblo mismo; luchaba con el monstruo a brazo partido; era un titán generoso, pero bien se veía que iba a perecer; invocaba la violencia, las operaciones quirúrgicas, pero quería operar en el cuerpo social; si las campañas de Costa hubiesen podido ser más eficaces, el resultado hubiera sido un levantamiento de la ciudadanía. Las adjuraciones de Unamuno van a una persona sola, y aunque le sigue el clamor público, la multitud no es protagonista, pasa al rango de coro; Unamuno impropera a un hombre, personalmente, y en su casta, en su sangre; Unamuno no diluye su enojo en raudales de palabras; cada una va suelta, certeramente, como guijarro bien lanzado, a dar en el blanco; a Unamuno el auditorio le sirve para producir el eco, pero lo que le importa sobre todo es «el otro»; son dos en pugna: «hablo aquí para que me oiga Él», decía en el Ateneo; se parece a Luzbel, que no resignándose con el destronamiento, amenaza al Hacedor para que lo restituya en su antiguo aprecio. Unamuno habla de castigos, de violencias ineludibles, mas para no aplicarlos sobre el cuerpo corrompido de la nación: augura el rayo (truculenta metáfora) sobre el cuerpo real. En esa campaña, la personificación de la culpa y la de la vindicta me han parecido excesivas. Dejándose meter en danzas electorales, Unamuno dijo: «Votar por mí es votar directamente contra el rey». Es un error. Se vota contra un régimen, contra un sistema, contra una institución; no se vota personalmente contra un rey; personalmente, contra un rey culpable, se arroja una bomba, no las papeletas del sufragio. Eso de votar es una liza convencional, una esgrima con espadas romas, donde no puede desfogarse el ardor vindicativo. Cuando un rey graba su efigie en la conciencia popular con rasgos de tirano, surgen regicidas, que no electores.

Menester es advertir lo que se crea con las palabras. Unamuno, con el tono, y la personificación de agravios y culpa, había creado un movimiento. Iba por una ruta que, estando como está muy trillada, todos saben adónde lleva; no le faltaba séquito. Pero las acciones tienen su dialéctica, tan rigurosa como el discurso racional. En un debate de principios no se le toleraría a nadie responder a una observación lógica con una pirueta. A Unamuno le reprochan hoy sus seguidores el haberse salido, sin razón plausible conocida, de las líneas en que se había puesto a justar. Verdad es que su acción, por reducirse a machacar en el mismo clavo, brindaba con pocas esperanzas de progreso; pero, en fin, alguna salida airosa podía tener. Un mal chusco (nunca faltan), al saber que Unamuno entraba en Palacio, exclamó: «Va a coronar su obra cívica; hoy asume el papel de Jacobo Clemente». Terrible lógica. Pero nosotros no le discernimos a nadie ese encargo, y a Unamuno menos, porque no le incumbe, y porque deseamos que nos viva mil años. En su puesto, no le quedaba más que seguir, a riesgo de cansarse, machacando hasta que el obstáculo desapareciera de algún modo; o si otra convicción germinaba en su espíritu, proclamarla y decir en qué punto había errado; presentarse ante el público, después del emocionante careo regio, o relapso o convertido. Sólo declaró esto: «Para decir la verdad no es preciso poner motes a nadie». ¡Sí, sí! Pero también eso era verdad antes, y «los motes» (en rigor, el tono) eran esenciales. ¿Dónde, pues, está el yerro? ¿En infligir desde lejos una aflicción, como quien cumple un deber, o en enjugarla, cuando se tiene delante, quejándose, a la persona lastimada? Unamuno, cirujano, viendo llorar al paciente, arroja la lanceta y le aplica una cataplasma.

He oído y leído las explicaciones de la visita de Unamuno propuestas por algunas personas de mi respeto. Cualquiera sería aceptable si se tratara de explicar un fenómeno natural; pero a Unamuno, confrontado con su acto, no se le ha pedido que lo explique, sino que lo justifique. Por ser necesario justificarlo como acto de hombre, es posible la crítica. El rigor en la conducta no es palabra vana. Lo que el vulgo llama «consecuencia» no consiste, entendiéndolo directamente, en decir o hacer las mismas cosas siempre, sino en llevar de acuerdo los actos con lo que está implicado en las premisas de nuestro modo de hacer. Si el acuerdo se rompe, justificadamente, será que motivos nuevos alteran las premisas de la conducta. A Unamuno se le pedía que los mostrara; no habiéndolos, o no siendo conocidos, se dice que el acto de Unamuno es arbitrario, sin justificación. Explicarlo por el carácter singular del protagonista, es peligroso, si se omite que los arrebatos del temperamento no bastan por disculpa. Guardémonos de acreditar la sospecha de que el intelectual es un hombre con quien no puede contarse para nada. Si Unamuno ha incurrido en el enojo público porque un acto suyo, engastado en la vida social, parece en desacuerdo con sus ideas, guardémonos de introducir —con la mira de probar que el hombre ha obrado, como siempre, de acuerdo consigo mismo— una licencia de pensamiento intolerable. Una cosa es la libertad formal de la inteligencia y otra el fin que la esclaviza. No piensa uno lo que quiere. La inteligencia no es una cabra loca, ni una facultad deportiva. No vamos a convertir la inteligencia en abogado picapleitos, defensor de todos los arrechuchos del carácter, ni a emplearla en demoler la hombría. Concitar las pasiones de la muchedumbre, azuzarla, manejarla, puede ser obra digna, donde se sacie el prurito de creación y resida un goce estético. El intelectual que abandona la especulación pura y, cediendo al tentador, echa por caminos tan fragosos, debe advertir, no que se disminuye (esa es su generosidad, su sacrificio), pero que su comercio con el público es ya distinto, otra la disciplina. Su principal deber con los secuaces es la fidelidad al convenio que los juntó. Es un estrago lamentable romperlo injustificadamente. No vale encararse después con el público, alegando la libertad del pensador, y decir en sustancia: «¿Qué se figuraban ustedes?». Porque los oyentes, con un sombrerazo de respeto, podrían contestar: «¡Dispense usted, señor: le habíamos creído por su palabra!».

El carácter de Unamuno está impregnado de quijotismo. La esencia del quijotismo acaso no sea el amor de la justicia, sino el afán de conquistar eterno nombre y fama. La aventura regia de Unamuno pudo mirarse, en todo caso, como el principio de una gran quijotada: iba a encontrarse con el león. El prestigio del valor puro es tan violento, que estaban suspensos de admiración los mismos que desaprobaban la embestida: el discreto caballero de la Mancha, y el escudero, que tiembla por su persona. Si éstos le motejan, es que no ha sostenido su papel el héroe. Ni el león tampoco. El león de don Quijote era un fiero león, un león soberbio, traído del desierto. Y al ver a don Quijote —dice la historia— «el generoso león, más comedido que arrogante, no haciendo caso de niñerías ni de bravatas, después de haber mirado a una y otra parte, como se ha dicho, volvió las espaldas y enseñó sus traseras partes a don Quijote, y con gran flema y remanso se volvió a echar en la jaula». Desdicha de Unamuno ha sido no tropezar con un león de igual temple. Su león no tiene orgullo; en lugar de enseñarle sus traseras partes, ha hecho como un hombre lastimado: enseñarle los verdugones. Héroe y fiera se han puesto a departir gravemente. Ahora, Unamuno no podría aplicar a su aventura leonesca, con león humanizado, la glosa que escribió para la aventura de don Quijote: «No, el león no podía ni debía burlarse de don Quijote, pues no era hombre sino león, y las fieras naturales, como no tienen estragada la voluntad por pecado original alguno, jamás se burlan. Los animales son enteramente serios y enteramente sinceros, sin que en ellos quepa socarronería ni malicia. Los animales no son bachilleres, ni por Salamanca ni por ninguna otra parte, porque les basta lo que la Naturaleza les da». Si el león humanizado puede burlarse, ¡qué no reirá el leonero! Los leoneros se ríen cuando un héroe hace la triste figura.

No escondo mi despecho; diré, si no es exceso, mi rabia. Unamuno querrá creer en la sinceridad de mi despecho, como creyó fundamente en mi simpatía. Si ahora se revuelve contra los disidentes, fustigándolos, sáqueme del alarde. No le pido que sea republicano, o monárquico, no pretendo conferirle un pendón. Ni soy politicastro sentimental, histérico, jugador, revolucionario sin contenido, ni estoy adscrito a mentidero alguno. En la charca de Madrid, y fuera de ella, pululan las gentes capaces de medir el alcance de las palabras de Unamuno y su desinterés (¿para quién, si no, escribía?), así como el estrago que causa, si desentona. ¿Qué testimonio de consideración superior podemos ofrecer a un hombre, que no sea el de publicar, si llega el caso, nuestro disentimiento? ¡Cuántos quisieran suscitar una oposición de ese género e impresionarnos con actitudes que nos dejan indiferentes! Aplace Unamuno su pesadumbre para el día que sus amigos le miren con displicencia. ¿O los españoles eminentes son tan soberbios que no pueden oír la contradicción más leal sin achacar al contradictor sentimientos ruines? No, don Miguel. Se puede decir la verdad sin poner motes. También oírla.

PREMIOS Y CASTIGOS

Poca devoción sentimos por los premios literarios. Son inútiles, cuando menos. No suscitan ningún talento; no estimulan la producción, y si la estimulan, entonces son malos del todo. Escribir con el fin del lucro, es detestable. Una de las pocas cosas bien ordenadas que hay en España es este abandono, esta soledad, esta recluida pobreza en que el escritor, si es de ley, vive. Sólo aquí es posible el orgullo grandioso de llegar a la linde de la vejez teniendo escritas algunas obras maestras, y preguntarse cómo se proveerá a la necesidad de mañana. Las letras puras no son carrera; chasquean —preciso es reconocerlo con gozo— las ambiciones fútiles del arribismo; hay un instante en que el escritor tiene que optar entre su conciencia profesional y la holgura; quien debe a su pluma algo más que un pasar incierto, suele haber transigido con su conciencia. El escritor debe, pues, ser pobre; sólo el pobre puede ser honrado. Debe estar flaco, como los galgos, y cazar ágilmente sus cazas. El escritor, afirma un gran poeta amigo nuestro —que, por cierto, no está muy gordo—, debe poseer la virtud del ayuno. Virtud que mantiene incólume la vocación y sierra los grillos de toda servidumbre, empezando por la que impone, con su limosna anónima, el vulgo comprador.

Suele alabarse (¡cómo no, si en ello se reconoce el espíritu de nuestro tiempo!) la independencia que goza modernamente el escritor viviendo de la largueza de su público. Exentos del mecenazgo, en apariencia, lo que se resiente ahora no es la libertad del autor, sino la calidad de las obras. Quien protege, quiere ser pagado a lo menos en alabanzas, o en halagos a su vanidad o a su inclinación. La posibilidad de reproducir sin término, con ínfimo gasto, el mismo producto, aplicada a las obras de la literatura (o sea, el menester de edición transformado en gran industria) erige en Mecenas al consumidor.

Mecenas más imperioso, más corruptor que los antiguos. Más imperioso, porque su paladar es menos fino; más corruptor, porque brinda con mayor paga. Cervantes no quiso ir de lector de español al colegio que fundaba «el grande emperador de la China» por no perder el sustento del conde de Lemos; y no se le da un ardite de que Avellaneda le arrebate con su libro la ganancia, mientras dos príncipes le mantengan. «Viva el gran conde de Lemos..., vívame la suma caridad del ilustrísimo de Toledo...», exclama el grande hombre pobre (no sé si desdeñado o desdeñoso de la que llaman fortuna). Esos vivas me afligen. Mas, al fin, aquellos príncipes no acosaban a Cervantes, no le obligaban a escribir una novela cada mes, ni le incitaban a escribirla poniéndole ante los ojos montecillos de oro. Su liberalidad valía más, justamente por ser módica. No así este Mecenas moderno, único, numeroso, insaciable. No es capaz de deleitarse frecuentando una misma obra acabada; es tan grosero, que sólo la impresión de novedad lo emociona; piensa que bajo cada título reciente, el autor se rehace; pide —y si no, no paga— obras nuevas o que se lo parezcan, y casi siempre las obtiene, recibiendo por tales las repeticiones de una misma obra con diferente aliño. A Cervantes le hubiese pedido un Quijote con cincuenta partes, y doscientas novelas cortas. Así trató a Lope, quien, como tantos autores modernos, se dejó aupar e idolatrar por el vulgo a fuerza de arrojarle cientos y cientos de obras abortadas. Lo mejor será redimirse del mecenazco del prócer y del mecenazgo del vulgo. El parangón es Juan Jacobo. «*Je n'ai jamais craint que le pain vînt à me manquer, et au pis aller je sais comment on s'en passe.*» (Aquel llorón tenía la virtud del ayuno.) «*Je n'engagerai jamais aucune portion de ma liberté, ni pour ma subsistance, ni pour celle de personne. Je veux travailler, mais à ma fantaisie, et même ne rien faire quand il me plaira, sans que personne le trouve mauvais, hors mon estomac.*» Pensaba ganarse la vida copiando papeles de música, por mantener su huraña libertad.

Las letras se han engrandecido tanto en la sociedad, que el escritor no sufre mecenazgo de antiguo estilo, ni están ahora los príncipes muy solícitos en ilustrar su nombre protegiendo ingenios. Forzoso es que el escritor corteje la publicidad, pues no va a mantenerse del aire que sopla. Negro destino, explotar la vena literaria como una vena de mineral para que otros medren y gocen. De la desastrada situación en que aún está el trabajo en el mundo participa —bajo el oropel de la nombradía— el trabajo que llaman intelectual; acaso participe como otro ninguno, pues debiendo competir en la plaza pública por mejorar de paga, el vulgo encuentra que el ingenio produce por juego y que le basta con el aplauso. Apenas es de esperar que la fortuna tenga seso algún día, y derrame sus dones sobre quien los apetece más, que no es el avariento o el luchador ambicioso, sino el hombre cultivado y de imaginación fértil que sabe medir el poder del dinero con la fastuosidad de sus proyectos; ni sobre quien los merece más, que no es el operario, ni el inventor, ni el capitán de industria, sino el poeta, único en engrandecer la vida. Como la fortuna es ciega, el ingenio no será jamás bastante independiente en esta sociedad para no comerciar con sus obras. Fiemos en la prepotencia del trabajo manual, módulo de la sociedad futura, para restaurar el espíritu en su perdida libertad, con sólo sustraerlo a la ley de la oferta y de la demanda: «*L'indépendance que j'entends* —vuelve a decir Juan Jacobo— *n'est pas celle du travail; je veux bien gagner mon pain, j'y trouve du plaisir: mais je ne veux être assujetti à aucun autre devoir, si je puis*». Eso es. Una sociedad reorganizada, donde no se despilfarren las energías como ahora, podría colmar la apetencia típica de Rousseau, que es liberarse prontamente de la deuda social y ganar, con el sustento, tanta provisión de soledad y de asueto como el espíritu sea capaz de ir consumiendo. Dos, tres horas de trabajo manual cada día, colaborar en la producción; pagada esa deuda, salir del taller y zambullirse en las realidades de la vida personal inédita: cómo podrá compararse esa situación, digna, apacible, con la que depara la sociedad de nuestro tiempo a los zarandeados ingenios, tratándolos como caballos de carreras, o premiando, no su talento probado, sino las mañas de comisionista, de histrión o de zurupeto que puedan tener. Sin abordar en las costas de Utopía, es creíble que la desamortización de la imprenta, traída por el progreso de la mecánica, disipará la tentación más fuerte que hoy encalabrina a los escritores: la de ennegrecer papel por cuenta ajena. Quien primero se percató de los dinerales que pueden ganarse comprando masas de papel blanco para revenderlo a los particulares, cortado, plegado y cosido en porciones pequeñas, tras de estampar en todas las caras de cada porción unas líneas, fue un genio. Entre Copérnico y Colón debieran ponerlo, como un epónimo del mundo moderno. Aquel genio, sus secuaces y sus continuadores inventaron el oficio de escritor, incluido hasta ahora entre los necesarios para la gran industria de manipulación del papel, o de refinación del papel, que así podemos llamarla, pues la empresa editorial es semejante a la refinería de azúcar o de petróleo en que desbasta una primera materia bruta y le añade cierta cualidad que antes no tenía. El empresario paga la mano de obra del escritor con poco dinero a cambio de no tasarle la vanidad. Permítele enredarse en una metáfora y que vaya diciendo: «Esta es obra mía». El escritor, delira. Tan suya es como del cajista o del emplanador. El día que, tras la encuadernación mecánica, y del marcador automático, y de otros perfeccionamientos, venga un artilugio que haga el trabajo del escritor con más baratura, verán qué parte les cabe en la industria de producción del libro. Parte mínima, como es justo. No es para escandalizarse como me escandalicé yo cuando un editor, mostrándome un libro, me decía: «¿Qué ha puesto aquí Baroja, después de todo? El original. Yo lo restante, que es mucho más». Hoy no me escandalizo; el editor tenía razón. En la industria que transforma el papel en libros, se habla de letras, de ciencias, de cultura, como en la producción de específicos se habla de la salud; añagazas del fabricante. Persiguen al público para darle lo que no le tienta, ni le sienta. Muchos no se creerían enfermos de este y del otro mal, si no se anunciaran los específicos que los curan; ni comprarían libros, usurpando la condición de lectores, si la oferta editorial no los aturdiese. La industria del libro, que ha creado el oficio de escritor, tiene que inventar el gran público para dar salida a sus productos. Pero entre el escritor, que produce, y el público que consume, no hay, mirado en su vastedad, comunicación posible; el gran público es una categoría comercial. De cien lectores, noventa y nueve son poco interesantes; gente cuya opinión y cuya emoción nada importa, aunque sean cabalmente esos que se imaginan recibir por modo directo y personal las confidencias del artista, como si se hubiese creado para ellos, por cuidar de sus almas de cántaro. El autor desprecia a la masa de sus lectores presuntos, y no se cuidaría de ver llegar un libro a sus manos si no fuese por venderlo; pero más le importa vender que ser leído. Esta posición falsa, corruptora, desaparecerá anulando la industria del libro con la desamortización de la imprenta. Ya hay máquinas que reproducen, escrita, la palabra hablada. En cuanto se dé con el modo de multiplicar con igual sencillez las pruebas, podrá uno editarse en casa, y el libro perderá el valor comercial que hoy se le da por los capitales y los brazos que se juntan para fabricarlo. Hace falta una máquina que sea para la edición lo que la motocicleta para los transportes en común. Ya no habrá que retribuir a la empresa.

Será éste el primer escalón. El último es el trabajo manual forzoso. Desaparecerá el oficio de escritor; sólo cuando viva de la labor de sus manos, el ingenio habrá dejado de ser proletario.

No todos los oficios convienen por igual a las almas sensibles. No deberá escogerse oficio mal oliente, ni que obligue a esfuerzos penosos ni a sufrir las intemperies. El de albañil no será nunca oficio bueno para intelectuales, ni el de forjador o el de pocero. Pero hay oficios muy honrados y muy limpios que no rompen el equilibrio de los humores ni cortan con violencia el curso del pensar: carpintero de taller, tornero, tejedor... Anulado el valor comercial del libro, los certámenes ni los premios que ahora se usan no son posibles. Y cuando los haya, serán contiendas desinteresadas, sin otro botín que una corona de laurel. Pero en la sociedad futura, harto más exigente que la nuestra en punto a moral social, si no habrá hueco para el escritor jornalero, tampoco hallarán merced el poetastro, el literato mixtificador, el prosista rumboso; un tribunal terrible pesará el alma de los ingenios y dará a cada uno su merecido, sea premio o castigo, porque si está mal premiar a quien no se debe, más escándalo es dejar impune a quien se ha ganado la pena con su esfuerzo.

QUINTANA, EN LA INFAUSTA REMOCIÓN DE SUS HUESOS

No hay duda: desenterrar a los muertos es pasión nacional. ¿Qué incentivos secretos tienen para el español los horrores de ultratumba que no se satisface con ponderarlos a solas y ha de ir a escarbar en los cementerios a cada momento? ¿Vocación de sepultureros, realismo abyecto, necrofagia? De todo hay en esa manía. Aquí la hemos denunciado más de una vez. Avisamos a toda persona notoria, que procure morirse a hurtadillas y enterrarse con nombre supuesto si quiere reposar en paz; de otro modo, irán a cribarle las cenizas cuando menos lo espere. Nadie está libre. Quien hasta ahora no se ha dejado desenterrar, como Cervantes, incurre en falta. ¡Ah, si el esqueleto del Manco pareciese! ¡Qué embriaguez! ¡Cuántas procesiones y carrozas, qué profusión de reliquias, cómo nos revolcaríamos en la fosa abierta, poseídos de furia patriótica sepulcral! Mientras la Providencia no nos favorezca con la invención del «inmortal cadáver» que echo de menos, fuerza es consolarse removiendo otros no tan importantes. Hoy les ha tocado el turno a Quintana, al general San Miguel, a Ortega y Frías y a una cantante. Los fautores de traslados cargan a granel. Debemos a la prensa diaria preciosas noticias del suceso; ésta, entre otras: «Los cadáveres se encontraban en estado de momificación, pudiendo distinguirse en el del general Evaristo San Miguel la banda de Carlos III y el fajín». ¿Estas alhajas vegetan en las momias? ¿Anuncian el «estado de momificación»? ¿Acaso lo previenen? No sabe uno qué pensar... Y esta otra noticia: «En tres arquetas que apenas componían un ataúd para un cuerpo mayor iban los huesos de los tres hombres...». Triste mezquindad: no darles una arqueta donde puedan al menos estirar las piernas. Habrá aprendido Quintana, pues sacó de sus tumbas a los reyes del Escorial, que es malo inquietar a los difuntos, y cómo aplican la ley del Talión. También, por no ser menos que los reyes de su poema, ha proferido, al reaparecer momentáneamente sobre la tierra, un discurso que no es nuevo: «La libertad —les ha repetido a sus desenterradores, como si resumiera sus calladas meditaciones de difunto— es para mí un objeto de acción y de instinto, y no de argumento y de doctrina; y cuando la veo poner en el alambique de la metafísica me temo al instante que va a convertirse en humo. Podrán en buena hora otras teorías políticas ser más útiles en tiempos ordinarios, estar más bien digeridas, más sabiamente concertadas; yo aquí no se lo disputo. Pero disponer mejor el ánimo para adquirir la libertad cuando se aspira a ella, para defenderla cuando se posee y para recobrarla cuando se ha perdido, eso es muy dudoso que lo hayan hecho ni que puedan hacerlo jamás. Y no se engañen los españoles: la cuestión primera, la principal, la de si han de ser libres o no, está por resolver todavía. Verdad es que han adquirido algunos derechos políticos, pero estos derechos son muy nuevos y no han echado raíces. Por consiguiente han de ser atacados sin cesar, y si no se atiende a su defensa con decisión y constancia, serán al fin miserablemente atropellados. El estado de libertad es un estado continuo de vigilancia y frecuentemente de combate. Así, sus adversarios, considerando aisladamente la agitación de las pasiones y el conflicto de los partidos que acompañan a la libertad, dicen que no es otra cosa que una arena sangrienta de gladiadores encarnizados. Este espectáculo, a la verdad, no es agradable; pero hay otro mucho más repugnante todavía, y es el de Polifemo en su cueva devorando uno tras otro a los compañeros de Ulises». Dijo, y tras de rogar que le reservasen la palabra para dentro de un siglo, se volvió a su arqueta, dejándose llevar al cementerio nuevo entre un capitán general y los directores de Carabineros y Guardia civil. Polifemo no asistió.

PALABRAS SIN LIBERTAD

(1923)

UNA CONSTITUCIÓN EN BUSCA DE AUTOR

> «A cada uno incumbe interrogarse a
> sí mismo y desentrañar en su propio ser
> el ser de España.»

Del reino de Toledo (donde era hace tres siglos la policía del bien hablar), mis abuelos, posesionados en la Sagra o en las vegas que se abren al Tajo, ascienden en derechura hasta el carpetano idólatra, anterior a la venida de las legiones; con un cuarterón de sangre vascongada (la raíz en Elgoibar) y un entronque en Arenys de Mar, soy español como el que más lo sea; pudiera haber sido patagón o samoyedo, pero, en fin, soy español, que no me parece, ni en mal ni en bien, cosa del otro jueves. Leo en el Quijote a libro abierto: en él todo se me antoja transparente y jocundo; es decir, que padezco las limitaciones impuestas por la clarividencia y el prurito de lo concreto. Nunca he incurrido en pecado de superstición: números y días nefastos, signos y palabras agoreros no me han impresionado (sin que nadie me lo advirtiese), ni siquiera para reírme de ellos. Me he sorprendido, pluma en ristre, disparando bromas crueles si me ronda el pensamiento de la muerte. Una religión sin metafísica acabó de separarme de la matriz del mundo, me desprendió del seno de lo Absoluto. Somos tres: Dios, personaje exento; el Mundo, una bolita disparada por los dedos divinos, y yo. Cada cual en su reino. Dios lo puede todo, pero yo puedo rebelarme contra Él. Sé donde concluyo; mas, de lindes adentro, soy señor de mi arbitrio. Sólo una educación católica nos defiende en tanto grado de la pesadumbre del Destino. —Estos mis caracteres de español no descastado ni desarraigado, más antiguos que las formas políticas, prevalecen sobre las costumbres. ¿Qué decir aún? Las corridas de toros me dan dolor de cabeza; nunca voy; millones de españoles tampoco van. No profeso ningún credo; tantos de mis compatriotas ¿profesan alguno? Estoy pronto a afirmar que los frailes propagan la encefalitis letárgica, como hace noventa años propagaban —era de fe— el cólera. Mi anticlericalismo no es odio teológico, es una actitud de la razón.

Me interrogo —como incumbe a cada uno— para desentrañar el ser de España. Si este criterio es válido, y yo lo creo, nada que encuentre en mí podrá parecer, siendo tan español, intruso en el carácter de la nación. Lo que más estimo, mi aspiración más fuerte, es la libertad personal. La experiencia corrobora la idea de Juan Jacobo: «El hombre es un ser solitario y débil, que apetece la libertad». Con ser tan violenta y natural, ninguna aspiración es más precaria, ninguna apetencia del espíritu depende tanto del asentimiento ajeno. Otras pueden saciarse fuera de la sociedad, en contra suya, a sus espaldas. Para ser libre, la sociedad es necesaria; y nadie lo es si la sociedad no lo consiente. Imagino que los españoles (este pueblo se caracteriza por su independencia altanera) abundan en mis inclinaciones. Libertad es el objeto; liberalismo es el modo. Quien lo detesta o lo rechaza, no renuncia a ser libre: se opone, sencillamente, a que lo sea yo. Cada cual concibe la sociedad en que desearía vivir, proporcionando a sus aspiraciones el cauce más llano. La España política, según mi traza, sería una asociación democrática regida con humanidad.

¿Cómo han podido las constituciones españolas, escritas durante el siglo XIX, violentar el carácter nacional? En esa duda me sepulta Sancho Quijano: «En la lucha ya secular entre nuestra Constitución y nuestro carácter —escribe— se ha querido hasta ahora que cediera el carácter, y así han ido las cosas. Mas es menester que lo que ceda sea la Constitución». Quisiera yo saber de una vez para siempre si los españoles, por temperamento, somos naturalmente enemigos de la libertad, si nos repugna organizar una sociedad liberal. Las constituciones políticas no se han propuesto, en diversa medida, otra cosa. Quisiera yo saber si esa repugnancia existe en el fondo de nuestra raza (pero saberlo a ciencia cierta, no por conjeturas ni corazonadas), para considerar después por qué motivos mi carácter propio, tan español como he dicho, me engaña. ¿Aborrecemos los españoles nuestra libertad personal? El supuesto es monstruoso. La observación prueba que no somos, en ese punto, una excepción en la naturaleza humana. Antes al contrario: los españoles amamos nuestra libertad con pasión fiera e indomable; es famoso nuestro arriscado individualismo, poco menos que antisocial; un escritor de nota ha dicho que el ideal de cada español es llevar en el bolsillo una cédula que diga: este español está autorizado para hacer lo que le dé la gana. El mismo ardor ponemos en defender la libertad e independencia de la nación, cuando el extranjero la invade. Ahí están nuestras glorias. ¿Será entonces que los españoles aborrecen la libertad del prójimo, siendo tan celosos guardadores de la propia? Equivale a decir que el español es por naturaleza intolerante y déspota. Eso explicaría —si la tesis de Sancho Quijano es cierta— la lucha del carácter contra la Constitución, que sólo se proponía apacentar la libertad de todos y coordinar los derechos personales, sin mengua ninguna. En suma: el español pretendería ser libre a costa ajena, negándose a ser liberal.

Antes de 1812 (no hablamos del esperpento de Bayona), España tenía también su constitución política, y aunque no estuviese codificada, los poderes públicos sabían bien cuáles eran sus prerrogativas, y el pueblo sabía cuáles no eran sus derechos. Los que escribían constituciones liberales no se propusieron precisamente imitar a los ingleses, ni a los franceses; se proponían adelantar la civilización en España, y al reconocer (¡oh, con cuántas limitaciones!) el derecho del pueblo a gobernarse por sí mismo, no les movía el afán de copiar lo ajeno, sino el de satisfacer violentas ambiciones propias. Era forzoso escribir de un tirón el derecho nuevo, puesto que se promulgaba derogando otro derecho vigente, y vaciarlo en formas también nuevas, ya que las de casa no servían. ¿Y dónde buscarlas sino donde las hubiese? La Constitución inglesa es igual a sí misma durante siglos, mirando por el exterior sus piezas capitales: la Corona, los Comunes, la Cámara de los Lores; pero los ingleses no siempre han sido tan libres como lo son ahora, y para introducir sustancia nueva en esas formas antiguas han necesitado tal cual revolución, tal cual escarmiento memorable. Los españoles que buscaron en Inglaterra los principios y los elementos formales de la libertad política, participaban, creo yo, en el carácter nacional, en sus virtudes y en sus defectos; no creían derogarlo ni violentarlo; al contrario: se pagaban de reanudar una tradición infelizmente rota. Sus enemigos se hacían fuertes, no en el carácter nacional, sino en las prerrogativas del rey absoluto. El doctor Pangloss conciliaría esta disputa diciendo: «Forma parte del carácter de los españoles el ir a buscar leyes en el extranjero cuando les parecen buenas y no las hay mejores en su tierra». No eran teorizantes puros, no. Acudían al remedio de una deformidad constitucional que les mortificaba, dictaban leyes en el fragor de una guerra, o amenazados por las conjuras y las traiciones. Esas doctrinas puras eran un arma de acción terrible. El supuesto furor especulativo se resolvía en fusilazos, garrotes y cuchilladas. ¿Quién iba más de acuerdo con el carácter nacional, los que ahorcaban a Riego o los que fusilaban a don Santos Ladrón? Pienso que unos y otros se acomodaban a una manera de ser común, y que sólo eran opuestas, incompatibles, sus opiniones. Ahí está el toque. Pero es fuerte cosa contrastar una diferencia de ideas con esa entidad formidable que llamamos carácter nacional.

No sé dónde empieza históricamente el carácter nacional de España, ni sé dónde concluye en la esfera de las costumbres actuales. ¿Cuándo ha sufrido nuestro carácter la mayor violencia? ¿Cuándo se ha mostrado en su espontaneidad pura? ¿Nos cuadraba mejor el despotismo de Felipe V, o la división cuantitativa de la soberanía en la edad media, o el sistema eclesiástico-militar de esos pobres visigodos que sólo por snobismo tomaron el nombre de bárbaros? El carácter nacional, por nadie definido, en cuya erupción ha de confiarse, sin el gobierno de las ideas y de la inteligencia crítica, que es el arma reformadora, ¿cómo se conduce frente al progreso? El derecho, el idioma, la religión de los romanos no debían de ir muy de acuerdo con los gustos del túrdulo, del ilergete, del arevaco y demás gentes de quien venimos. Su carácter nacional debía de oponerse furiosamente a la civilización para ellos moderna y de extranjis. Si por ellos hubiese sido, aún estaríamos cantando y bailando en la cima de un cerro las noches de plenilunio. Reconózcase que el carácter nacional puede sufrir a veces con provecho una violencia dulcísima.

Ahora hemos de hacer una Constitución que convenga al carácter nacional; pero ¿quién le dará a este ser oprimido durante un siglo (¿nada más?) la forma que le cuadre, si tenemos que abandonar los «prejuicios reaccionarios y revolucionarios, liberales y conservadores», que también son, a mi entender, realidades de nuestra alma? Todos los españoles tendremos que formar un corro inmenso alrededor de los Toros de Guisando, y esperar con ansiedad a que ese venerable vestigio ibérico nos revele nuestra identidad nacional.

Amigo Sancho Quijano: Usted ha propuesto en *El Sol* que un técnico alemán venga a reorganizar la burocracia española. Gran nombre es el de técnico alemán. Pero el carácter español produce, en el orden administrativo, lo que usted sabe: lentitud, papelotes y puntas de cigarrillos. ¿No? Respetando el carácter en la constitución política, ¿hemos de contrariarlo en la Administración? Y todo para que dentro de un siglo los nietos de mis sobrinos descubriesen que las oficinas españolas funcionaban mal porque en su seno lucharían nuestro modo de ser y una organización copiada de países extraños. Aun al precio a que están los marcos, sería haber malgastado nuestro dinero.

LA INTELIGENCIA Y EL CARÁCTER
EN LA ACCIÓN POLÍTICA

Me sería difícil pasar la vida en una celda, ni en una jaula aunque fuese de oro, devorando a solas pasiones insatisfechas; y si una potencia incontrastable me recluyera en una torre, cargado de grillos, mezclaría como Segismundo el fragor de mis cadenas a los gritos de protesta contra la iracundia del destino. A ningún afán de nuestro tiempo creo que soy ajeno, a ningún dolor; además, no quiero serlo. Frecuentar los caminos todos que solicitan mi curiosidad; comprobar por mis ojos y corregir con mis manos aquello que me estimula, o me estorba y me aflige, es una propensión saludable del temperamento, cohibido en demasía por la educación del «qué dirán»; es el desquite, o mejor el rescate de la curiosidad misma, que de otra manera se convierte en la impiedad de los *dilettanti,* caterva «baldía, atildada y meliflua», que dijo Cervantes, propuestos, por temor a fracasar, al fracaso absoluto. Una sola cualidad envidio: el temple generoso de quien se gasta cotidianamente y no se preserva. A un personaje detesto: al que corre por sus carriles en la vida ondeando la banderola verde de la precaución. Esto quiere decir, en primer término, que estoy perdido para la posteridad. Ni obras ni memorias. Este mes de febrero soy tan de 1924, que el año próximo ya no seré, como no será el año que estoy viviendo. Hay quien atesora celebridad para después de la muerte; es repulsivo, como otra forma de la avaricia. Me place la esperanza de disolverme en mi tiempo, como la seguridad de disolverme un día en la tierra. Mis sobrinos no alcanzarán pensiones del estado invocando el lustre de mi apellido. La más triste cosa es legar un sarcófago célebre a las profanaciones venideras. Y si a la hora de la muerte estoy con ganas de hablar, no diré, como Montaigne: «Me hundo estúpidamente en la Nada»; reemplazaré ese adverbio con otro que exprese menos descontento, porque es propio del amor apasionado de la vida el furor sombrío con que uno se destruye enteramente cuando ya no puede, ni siquiera con el pensamiento, gozarla. Antes que un vestigio lastimoso en la existencia de los demás, es preferible no ser nada. Quiere decir, en segundo término, que no ando por los limbos de la ironía, aunque algún escritor me confirme de irónico. No soy indulgente, no transijo, no perdono; tengo la soberbia fácil: tanta ingenuidad es inconciliable con la ironía. Practico la regla calderoniana de volcar la mesa si alguien delante de mí vuelca una silla; si las mesas están agarradas al suelo con grapas de hierro, la culpa no es mía. Conocida es la anécdota de los campesinos de la Turena a quienes prohibían bailar. Prohíbase mañana bailar a los campesinos toledanos, mis amigos, y han de verme entrar en una cólera desordenada y afrontar los sacrificios más dolorosos. Mientras tanto, no. Hay que proporcionar la grandeza de los medios y su violencia a la magnitud de las ocasiones.

Alguna vez me he empeñado, lejos de los libros y de los tocamientos literarios en los cafés, en las faenas primarias de la acción política: reclutar votos, pronunciar arengas, inculcar en los auditorios la resolución de dar un paso breve en el camino de una idea. Ya está dicho. Para mí, la acción política es un movimiento defensivo de la inteligencia, oponiéndose al dominio del error. Cualquier pugna política, despojada de sus apariencias, se resuelve en una contienda entre lo verdadero y lo falso. El divorcio entre el pensamiento y la acción, si se presenta como necesario, es una arbitrariedad. Dentro del orbe en que se mueve, el pensamiento que no se incorpora en hechos, en una creación, aborta; y más que en ninguno, en el orbe político, donde la especulación pura trasciende al mundo moral y a la vida práctica. Todo hombre normal —como no esté enfermo de vanidad melindrosa— es capaz de ese desdoblamiento tan sencillo que le permite aplicarse a poner en planta las cosas en que su pensamiento se recrea, sin que el pensamiento lo embarace; antes al contrario, saca de él un ímpetu más fuerte para la acción. Sólo quien está poseído por la verdad puede ser intransigente, fanático, o, como suelen decir, sectario; sabemos cuál es la deslabazada contextura de los vividores y ambiciosuelos: dóciles a las circunstancias, más que por falta de moralidad, por sobra de descreimiento. Es gente de corte intelectual (Robespierre o Lenin), quien suele dar, en las «circunstancias» de un momento histórico, los tajos más terribles. La razón es que un orden contrario a la verdad reconocida les parece *falso,* como un teorema que se opusiera al principio de identidad o al de contradicción; y la inteligencia no es libre: es sierva de la verdad.

Yo no digo que la política *consista* precisamente en transformar el carácter nacional. Este carácter, obtenido por la suma de las cualidades comunes al mayor número de españoles, es más amplio que el área política. En todo se manifiesta. Desde la acción política, no podríamos hacer en él presa plena. El carácter nos disocia; es incomunicable, incomprensible. Difícilmente varía, en la vida de un hombre. Otro tanto diríamos del carácter histórico del pueblo, manifiesto en lo que llaman tradición. Lo genuino español se opone a lo genuino francés, o alemán, o ruso; no pueden reducirse a una expresión común; y si no se opone, ya no es genuinamente español, sino europeo, o humano. La acción política es ante todo cohesión, amalgama para un fin común. El carácter no puede tomarse por blanco de esa acción, ni como fuerza motriz de la acción misma. Tan sólo las opiniones son comunicables y demostrables. Por las ideas me entiendo y colaboro con gentes de carácter opuesto al mío. Las ideas se adquieren, se truecan, se transforman por la experiencia y la reflexión; mientras el carácter permanece, y se rebela y se emperra cuanto más se le contraría. Carácter y tradición son, pues, las fuerzas de resistencia; por mucho que, de frente o de soslayo, se haga en contra suya, siempre estarán presentes, tirando hacia atrás. La inteligencia activa y crítica, presidiendo en la acción política, rajando y cortando a su antojo en ese mundo, es la señal de nuestra libertad de hombres, la ejecutoria de nuestro espíritu racional. Un pueblo en marcha, gobernado con buen discurso, se me representa de este modo: una herencia histórica corregida por la razón. ¿Qué política puede contentar a la variedad de caracteres, si tomáramos por guía el carácter, sea para adularlo o para reformarlo? Yo soy demócrata violento; es decir, que reconozco el derecho (el ajeno y el mío), y soy inflexible dentro de los límites de mi derecho. ¿Con quién he de juntarme? ¿Con los violentos de la otra banda, o con los demócratas, aunque sean mansos? Naturalmente, con los demócratas; una idea nos liga; en tanto que, sumándome a los de carácter afín, pero de ideas contrarias, no podríamos dar a nuestra violencia un empleo común. Esto ha de ser así, mientras no se obtenga un tipo de perfecto equilibrio humoral, en quien, según la sentencia del clásico, «el calor no exceda a la frialdad ni la humedad a la sequedad».

MINÚSCULOS PLACERES DEL EGOÍSMO: 1923

En el ánimo desapacible y turbio, no sé cuál pide más urgente reparo: si la inteligencia ofendida por la brutalidad o el corazón lastimado de tanto vicio. La inteligencia, acaso, donde más aprieta el dolor. Antaño, mi ingenuidad (¿quién no ha sido joven?) se desgarraba en todas las zarzas: los sentimientos ruines, declarados en las acciones ajenas, me tomaban desprevenido, como una deformidad en el paisaje de la virtud, como una traición del mundo a la convivencia noble en que parecía fundarse el trato humano. La moral de los manuales, y la que sirve de argamasa en los cimientos de la educación, se muestra tan poseída de su fuerza, de su arraigo en lo natural, que semeja una descripción más que una norma. Borra la diferencia entre los conceptos y las costumbres. ¿Por qué una preparación dogmática para la vida social ha de entregar a quien la recibe indefenso ante el desengaño de que los demás se le antojen unos monstruos, siendo todos (los otros y él) sencillamente hombres? ¡Disociar la experiencia y la creencia es un aprendizaje tan doloroso...! El recato consiste en guardar para sí los descubrimientos; la conducta soportable necesita una desconfianza taimada frente a las exclamaciones espontáneas de la sorpresa. Estoy contento de no haberme desolado nunca en público; y más aún de no haber incurrido en la insolente pedantería de tomar mi aprendizaje por una invención genial. Retrocedo al puerto interior del orden con mis defectos —la mejor compañía— substrayéndolos en lo posible a la circulación; y aquí se están, ya cuajados, duros como bronce que se enfría, irrecusables, primer baluarte que la timidez opone a la hostilidad. ¿Navegar? No vale la pena... El necio y el pillo dejan de ofenderme en cuanto los miro despersonalizados, bajo las formas eternas de la necedad y la pillería. Reducir lo individual a lo humano, lo concreto a un signo general, invariable, es sobreponerse a los altibajos del humor, que se encrespa, se agria o se entenebrece si afronta ingenuamente los caracteres tal como andan sueltos en estado nativo. Con los hombres no se juega, es claro; pero se juega intelectualmente con los signos que los representan, abstrayendo sus accidentes temporales. Esta es una ciencia del mundo moral. Predecir el chasco de la presunción, el eclipse de la vanidad, la hipocresía desenmascarada, la confusión del arribismo, es un placer muy poco puro, aunque grande; es el desquite de la razón experimentada sobre la superchería. Las luces bastan para que los charlatanes no me embauquen; la comicidad de sus gestos me asegura contra la indignación. En la madurez se deja en paz a los necios: paz menos boba de lo que aparenta, porque es entregarlos a su inexorable destino.

EL DESCREÍDO EN PALACIO

El 17 de mayo, día de San Pascual, yo, Cardenio, he venido a descubrir el Mediterráneo; puesto a humillarme, diría que he descubierto el Guadarrama, las llanuras manchegas u otro lugar no menos cursado. He descubierto que la Historia de España, tan poco cumplidera de creer, grabada en un escudo inscrito en el collar del Toisón, es verdad en todos sus cuarteles; sólo esa historia continúa. A un descreído como yo, arrancado de las sierras donde anduve desgastando mi locura, recoleto ahora y solitario en una celda por anticiparme a los sinsabores y al desengaño, tropezar con las cosas pertenecientes a ciertos nombres que parecían esquilmados, hallándolos de pronto henchidos de sustancia viva, le fuerza a sospechar de su descreimiento. ¿Qué nubes me envuelven, escondiéndome el mundo? ¿Sobre qué pantalla remota proyecto mis sombras, sin saber más que son mías, que las invento o las deshago cuando quiero? Tanto precaverse de la vida es otro modo de no vivir. Cierra uno los ojos ante los seres por soberbia, pensando aniquilar los que no ve, y los seres mismos persisten, reaparecen de súbito, como nunca creímos que existieran, reavivan nuestras representaciones más toscas. Descubierta la Majestad de la Monarquía católica, ¿averiguaré mañana que el Creador usa barba corrida? ¿Hallaré cerca del sol, acurrucado sobre un libro en folio, un cordero blanco? De sorpresa en sorpresa, llegaré a rehabilitar las imágenes pueriles, correspondientes a un mundo sin profundidad, labrado por un artesano que no sabía metafísica.

Quebrantar mi descreimiento es la ruina de una existencia fundada en la libertad antisocial, en el derecho divino de mis antojos, en la rebeldía del intelecto (espolique dócil de mis gustos) contra la imperiosa verdad. De nadie he querido ser, por independencia de carácter; he concluido por no creer nada, abundando en mi natural incertidumbre de juicio. Cuando viví en la sierra, enriscado, salía a quitarles el sustento a los cabreros, y aunque me lo ofreciesen con fina voluntad, si estaba con el accidente de la locura —que es una claridad sobrehumana—, arrancábaselo a puñadas por no quedarles agradecido. Prefería el hambre, o el peligro de que me descalabrasen, a estar sujeto a su buen corazón. En el colegio no lograron convertirme al aristotelismo:

—Es usted pirrónico puro —dijo, viéndome dudar de mis propias dudas, el profesor de filosofía.

Con el rodar de los años, la duda expectante se ha trocado en negación empedernida. Trabajo me cuesta hablar o escribir de algo: no encuentro en qué fundar una opinión, un movimiento del espíritu. Se me antoja estar sumido inteligentemente en la nada.

Desde el café, donde acabo de estragarme trenzando mi incredulidad radical con el inmoralismo de los iconoclastas novicios, me han llevado al palacio del rey, a contemplar un espectáculo deslumbrante. He salido tan quebrantado de la visita que, en lo futuro, como el prudente don Quijote, no volveré a poner a prueba mi celada de cartón. El Real Palacio es el Tabor del orden histórico: aparece el trono de Recaredo envuelto en resplandores misteriosos, y a los lados están Carlos V y Luis XIV haciéndole compañía. Turbado por esta visión quise hacer memoria del tiempo en que alimentaba, con el respeto a otras categorías, el de la realeza. Fue uno de los que primeramente perdí. Me enseñaron tan mal, que tomaba al pie de la letra las metáforas escolares, y tasaba el valimiento de las personas por la importancia de las leyes morales que se les permitía transgredir. «Los reyes —decíame entonces, oponiéndome al apóstrofe de Bossuet— no mueren; los reyes bajan al sepulcro.» Veíalos salir de este mundo por un acto de su voluntad soberana, despojándose gravemente de manto y corona, sin las bascas y trasudores que acompañan al tránsito de un simple mortal. «El adulterio —decíame también— es privilegio de monarcas.» La fornicación, proscrita en el Catecismo y el Fleury, mal mirada en las familias, cobraba grandeza histórica cuando era obra de la persona reinante. Muchos reyes tenían hijos con mujeres malas, y lejos de echarlos en la Inclusa, los mejoraban, nombrándolos visorreyes o arzobispos... En esto se fundaba, para mi aturdida infancia, la majestad real, la condición superior imputable a los miembros de una dinastía. Prestigio desvanecido prontamente; y al mismo paso se desvaneció el perfil de la medalla que cada generación acuña para estafar a las que subsiguen. El retablo histórico, imponente de ver, muy admitido y muy útil, se me desbarató en un segundo, sin descargarle golpe alguno, con sólo referir a los tiempos pasados la observación de la vida actual, tan cotidiana —que dijo el poeta—, tan deslabazada y sin estilo.

La luz del Tabor palatino me ha iluminado, y ahora estoy confuso por mi aturdimiento. Lo que yo había negado más, ha existido, existe. Toda la Historia de España es cierta. Confieso la presencia real del ánima española en los emblemas heráldicos. Quintana y Núñez de Arce necesitaron fingir una junta histórica de ese porte en los sótanos de El Escorial. A esos poetas, las humaredas de la imaginación les ocultaron —como a mí— lo que tenían al alcance de los ojos. ¿Qué resurrecciones ni esqueletos coronados son menester, cuando tantos seres vivos se apresuran, a la primera señal, a revestir las insignias de un poderío verdadero? No salen de un panteón; salen de sus casas de vecino. Podrían andar dispersos por la villa, disfrazados de burgueses, sumisos, en apariencia, a la uniforme vida civil. Pero en llamándolos, las prendas del bazar arqueológico recobran carne y huesos que las sustenten. Las dalmáticas de la corte de Alfonso XI, la maza de Juan Diente, los pellotes de Enrique IV, las alabardas de Cisneros, las togas y balandranes de los consejeros de Indias y Flandes, las veneras de Austria, las fajas episcopales, el buriel frailuno, los casacones traídos de Versailles, el uniforme de Castaños, las cruces, los estoques, los bastones, las bandas, salen de los estuches y armarios, y nunca les ha faltado, ni les faltará, un titular que los endose, los luzca, los maneje. ¿Qué importan las especies mortales de quien hoy los reviste o los asume? Su antepasado —ignoramos el nombre de pila— se prosternó ante Fernando V; sus terceros netezuelos se humillarán ante Fernando X. Lo que importa es el signo, el acto sacramental de congregarse: los sayos, los bordados, los birretes expresan más que quien los lleva. Es imponente esa capacidad de perdurar. Véolos agrupados en la antesala del trono; oigo el rumor de la colmena; se rompen los límites de mi tiempo personal, y mi descreimiento sucumbe, aplastado por esta parada de los siglos. Error sería llamarla mascarada de aparecidos.

El chasco es bueno. ¿Qué hago yo ahora de mi crítica? Si en todo acierto así, veo lo que me espera en la consumación de los tiempos: me pondrán de rodillas —por vía de castigo— en el valle de Josafat.

¡TODAVÍA EL 98!

1. Reminiscencias

Opina algún escritor que ahora triunfan en España las ideas de la generación del 98. ¿Las ideas? No lo entendemos. La posición de aquellos hombres (de *aquellos,* porque han cambiado bastante) era esencialmente crítica. Si algo significan en grupo (la obra personal los ha diferenciado, jerarquizándolos como es justo) débese a que intentaron derruir los valores morales predominantes en la vida de España. En el fondo, no demolieron nada, porque dejaron de pensar en más de la mitad de las cosas necesarias. Poetas y escritores, la rareza de su crisis juvenil depende de una coincidencia de fechas: al conflicto de la vocación —que es eterno— se juntaron el desconsuelo, el desengaño ante la derrota; incorporaron momentáneamente a su vida sentimental lo que se ha llamado «problema de España». Desde entonces corre por válida la especie de que el ser español es una excusa de la impotencia. *Fernando Osorio* y *Antonio Azorín* son dos tipos de *ratés* que echan la culpa a la raza. A los principiantes de la generación del 98, el tema de la decadencia nacional les sirvió de cebo para su lirismo. Y una ligera excursión por las literaturas contiguas a la nuestra probaría tal vez que su caso fue mucho menos «nacional» de lo que ellos pensaron; que navegaban con la corriente de egolatría y antipatriotismo desencadenada en otros climas. Sea como quiera, la generación del 98 sólo ha derruido lo que acertó a sustituir. Era insoportable plantearse treinta mil problemas previos sobre el valor de la obra que estaba por realizar. El fracaso es para considerado en la vejez, cuando ya nada tiene remedio y se ha corrido el albur del acierto o del yerro. Pero entrar en la vida como creían entrar aquellos hombres del 98, desconsolados, y con-

templarla sin la magnífica altanería propia de la juventud, no puede
ser más que una enfermedad pasajera, una crisis del crecimiento. La
generación del 98 se liberó, es lo normal, aplicándose a trabajar en
el menester a que su vocación la destinaba. Innovó, transformó los
valores literarios. Esa es su obra. Todo lo demás está lo mismo que
ella se lo encontró. Su posición crítica, que no tenía mucha consis-
tencia, no ha prosperado. ¿Qué cosas de las que hacían rechinar los
dientes a los jóvenes iconoclastas del 98 no se mantienen todavía
en pie, y más robustas si cabe que hace treinta años? En el orden
político, lo equivalente a la obra de la generación literaria del 98,
está por empezar.

El único de aquel grupo que, saliéndose de las letras puras, se
ha planteado un problema radical (no el de ser español o no serlo,
ni el de cómo se ha de ser español, sino el de ser o no ser HOM-
BRE), es Unamuno. Es demasiada confusión incluir a Costa (por
echar mano de un profeta político), sin otro discernimiento, en el
grupo de la generación del 98. Hay una rúbrica que los une aparentemente: la protesta. Pero las afinidades profundas de Costa con
el decadentismo, la anarquía y la crítica antiespañolista son nulas. Costa, más que un innovador, era un moralizador de la política. El
pensamiento era en él poco importante. Poseía un tradicionalismo
de fondo, una «creencia» en ciertas instituciones míticas, que se
aproximan a las ideas de Maura y de Vázquez de Mella mucho más
de lo que a primera vista puede parecer. A Costa no le querían
porque era republicano; pero eso prueba que las clasificaciones del
momento no sirven para pasado mañana. La «revolución desde arriba» (una frase puesta en circulación por Maura) no significa, por
sí misma, nada. Depende de quien sea el que esté arriba, y también
de los caminos por donde haya llegado. Ateniéndonos al sentido cos-
tista, esa revolución significa que el estado funcione bien; pero da
por resuelto el problema del estado; más aún: acepta el estado en
su forma actual, en el momento de inaugurarse la revolución. Es
muy poco revolucionario. A Costa le faltó comprender por qué un
pueblo puede sublevarse, en ciertos momentos, para cambiar la Constitución, y no se subleva para que le construyan pantanos. Todo Costa es, seguramente, realizable el día menos pensado, sin que desapa-
rezca ninguna de nuestras aspiraciones actuales. Por añadidura, era
jurista. Su tragedia es la de un hombre que quisiera dejar de ser
conservador, y no puede. Caso muy español. Entre su historicismo,

su política de «calzón corto», su despotismo providencial y restaurador, y el análisis, la introspección y la egolatría de los del 98 hay un mundo de distancia.

2. BALANCE DE UNA EMPRESA DE RECONSTRUCCIONES

En la generación anterior a la mía, tan menguada de ideas generales, lo peor es su desprecio de las abstracciones. Pocos países habrán ergotizado sobre su suerte tanto como España, devanando hipótesis estériles sin morder nunca en la acción. Esa palma se llevan los hombres que atronaban la plaza pública al finar el siglo. El español no acierta a domar ni un instante su orgullo: o se cree investido de una misión providencial, o encadenado a una roca, por decreto del infierno; el toque está en bracear con lo abrupto, truculento e indominable, que absuelve en último término del uso de la voluntad. Orgullo triunfante es la furia española («¡Amberes es nuestra!»). Orgullo desesperado es el «Sálvese quien pueda» en 1898, o el revolverse iracundos, a la manera de Costa y Picavea, contra la estructura peninsular o contra la raza. Los teóricos de la regeneración española compilaron cuanto se sabía de los males de la patria: el hombre y el suelo, las leyes y sus órganos, el estado y sus servicios; todo fue descrito en su apariencia sensible, catalogado, cogido en falta; se comprobó que en España nada permanecía entero; quedaban restos. La descripción es cabal; en el museo de las ruinas no falta ni una pieza. Y a fuerza de pasearse entre escombros, se apoderó de esos hombres no sé qué pasión de naturalistas arqueólogos. Con un pedazo de municipio querían reconstruir el municipio español glorioso; de una costumbre local momificada, sacar las libertades populares; a un nombre perdido en cualquier institución jurídica, infundirle sangre nueva. Instituyeron una política con pretensiones científicas, que no pasaba de ser un empirismo de corto vuelo. Costa se persuade que los españoles tienen hambre, que no saben leer ni escribir: déseles pan, ábranse escuelas. Picavea demuestra que el «bisel del Atlántico» y el «bisel del Cantábrico» estorban el paso de las nubes hasta el corazón de la Península; llueve poco y mal. Riéguese la tierra, repuéblense los montes. Esto era bueno, aunque no nuevo. Los claros varones de nuestro siglo XVIII lo dejaron propuesto. Mas ¿quién ha de costear el pan y las obras? ¿Quién

regentará la escuela? ¿De quién será la tierra, esté seca o regada?
Ahí se abre la perspectiva sobre los fines y comienza cabalmente la
política; excluir esas diferencias, por no embarazarse en querellas
disgustosas, mirar la utilidad inmediata de los frutos mensurables,
condujo a nuestros regeneradores a brindar remedios políticamente
neutros, es decir, nulos; es decir, favorables a la conservación de
las cosas que los mismos regeneradores aborrecían.

Para incoar la revolución —escribe Jaurès— es preciso hallarse
«au-dessus du besoin». Es preciso y no es bastante. Se ha de amue-
blar el entendimiento y ha de mantenerse una sensibilidad irritable,
en vez de acorcharla. Acogerse al «empirismo organizador», muy de
su época, llanamente comprensible, tan obvio en la demostración de
las lacerias como en la receta curativa, cortó las raíces a los progra-
mas de la regeneración, que ya no pudieron ser revolucionarios, porque sus autores, de espaldas a toda ideología política pura, renuncia-
ban al más poderoso resorte de la acción. Lo que llaman fomento
nacional, recompostura de la máquina del estado y otras aplicaciones útiles, son la materia gruesa que ha de ir en el bagaje de una
gran caravana de ideas; y si no va con ella, se atasca. La mejoría
moral que comporta la exaltación del ánimo público, sólo entidades
morales la suscitan. Sin duda José Bonaparte hubiese administrado
a los españoles mejor que la grey fernandina; pero los patriotas que
dirigieron el levantamiento contra el francés, aprovechándose de la
guerra para mudar el régimen, sabían de sobra que la libertad de
la nación era más valiosa que su bienestar. Años andando, bajo el
grito de «¡Constitución o muerte!», alentaba un principio metafísico
de gobierno, que si llegaba desvaído a la conciencia de los partidarios, todavía era lo bastante para encalabrinarlos. Nadie sostiene
guerras civiles ni afronta las penalidades innúmeras de la persecución
al grito de «¡Pantanos o muerte!». En suma: lo que importa es ganar las instituciones; en eso están conformes los radicales de todas
las sectas; los jacobinos, y los metafísicos de la otra banda, los
metafísicos del derecho divino; Robespierre y De Bonald. ¿Y qué es
la institución, sino la estampa legal de lo que se ha labrado en la
conciencia? Soñemos el horrendo sueño de un advenimiento perdurable de las derechas españolas. ¿Volarían las presas de los pantanos,
cegarían los canales, prohibirían el uso de los abonos químicos? En
modo alguno. Atajarían los caminos del progreso espiritual, encalle-
cerían (más aún) la sensibilidad del pueblo, para evitar que llegase

al punto en que un agravio a la conciencia liberal es menos tolerable que la misma muerte.

La novedad de los regeneradores de 1898 consiste en haber desnudado de ideas políticas a su política y en haber trazado un plan de aprovechamiento de materiales para una reconstrucción sin base (sin fines) y sin un fondo previo sobre que proyectarla. Ahora bien: ningún pueblo es regla única y suficiente de sí mismo. La generación republicana de la segunda mitad del siglo último sabía de las deformidades del estado español tanto como supieron Costa, Picavea, Mallada y los demás. Probablemente aquellos habían observado menos la realidad española, pero la sabían mejor, en el fondo. Fueron en derechura, sin tanteos, a la raíz, obtenida por deducción de principios generales. ¿Es paradoja decir que en Michelet y en Proudhon, en Mill y en los radicales ingleses, en ciertos arquetipos clásicos, aprendieron para la reforma de España mucho más que hubiesen aprendido pescando cangrejos en el Duero? Sí; es una paradoja demostrable... En tanto que el romance viejo de las franquicias locales, mil veces entonado por los reaccionarios de España, no puede dar ni sombra a mi libertad personal. No se les ocurrió contraponer la libertad y la conveniencia. Justo es recordar el grito de Costa: «¡Antes libres que solventes!»; parecería un grito liberal, si no fuese arbitrariedad pura, en la sazón de lanzarlo, el dilema de: o solvencia o libertad.

3. EL CIRUJANO DE HIERRO, SEGÚN COSTA

Lo más popular en el apostolado cívico de Costa es, con la demanda de la despensa y la escuela, la figura del cirujano de hierro, llamado también (expresión menos pavorosa) «escultor de naciones». Costa poseía un don verbal sobresaliente. Hallaba con naturalidad los vocablos significativos y justos. Esto importa en política tanto como en cualquier aplicación donde la palabra sea el instrumento principal. Hay páginas de Costa que son ríos de imágenes candentes. Era un artista: las entidades con que piensa el hombre público adquirían en su espíritu una plasticidad dolorosa; y artista popular: condensó los sentimientos difusos en la multitud, revistiéndolos con formas tópicas. Patriotismo en carne viva, corazón indefenso, porque no conoció la ironía; ahí estaban su fuerza y su flaqueza. Yo le vi en la tribuna del Ateneo llorar de rabia, temblándole las gruesas facciones, mientras improvisaba una arenga descomunal para confundir, ya que no podía comérselo, a un contradictor impertinente. Irascible, apremiante, iluminado por la indignación, su destino era abrasarse en los sentimientos ingenuos, y realizar con el testimonio de su propia vida una propaganda tan eficaz y tan recia como la de su palabra. Costa era el hombre de las fórmulas absolutas, de las conminaciones urgentes; medía por segundos el tiempo de la nación. Hablaba a gritos, como quien habla a sordos. Que unas verdades palmarias, correspondientes en el orden político a necesidades asaz modestas, recluyesen a su propagandista en la esfera de los rebeldes y lo empujasen poco a poco, robándole serenidad, a la vocación de mártir, no debe achacarse sólo a la apatía de sus auditorios, tan fáciles para el aplauso como lentos para la acción, sino a la densidad del realismo del propio Costa, que por huir de «ideologías», arrancó a su sistema de la atmósfera respirable, blanda y comunicante de las abstracciones. Costa poseía la imaginación de un fundador: constructora y laboriosa, ávida del perfecto detalle, de resolver últimamente la dificultad. Es un género de imaginación torturante, que extravía la atención, y la malgasta, si la realidad indócil no se deja trabajar como un puñado de arcilla. Costa derrochó una fuerza enorme en mostrar cómo las cosas existentes, dadas, podrían ser perfectas, acomodándolas a los arquetipos imaginados. Se encolerizaba contra las resistencias naturales; hijo de su cólera, no de su pensamiento, es el «cirujano de hierro», fabuloso personaje, vigorosamente implantado por Costa en el ámbito español, muerto después a sus manos.

Mientras España vivió de las resultas de sus guerras coloniales, la fraseología política se impregnaba de costismo. Otros son los problemas de nuestra edad, que vive de las resultas de la gran guerra, y nos descubre una conexión increíble con el resto del mundo, como si fuésemos ahora más europeos que hace treinta años, sin habernos movido de nuestros quicios. Muchos hallazgos de Costa se han convertido en lugares comunes de la conversación y del periodismo, y es probable que tarden en caer en desuso, porque la misma generalidad de la expresión permite atribuirles, en cambiando los tiempos, sentido diverso. Ateniéndonos a su criatura más imponente, el «cirujano de hierro», ¿es en el texto de Costa una figura tan acabada como pretenden algunos modernos exégetas y utilizadores del costismo? Cuando recibíamos la enseñanza oral de Costa, a todos se nos antojaba el «escultor de naciones» una persona conocida, y lo que es más, un héroe necesario e inminente. Un semi-dios; moralmente, un gigantazo, vasto como el alma de la nación; Hércules y Prometeo en una pieza, sin parangón en la historia, por muchos ejemplos que quisiéramos buscar. Costa le prestaba su acento estentóreo, su ardimiento, su premura, si la indignación lo inspiraba; y era un gigante bueno, enternecido por un sentimiento «de infinita compasión» hacia el pueblo. Invitado a reflexionar, por la contradicción que suscitaba esa catadura temerosa, Costa reducía el tamaño de su invento, y el gobernante sabio, a la oriental, especie de Salomón o de Haarum-al-Raschid fundidos con Marco Aurelio, se transformaba en un modesto jefe de república presidencial. En eso me fundo para creer que el «cirujano de hierro» no era fruto de su pensamiento, sino artificio improvisado por la desesperación, con objeto de escaparse del estrecho en que le ponían de una parte sus ideas organizadas, y de otra, su apetencia sentimental. En suma: era el modo de infringir ciertas condiciones del progreso, como son la incertidumbre y la lentitud, declaradas por el mismo Costa leyes de la historia; éstas amenazaban la eficacia y comprometían la solidez del invento, mas no estorbaron a su popularidad, porque el mecanismo era comprensible y sencillo.

Desde 1899, Costa se alarma, porque el tiempo pasa y no se acomete la transformación urgente y rápida del estado para «evitar la caída de la nación»: «... llevamos diez meses del afrentoso protocolo de Washington, y aún no ha parecido hora de empezar lo que ya debiera estar casi concluido». Diez meses son mucha espera, porque «España tiene sus minutos contados, y no está para resistir nuevas pruebas». En el Manifiesto de la Liga Nacional de Productores (23 junio de 1899), se proponía demostrar la «urgente necesidad de una revolución hecha desde el poder sobre la pauta del programa acordado por la Asamblea Nacional de Productores u otra semejante, que rehabilite a España de todas sus quiebras y se anticipe a la revolución de abajo, que, a falta de aquélla, será fuerza que se mueva antes de que termine el verano...; ... el 12 de agosto de 1899 va a sorprendernos en el mismo punto y en la misma actitud en que nos dejó el 12 de agosto del año pasado, ajenos a la nueva catástrofe que está acabando de larvarse...; ... la idea de España —no decimos ya de su regeneración, sino que aun de su mera existencia— va indisolublemente unida a la idea de revolución. ... si el poder no la hace, forzoso es que la haga el País. Y pronto, muy pronto: el mal es agudo y no sufre aplazamientos: *aun no pasando del verano,* puede temerse que sea ya tardía para el efecto de contener la disolución interior...». Breve, rápido, sumarísimo, quirúrgico: con tales vocablos nos inculca la celeridad del remedio. Todavía, al redactar las conclusiones de su gran información del Ateneo *(Oligarquía y caciquismo),* escribe: «falta el tiempo para todo lo que sea acción lenta». «No nos quedan treinta años; dudo mucho que queden diez o doce.» Quiere ver con sus propios ojos, antes de salir de este mundo, los resultados de su obra: «... impónese, además, como condición, la instantaneidad...; necesitamos hacer tal improvisación... *porque somos viejos,* y queremos tocar algún resultado positivo de nuestra labor».

La instantaneidad, ni siquiera la rapidez, ¿son posibles? Todo el sistema de Costa concurre a decir que no. Por de pronto, ¿qué somos los españoles? «Raza atrasada, imaginativa y presuntuosa, y por lo mismo, perezosa e improvisadora, incapaz para todo lo que signifique evolución, para todo lo que suponga discurso, reflexión...; pueblo de mendigos y de inquisidores, rezagado tres siglos en el camino del progreso...; raza improvisadora, exterior y vanilocua, que no sabe vivir dentro de sí...» El material es, por lo visto, detestable; y ya se adivinan los apuros que habría de pasar el «escultor de naciones» para trabajarlo. La regeneración de España incumbe al poder, que empieza por regenerarse a sí mismo, transformando el estado; veamos, pues, qué valen para Costa el derecho y la ley: «... la garantía del derecho no está en la ley, como la ley no tenga asiento y raíz en la conciencia de los que han de guardarla y cumplirla». Giner ha mostrado que el derecho «no constituye una esfera menos interna, menos ética, más accesible a la coacción que la esfera de la moralidad; que, en última instancia, toda la garantía del derecho, y por tanto del estado, como en general de la sociedad, descansa en fuerzas meramente espirituales y éticas, en la recta voluntad de las personas, en la interior disposición de ánimo... No se cura con una ley un estado social enfermo: los males nacidos de torcimientos o deficiencias de la voluntad, sólo se remedian sanando o educando la voluntad». A formar la conciencia de los ciudadanos debía encaminarse el tratamiento médico; la operación quirúrgica, el bisturí, «no ataca *la causa* de la enfermedad ni pretende, por tanto, curarla; ataca nada más al síntoma». Costa se mueve dentro de la lógica de sus ideas cuando propone que, *lo primero,* se cree el «instrumento adecuado para aquella radical necesaria transformación, rehaciendo o refundiendo al español en el molde europeo. Al efecto, reformar la educación en todos sus grados...». La conclusión es su enseña popular: despensa y escuela, donde se cifra su parecer sobre las dolencias de la raza. «A través de la caja craneana y de las paredes del estómago, tienen que ir abriendo camino, con la misma desesperante lentitud con que se horada el Mont-Cénis o el San Gothardo, legiones de maestros y de ingenieros, para introducir en aquellas dos oficinas de nación estos dos ingredientes primarios de la ciudadanía, estos dos coeficientes necesarios de la libertad, verdaderas llaves de la conciencia: sangre y luz, pan y silabario.»

Costa no creía que la suerte de España pendiese de una ley de administración local, de una ley electoral, ni de otras leyes. Proponíase la reforma interior del hombre, rehacer la conciencia del ciudadano. ¿Qué remedio, si la lentitud de esa obra es desesperante, contra los peligros de la disolución interior, ya tan avanzada? ¿Qué podría arbitrarse para que los viejos leguen «a la generación que nace» una patria en vías de sanar? El arbitrio es una conciencia artificial y supletoria, incorporada en el «cirujano de hierro», artista de pueblos: «El gobernante, obrando circunstancialmente sobre los casos, sin la traba de reglas generales y uniformes, recogiendo celosamente toda queja, enderezando en el acto todo entuerto..., haciendo veces de conciencia en los que no la tienen..., esto y no otra cosa es lo que ha de valer». Costa esperaba que de la raza española surgiese un escultor de naciones que fuese lo menos español posible; es decir, que no fuese vanilocuo, ni improvisador, ni mendigo, ni fraile; que no le cuadrase ninguna de las lindezas proferidas sobre el carácter nacional. Hecho el milagro, veríase obligado el cirujano de hierro a ser, en opinión de Costa, tan improvisador como el que más: «la nueva política debe ser sumarísima..., empezándolo todo en seguida y forzando la acción; ... necesitamos hacer tal improvisación... porque no estamos en situación de aguardar evoluciones lentas, como si nos halláramos en condiciones normales y ordinarias». Supresión de las normas generales y uniformes; en vez de las garantías exteriores, el gobernante, que «garantiza *personalmente* la efectividad de la ley». El pensamiento parece claro; no obstante, Costa rectificó y aclaró su idea, limándole las uñas a ese monstruo. Los que han referido —viene a decir —la política quirúrgica al concepto de la dictadura, no se hicieron entero cargo del pensamiento de la memoria. El dictador asume el poder total del estado, con suspensión de los procedimientos normales, pero «yo conservo un parlamento independiente del supuesto dictador, instauro al lado de él un poder judicial más independiente que eso que así se llama ahora...; las magistraturas siguen todas funcionando: nada más, el cirujano de hierro les sirve de complemento *adjetivo* conforme a la Constitución: hace que las leyes rijan». Pero ¿y la conciencia donde deben arraigar? El estilo de Costa nos había extraviado. En su descripción primera, el famoso cirujano era todavía más que un dictador. Resulta luego que es poco más de nada, porque esas funciones de vigilancia las ejercen la prensa, el parlamento o nadie. El cirujano de hierro se convierte en un juguete, curioso e inútil, como el hombre de palo, de Juanelo.

Estas vacilaciones de Costa tienen por fondo su pesimismo radical y su recelo de la democracia. Participa en el antidemocratismo de otros autores de libros «terapéuticos», como diría Valera. «La inmunda democracia», exclama Ganivet. Unos por anarquismo, otros por casticismo agarbanzado, que siempre están soñando con el reinado de Isabel la Católica, casi ninguno confía en la organización de las fuerzas populares. Costa quería una revolución, pero poniéndola en buenas manos; inventó el escultor de naciones, después de haber pensado en una revolución conservadora, digámoslo así, preventiva, hecha por los contribuyentes, que, claro está, se frustró.

4. AL PIE DEL MONUMENTO DE CARTAGENA

> «... a esos desastres el pueblo no ha contribuido sino con sus sacrificios, con su obediencia a la ley, con su sumisión para ir a guerrear allí donde le han llamado los Gobiernos, por causas y por territorios que no movían sus corazones al entusiasmo.» (F. Silvela: Discurso a las mayorías parlamentarias, en 31 de mayo de 1899.)

Se inaugura en Cartagena un cenotafio en memoria de las víctimas de las batallas de Cavite y Santiago de Cuba; batallas, porque

se vertió sangre y muchos españoles infelizmente murieron a caño-
nazos; mas no porque hubiese choque. Para ser batallas sólo les faltó
la presencia de una fuerza española considerable, que igualase las
probabilidades del que llaman azar de las armas. Ningún pueblo habrá emprendido jamás una guerra tan desesperada como aquella guerra nuestra contra los Estados Unidos, cuya suerte más ventajosa se
encerraba para los optimistas en la zozobra de un ¿quién sabe? Y es
seguro que el pundonor nacional, la vanagloria, el orgullo lastimado
y otras pasiones, sin el contrapeso de la sensatez de un pueblo bien
instruido, pocas veces habrán sido explotadas tan inicuamente como
las explotaron en la sazón los magnates de España, que podían optar entre la paz o la guerra. Para acabar la pérdida de Cuba (si se
quiso cohonestar el abandono con la violencia de un poder irresisti-
ble), la guerra era innecesaria; para salvar el dominio de España en
Cuba, la guerra era ineficaz, inútil; en todo caso, imposible militarmente. Sinrazones de estado, sobre las que tal vez no se ha dicho
la última palabra, dispusieron para remate de nuestra historia colonial una escena más grandiosa y convincente que el ajetreo de los
diplomáticos. Cosechadas las derrotas inevitables, pudo firmarse decorosamente la paz. Perdióse lo que nunca se pensó haber perdido;
pero el honor nacional quedó satisfecho y cumplido el sacrificio
que debíamos a nuestra gran tradición. En eso se resume aquella
increíble manera de discurrir. La piadosa ceremonia de Cartagena
vivifica nuestra dolorida simpatía por los que, en tales batallas y en
las campañas antecedentes, padecieron, mostrando las virtudes de
obediencia y sumisión alabadas por Silvela en las palabras que sirven
de epígrafe a este artículo. Ha bastado un cuarto de siglo para que
el embajador de la nación que fue nuestra enemiga venga a depo-
sitar coronas en la urna de los muertos. Es significativa su presencia. Aquella gran quijotada (así la llamaron) no fue popular, y no
engendró, por fortuna, rencores duraderos. Se hundió todo, y España
descansó de sus trabajos, incluso del trabajo de aborrecer a los norteamericanos. Don Quijote no se puso a odiar a los molinos cuando
del primer aletazo lo derribaron descoyuntado al suelo. España presentía vagamente en los Estados Unidos a los emisarios del destino.
Sabía bien que sus enemigos perdurables estaban dentro de su propia casa, pero no hizo apenas el movimiento necesario para señalarlos
con el dedo. Descansó, que era su apetencia más fuerte. El ánimo
público se rebajó hasta dar la bienvenida a las desgracias, mirándolas

como un garrotazo formidable que nos sacudía la providencia para que avivásemos el seso. De una conmoción tan fuerte, que al parecer removió lo más hondo de nuestro espíritu adolescente, sólo queda una memoria afligida, reavivada por ese ademán elegante del embajador norteamericano, poniendo flores en el cenotafio de los que sus compatriotas cañonearon. Amarga es la brevedad del triunfo, la vanidad de la gloria y del poderío. ¡Qué serán la brevedad y la vanidad del dolor y del sacrificio en la vida!

Puestos a recordar, debiéramos recordarlo todo, o lo más posible. Por de pronto, los acentos, los aullidos del vendaval que sobre nosotros estuvo soplando. Entresaco de mis papeles unas notas. Al pie de una fotografía tomada en la estación, un periódico (abril, 1898) estampa estas palabras: «La aparición de las cigarreras madrileñas, que salían del trabajo, sudorosas, desgreñadas, roncas de vitorear a España, al Ejército y a la Marina, y que tremolaban una magnífica bandera, fue de un efecto verdaderamente maravilloso y conmovedor. En aquellas nobles y valientes hijas del pueblo se reconocía la sangre de las heroínas del Dos de Mayo». Un gran diario de la mañana escribía, en enero de 1898: «Difícil es conservar y asegurar nuestro legítimo dominio en Cuba; pero muchísimo más difícil sería abandonarla. No se pierde en dos ni en cuatro años lo que sin interrupción se ha poseído durante cuatrocientos. Jamás, aunque quisiera —que no lo querrá nunca, nunca—, podría España salir de Cuba como salió de Santo Domingo. Allí estamos y allí estaremos, por encima de todo». En el mismo diario, con la firma de un gran periodista: «Querer en algún caso el abandono de la isla, para lo que no tenemos derecho, constituiría el más horrendo de los delitos de lesa patria. Eso es lo imposible, eso es lo que no será; contra eso se levantará la nación, se armaría España entera, reproduciríanse todas las hermosas epopeyas de nuestra historia...». Del mismo escritor: «No, no hay poder humano que nos arrebate a Cuba. Con más fuerza, si cabe, que los triunfos de nuestras armas, lo proclaman nuestros mismos contratiempos». Estos eran los argumentos. Veamos la estrategia. Si se rompen las «hostilidades entre nuestra nación y la llamada Gran República —escribía una revista muy popular entonces— es muy seguro que los pequeños torpederos y destroyers que hoy navegan con rumbo a Cuba causarían daños incalculables en las escuadras enemigas». Del mismo semanario: «Prudente ha sido la larga escala hecha en el archipiélago por los tor-

pederos y destroyers que manda el bizarro Villamil; pero una vez
que esos pequeños barcos de guerra, tan temidos por los yankees,
puedan ser apoyados y sostenidos en alta mar por nuestros grandes acorazados, urge que vayan todos a la grande Antilla, desafian-
do la amenaza de los norteamericanos...». Pasemos a los insultos.
En aquella revista ilustrada, número de 19 de febrero de 1898, hay
un grabado con el título: «Broma pesada». Un cerdo, sobre sus
patas traseras, con botas altas y chistera rayada, ofrece flores a una
chula bien plantada, «viva encarnación del espíritu patrio» (!). Re-
plica la chula: «El que no te conozca que te escuche». En el número
de 8 de abril, en torno a un retrato de don Pío Gullón, ministro de
Estado: «¿Cómo no va a ser dificultosa la inteligencia de dos pueblos tan opuestos como el yankee y el español? Esclavos nosotros
del honor, no hay utilidad ni ventura que no le sacrifiquemos; idólatras ellos del becerro de oro, no hay dique para su rapiña, ni sentimiento ni decoro alguno en su política de lucro y granjería». En
torno de un retrato del ministro de Marina: los preparativos que
se hacen en España contrastan «para honra nuestra, con el infernal
vocerío que arman los yankees al comentar las determinaciones ridículas de su Gobierno en el ramo de Marina. Sus cruceros y sus
acorazados, moviéndose de un lado a otro como chulos que guardan
la calle, sus dólares derrochados a manos llenas para comprar naves
de desecho y barcos de todas las cataduras; su ministro de Marina
mandando pintar de negro los buques de combate; todo ello y pre-
ferentemente su escandalosa publicidad, buscada a tanto la línea,
puede ser de mucho efecto moral... en las escuelas de niños, pero
en las naciones serias el efecto es contraproducente. Comparando
marina con marina, la nuestra está por bajo en número y poder de
máquinas de guerra. Pero comparando marinos con marinos, estamos a cien codos sobre ellos». ¿El Senado norteamericano?: «... ya
sabemos a qué atenernos en cuanto a la talla moral de esa gentuza...
Oradores que se tambalean al perorar después de haber buscado la
inspiración en el abuso de la cerveza». ¿Los militares norteamericanos? Junto a un grabado, esta letra: «Aparece el caudillo (Nelson
Miles) rodeado de artilleros e ingenieros militares, y la verdad es
que el generalísimo y sus acompañantes parecen unos buenos sujetos que en su vida se han visto en semejantes trotes. Esta falta de
empaque bélico, de costumbres militares, es la desventaja capital
de esa poderosa nación, que a pesar de sus cuantiosos medios ma-

teriales está llamada a hacer la triste figura en la próxima guerra, porque sus soldados son milicianos, sus marinos gente de paz y sus generales hombres de negocios».

El monumento de Cartagena no estará acabado mientras no se grabe en sus piedras un florilegio como el que brindo al lector; él declara lo que las piedras, por sí, no dicen.

No todo fue, en 1898, aturdimiento, vocerío gárrulo, inexperiencia. Algunos hombres opusieron, al universal embrollo, el reparo del simple buen sentido, de la razón. Salvaron con eso la dignidad de su pensamiento libre; gracias a ellos podemos decir hoy que no se interrumpió en España el ejercicio de la inteligencia; pero su acción sobre el curso de los sucesos fue, como puede suponerse, nula. Cuando la propaganda belicosa de los periódicos estaba más encendida, Unamuno escribía: «... el pueblo nunca ha sentido entusiasmo por esta guerra, como lo sintió por el simulacro de Melilla contra el infiel marroquí, ni se ha alborotado contra el *tocinero yankee,* como se alborotó contra los alemanes cuando las Carolinas. En las honduras del espíritu público, que no conviene por lo visto reflejar a los órganos de la opinión, hay conciencia de la culpa nacional y ninguna fe en nuestro derecho. Por donde quiera se oye en tertulias, círculos, cafés y hogares reconocer que sobran justificables móviles a la insurrección. ¿Que el declararlo es dar armas a los insurrectos? ¡Valiente simpleza! El ocultarlo sí que es agravar nuestra causa, nada simpática en general en Europa, aunque tratemos de negarlo, siguiendo la costumbre nacional —y de la nación, reflejada en los gobiernos— de mentira y trampa adelante». Si don Miguel hubiese tenido entonces la notoriedad y la autoridad que ahora tiene, el odio del público superficial se habría condensado sobre su cabeza, como se precipitó sobre Pi y Margall; filibustero, traidor, español renegado: tal parecía el gélido don Francisco a los usurpadores del patriotismo. (Pi y Margall siempre se ha hecho insultar, dicho sea de paso, a causa de sus ideas o de sus virtudes que más han estorbado en cada momento.) En víspera de la guerra, Pi y Margall, pues, insistía en su doctrina: «Perder la isla de Cuba, se exclama, ¡qué vergüenza! No la hay en darse por vencidos cuando quedan aún medios de luchar. La hay en ajustar paces después de derrotas como la de Ayacucho, que nos puso a merced de los vencedores. Cuba tiene derecho a que se la emancipe. No se adquiere la propiedad de los pueblos conquistados ni aun por la prescripción de siglos. Estoy decididamente por la independencia de Cuba. La aconsejan a la vez el derecho y la salud de la patria».

Estos, y otros pocos hombres, no necesitaron de la lección de la derrota para conocer el estado de España. Venían, cada cual en su generación, a prolongar la dilatada (tan dilatada como tenue) cadena de disidentes españoles que desde los tiempos de nuestro esplendor imperial han proferido sus protestas solitariamente. Todos se resignaron a que no les hiciesen caso. La novedad, desde el punto de vista social y como medida del auge de la inteligencia pura, en el papel de Unamuno, es que su monólogo ya no transcurre en la soledad ni es murmurado en un corrillo de adeptos. El español más escuchado dentro y fuera de su patria es precisamente un español no conformista; es la primera vez que eso ocurre. Pero dejando a los hombres que no necesitaron de las derrotas de 1898 para descubrir la decadencia (o lo que fuere) de España, notemos, por su generalidad, cierto rasgo en la reacción sentimental que sucedió al desastre: es el desencanto, la desilusión, el chasco. Parecía que los españoles vomitaban las ruedas de molino que durante siglos estuvieron tragando. ¿No era, pues, verdad que formásemos la primera nación del mundo? Vean ustedes si la desolación sería fuerte en las almas jóvenes. En rigor, la culpa de ese chasco incumbía a la escuela primaria. ¡Hay tales atragantos, tales problemas íntimos, hijos del autodidactismo, que se hubieran evitado aprendiendo a tiempo un poco de geografía, un poco de historia y los rudimentos del arte de discurrir! Los que en 1898 editaron las formas populares (literarias y políticas) del desencanto nacional eran hombres inexpertos; inexpertos en el orden de los sentimientos, por ser jóvenes; inexpertos en el orden de la inteligencia por ser españoles. Importa mucho señalar este género de inexperiencia. Es típica. Los españoles no nos aprovechamos del esfuerzo ni del saber de nuestros antepasados; todo lo fiamos a nuestro escarmiento personal. Será que la cultura en España es discontinua, inconexa; será que cada generación desaparece para siempre en un abismo de olvido. Todas las que siguen pierden un tiempo precioso en averiguar por su propia cuenta lo que en llegando a la edad de la razón debieran poseer por herencia. Los españoles no heredamos ninguna sabiduría. Cada cual aprende que el fuego quema cuando pone las manos en las ascuas. Esto es primitivo, un poquito salvaje, y fastidioso en de-

masía, porque siempre hay que andar explicándole a la gente las
proposiciones más elementales. Consecuencia: la autoridad y la dis-
creción se refugian, cuando menos se piensa, en los viejos. ¡Han
visto tanto! Su experiencia sustituye a los libros; su escarmiento
suple por el raciocinio. Lástima grande; los viejos suelen haber
perdido el talento, si lo tuvieron, la energía y el desinterés; son más
irónicos y socarrones que temerarios.

Entre los viejos de 1898 que, por haber visto mucho, no les
cogió de nuevas el desastre, citemos a Valera. No es mi tipo, ni
en lo moral ni en lo literario; pero su testimonio es expresivo, además de placentero; muestra cómo en la conciencia de una generación
agonizante, que también se había visto obligada a inventar el fuego,
caían nuestras pesadumbres. Valera aconsejaba el buen sentido. Con-
templa la marcha que llevaba la guerra de Cuba, y escribe: «Poco
propicia ha sido hasta ahora la fortuna a nuestros generales, cuando
consideramos la magnitud de los medios que la nación y su gobierno les suministran; pero España no puede ni debe censurarlos; antes
conviene que los elogie y aun los bendiga, porque no desesperan
de la salud de la patria». Comenta la ruptura probable con los
Estados Unidos: «¿Qué le hemos de hacer? Pecho al agua y adelante. No hay mal que por bien no venga. Casi estoy por decir que
de todos modos saldremos gananciosos. Si somos vencidos, perde-
remos pronto a Cuba, sin aburrirnos y cansarnos durante tres o cuatro años en perseguir a nuestros enemigos trashumantes. Y si sali-
mos vencedores, que todo es posible con el favor del cielo, donde
aún conserva y cuida Santiago su caballo blanco y sus armas, entonces se corregirán muchísimo los yankees, porque se les bajará el
orgullo, que es su mayor falta». Terminada la guerra, Valera conserva su buen humor impunista: «Menester es resignarse: no hay
otro remedio. ¿Qué ventaja pueden traernos ya las recriminaciones?
Concedamos que ha habido culpas, cuyo castigo ha sido nuestra derrota; pero los culpados han sido y son tantos, que lo más prudente
no es la absolución, sino la amnistía; olvidar lo que ya pasó, como
se olvida el más terrible sueño, y hacer vida nueva. Exponer aquí
cómo debe ser esta vida, es empeño superior a mis facultades men-
tales, y creo que también a las de no pocos que han tomado el oficio de regeneradores, y que recitan discursos y escriben libros terapéuticos». Lo que más necesita la patria enferma es, en su sentir,
reposo. Ya en el prólogo de *Morsamor* declaraba Valera que él se

proponía tocar la zampoña, así como don Quijote, vencido, determinó hacerse pastor.

La mayor parte de España comulga en la incredulidad senil y burlona de don Juan Valera; gravoso desquite de la sabiduría.

LA JUSTICIA EN LIBERTAD

Diez años hace, la casa de las Salesas, llamada en estilo oficial (que también se adorna con imágenes) palacio de Justicia, ardió. Si fue maldición de un litigante perdidoso, decreto espontáneo de la providencia, o ardid de drama policíaco (alguien lo dijo en la sazón) para destruir unos papeles comprometedores, no se sabe. El fuego vino de pronto a dar humazo al curial. De sus madrigueras salieron aquella mañana enjambres de seres haldudos, verdinegros, resecos, que revoloteaban por la plaza como murciélagos. Nunca habían visto la luz solar. La llama purificadora, entrándose por las escribanías, prendió en los miles de fojas apiladas en los plúteos, y abrasó los tesoros de la caligrafía procesal. El público, compuesto de litigantes probables, lo tuvo por buen augurio. ¿Se acabarían el alguacil alguacilado, el escribano ratera, el oidor sordo y los demás personajes que desde el año del primer juicio ofrecen sus estrechos ijares a los lanzazos de la sátira? Esperanza loca. La curia chamuscada depositó sus larvas en otros nidos, esperando que le rehagan su casa principal. Tenía que suceder. Un pueblo no puede estar sin justicia, y ya que la función se interrumpa o se extinga, se ha de conservar por lo menos el órgano. Puede regenerarse y medrar. ¿Traerá este año de gracia, en que todo lo español se remoza (parece que nos han quitado cien años de encima), un florecimiento tardío de la virtud? Téngase por seguro. En la nueva casa de los Tribunales, cuando esté concluida, no sólo se prohibirá escupir, fumar, blasfemar, pedir limosna y escribir letreros en las paredes: ni se llevará cohecho ni se torcerá derecho. Podríamos decir, empleando una imagen impropia, que la toga recobrará su prístina blancura.

Poseemos una terapéutica social que parece inventada por Molière. La justicia se regenera a sí misma, porque tiene «virtud regenerativa». Los que no gusten del lenguaje figurado leerán, donde dice justicia, organismo curialesco encargado de dar a cada uno lo que es suyo. Otros cuerpos del Estado, no más podridos, sufren un tratamiento impuesto desde fuera; aceptan, como remedio heroico, la mutilación; o se ponen en manos del ortopédico, que para corregir las deformidades aparentes, los encaja en una armazón rígida. El caso de la justicia es singular: el arrepentimiento y la penitencia, la innovación en las costumbres se operan y cumplen por una fuerza puramente interior y espiritual, que hasta hoy ha estado como represada y oprimida en el pecho de los juzgadores. Ha bastado que una voz poderosa diga: ¡Levántate y juzga!, para que la justicia resurja, fresca y virginal, como si nadie hubiese pasado sobre su cuerpo. Los tres magistrados de la comisión depuradora, pensándose a sí mismos, crearán un alma, que, como emanación suya, vivifique, escalón por escalón, a toda la jerarquía. Cuando el patán redomado que en las aldeas suele empuñar la vara de la justicia sienta flotar y oponerse en su espíritu los conceptos insólitos de prevaricación y rectitud, el prodigio se habrá cumplido. Es una reedición de la primera escena del drama del Paraíso: en un puñado de barro entra un alma nobilísima, imagen del creador.

Averíguase ahora que la justicia no está corrompida, sino presa. Malos encantadores la tenían hechizada; andaba la magistratura como la señora Belerma, ojerosa y pálida, en las praderas subterráneas de Montesinos, llevando en una toalla el amojamado corazón de sus amores. La hechizaban los políticos, los caciques, los ex ministros; y si eran ex ministros de Gracia y Justicia, su poder mágico se hombreaba con el del sabio Merlín, de estirpe diabólica. La verdad es que sus señorías se lo tenían bien callado. Nunca hemos oído salir de entre los siete durmientes del dosel una voz: «¡Socorro, que me corrompen! ¡Socorro, que me sobornan!». No; nunca los hemos oído gritar. Pero acaso la mudez fuese un efecto del hechizo. Siempre nos ha costado trabajo creer en el forzamiento de la voluntad, menos coercible que el cuerpo. Recuérdese el ejemplo del gobernador de Barataria al sentenciar en el caso de la mujer forzada por el ganadero rico. «Hermana mía —dijo Sancho a la mujer, que no se dejaba arrebatar una bolsa de dinero—, hermana mía, si el mismo aliento y valor que habéis mostrado para defender esta bolsa, le mostrásedes para defender vuestro cuerpo, las fuerzas de Hércules no os hicieran fuerza.» No adivinamos lo que habría sentenciado Sancho en este pleito de la justicia desencantada; desprovisto de técnica, aunque iluminado por el buen sentido, Sancho fracasó como gobernador, y sus fallos no han sentado jurisprudencia.

CACIQUISMO Y DEMOCRACIA

España es un país gobernado tradicionalmente por caciques. En esencia, el caciquismo es una suplantación de la soberanía, ya sea que al ciudadano se le nieguen sus derechos naturales, para mantenerlo legalmente en tutela, ya que, inscritos en la Constitución tales derechos, una minoría de caciques los usurpe, y sin destruir la apariencia del régimen establecido, erija un poder fraudulento, efectivo y omnímodo, aunque extralegal. En ambos casos, la injuria contra la personalidad humana es la misma. El pueblo, única fuente de la autoridad, que siempre ha de ejercerse por delegación de la mayoría, pierde toda participación eficaz en el gobierno. La oligarquía, como sistema, y el caciquismo, como instrumento —exclusión de la voluntad de los más—, son anteriores al régimen constitucional y al sufragio y han persistido con ellos; la oligarquía fue nobiliaria y territorial; hoy es burguesa y, en su núcleo más recio y temible, capitalista, aborto de la gran industria y de la finanza. El cacique local, ejecutor de las arbitrariedades y defensor de los intereses de la clase a quien sirve, no ha variado apenas de fisonomía ni de sentimientos. Desde el punto de vista de los oprimidos, la diferencia es nula: gimen hoy, como antaño, bajo el déspota de su lugar. El nombre, la alcurnia, el título legal del cacique, les importan poco; lo mismo les da que no haya instituciones de garantía, como no las hubo en la monarquía absoluta, o que las corrompan o no funcionen. El cacique ha perdido su abolengo tradicional, ha dejado de ser un eslabón en una jerarquía histórica, para convertirse en enemigo del derecho, secuestrador de la libertad. Pero es absurdo hablar del caciquismo como de una consecuencia natural de la democracia, o del sistema parlamentario. Sólo en democracia podía plantearse el problema de moral política que llamamos caciquismo. Siendo una usurpación de derechos y un ultraje a la conciencia individual, mientras los derechos no estuviesen reconocidos ni proclamado el respeto a la conciencia, base de la ley, la deformidad no podía ser vista como tal. El sistema antiguo, fundado en el privilegio, se amoldaba a la estructura caciquil. Al declararse la igualdad legal y la participación —aunque indirecta— de todos en el gobierno, el caciquismo, reminiscencia del espíritu de dominación, aparece enquistado en el cuerpo político, que pugna por expelerlo. El cacique nos escandaliza porque la conciencia pública es más sensible que hace cincuenta años.

Algunos escritores antiliberales —muchos lo son, pensando no serlo— disimulan, bajo sus campañas contra el caciquismo, un ataque a fondo contra la democracia. Por encima de la cabeza del cacique, esos propagandistas disparan sobre los ciudadanos. La lógica debiera obligarles a empezar negando que el cacique sea el mayor enemigo de las libertades públicas. Para suprimir el caciquismo, proponen una restricción de la soberanía, que vale tanto como matar al enfermo para quitar la enfermedad. Cualquier régimen político de base aristocrática que se instaurase en España vendría a ser —no hablemos de las objeciones de principio— el reconocimiento legal de la fuerza de los caciques; el poder que hoy usurpan, lo acapararían fundándose en la Constitución. Sería un ejemplo de estúpido conformismo, que se vuelve de espaldas a los problemas cuando no acierta a resolverlos. Si el liberalismo luchó por arrancar a la monarquía absoluta una declaración de derechos, ahora tendría que luchar —con las mismas razones e iguales armas— por realizarlos. El rey neto se ha pulverizado en infinitos régulos de aldea, que son los amos del lugar por derecho divino —o infernal. El *quid* de una política anticaciquil no es arrojar de la vida pública a la mayoría de la nación, sino prestar garantías de libertad, minando la base económica y la base moral en que estriba el poder de los caciques.

Madrid no es el foco del caciquismo, como el vulgo pretende, ni exporta caciques. Una cosa es la oligarquía parlamentaria y burocrática, a sueldo de la gran oligarquía de traficantes que constituye el tronco de nuestro cuerpo político, y otra la mesnada de reyezuelos aldeanos que guarnecen el suelo nacional. Se sirven mutuamente; en rigor, podrían existir la una sin la otra. Basta el gobierno de partidos para engendrar la oligarquía parlamentaria; y en otros países, donde el pueblo es menos indiferente o está menos aterrorizado por los caciques que en España, la oligarquía, afianzada en los grandes monopolios, existe. Y a la inversa: suprímanse las Cortes en España, o el sufragio universal, ¿qué habría perdido el cacique? Unos cuantos quebraderos de cabeza, en viéndose libre del apuro de sus combinaciones electorales. El caciquismo viene de abajo arriba. Es un arrecife de coral. Cuando el político emerge en Madrid, coruscante, vanidoso como una tiple, sienta sus pies en un pedestal de roca. Lo que menos le importa al pedestal es la catadura del figurón a quien encumbra. La fría serenidad con que el cacique «se vuelve», los pretextos que toma para estar farruco o de paz, podrán confundir a quien observe estas realidades desde la torre de unas ideas. Pero, en la órbita del cacique, su proceder corresponde a una técnica prodigiosa, infalible, encaminada a este resultado: mandar, ser el amo en su pueblo. Él no entiende de «alta política», como suele decir. Donde no cuenta votos, se le acaba el mundo. Y el jefe tiene que servirle a ciegas, aunque cueste lágrimas o sangre o dinero el servicio que presta; tiene que acreditar todos los días su influencia; de otra manera, la roca se hundiría bajo sus pies, por escotillón. La divisa del cacique es una parodia de la sentencia del marqués de Lombay: «Nunca servir a señor que lo puedan derrotar».

Se dirá: si no hubiera políticos que amparasen a los caciques, no existiría el caciquismo. Es un error, implicado en el supuesto de que el caciquismo es invención reciente, producto artificial de la industria electorera, cuando sólo es supervivencia de un régimen primitivo y de horda. El cacique sirve con los votos, porque el sufragio es la máquina del poder legal; y acapara los votos, subyuga al elector, porque el voto libre es su enemigo, la amenaza más terrible para su dominio. Implántese otro sistema de representación, y el cacique lo atacará en su raíz, corroyéndola, como ha corroído la del sufragio. El poder del cacique es anterior a cualquier constitución, a toda urdimbre política. La contienda electoral no pasa de ser un episodio en la lucha tenaz del cacique por su cacicato. Lo más negro de la actividad del cacique está en la sorda opresión cotidiana, que raramente suscita ecos en la prensa, en las Cortes; opresión que fructifica en votos, porque se los piden; si no hubiera elecciones, la opresión sería la misma, y el cacique se ahorraría el albur que corre al desplegar sus fuerzas en línea de batalla. La razón es que a los pies del cacique hay siempre un grupo de hom-

bres sin libertad. No se les redimirá con una simple reforma de
la ley electoral. El cacicazgo se funda principalmente en dos bases:
económica y profesional. La propiedad del suelo; un poco —o un
mucho— de dinero disponible, y la prestación de algunos servicios
necesarios, como la asistencia médica, son las argollas más recias
que emplea el cacique. Los jornales que se dan o se niegan, la fanega de trigo para el pegujalero pobre en el rigor del invierno, la
carga de leña en el monte, las tierras que se arriendan al leal y se
quitan al traidor, y el recibo usurario, renovado siempre, aseguran
su poderío. La mayor parte de los cacicatos españoles están creados
por la usura; y así, la ambición de mando, la audacia, la soberbia,
que originalmente mueven al cacique, se aceran en la rapacidad del
prestamista. Lo que no da la riqueza, puede darlo el ejercicio de
la medicina. Sería injusto decir que todos los médicos rurales son
caciques; pero los más de los caciques son médicos. Es imponderable la fuerza social de esta clase. Y si el hombre no es bastante generoso, bastante desinteresado, no tarda en convertir su influencia
personal en predominio político. Entonces emplea los cuartos ahorra-
dos en el ejercicio de la profesión, en echar los cimientos económi-
cos de su cacicazgo. Lo que el prestamista o el médico no toman
para sí, suele disfrutarlo el cura, porque también, ¡válganos el cielo!, los hay muy poco evangélicos. Tal es el cepo en que yacen los
pueblos; pretender que se rompa con arbitrios electorales, sería
demasiado candor. Las elecciones purísimas, donde «el personal»
—como dicen— vota rigurosamente, suelen ser las más falsas; prueban que la sumisión es profunda.

Este bosquejo del sistema caciquil sirve para explicar por qué
la lucha contra el cacique venía convirtiéndose velozmente en una
lucha social, en batalla de clases. El cacique es un pudiente. También lo es su rival, caudillo del bando contrario, que si no está en
el poder, vocifera contra el caciquismo, pero no se propone más que
sustituir a un cacique por otro. El combate serio contra el caciquismo lo sostienen las organizaciones de braceros y de pequeños labradores, que amenazan cegar la fuente de su poderío. Esto es decir
cuán insegura y débil es aún el arma que podría matarlo, pero luchan en buen terreno. Pugnando por la emancipación económica y
el perfeccionamiento social, esos gérmenes de la democracia campe-
sina destruyen el artificio de las banderías políticas y desenmascaran
a los aliados del cacique. Donde la sociedad obrera es pujante, los

bandos caciquiles suspenden sus guerras y se conciertan contra el enemigo común. El juego político que se desenlazaba cómodamente sobre las espaldas de los siervos, se interrumpe en cuanto los pobres se yerguen, aunque sólo sea con la modesta pretensión de hacer valer sus mayorías en los poco enredosos problemas de la vida municipal. Al punto, el cacique busca a sus iguales, y a quien no acepta esta solidaridad, se le acusa de traición. Este es un nuevo deslinde de parcialidades. En él se descubre el verdadero propósito de la oligarquía parlamentaria cuando amparaba a los caciques. Nada más urgente que destruir el caciquismo; pero no nos engañemos sobre lo que representan los caciques. Cualquier reorganización municipal, cualquier mecanismo electoral que alicorte a las balbucientes democracias de los pueblos, devolverá al cacique su invulnerable seguridad, convirtiéndolo en piedra angular de la nación.

GRANDEZA Y SERVIDUMBRE
DE LOS FUNCIONARIOS

No hay en España un tipo único y común de funcionario. Desde el temporero trashumante, encarnación de la incertidumbre en la vida, hasta el empingorotado jefe de administración, colaborador en las obras ministeriales; desde el oficial que sirve para todo, hasta el facultativo atiborrado de tecnicismo, las especies varían, no sólo de un «ramo» a otro, de ministerio a ministerio, pero en cada oficina, según las carreras, los escalafones y hasta las categorías. Uno es el empleado inamovible en Madrid y otro el que reside en provincias; uno el que trabaja entre compañeros, y otro el solitario, confinado en algún poblacho fastidioso. Decir de un hombre que es empleado público, no previene nada de su origen, ni de sus miras; nada de su moral, ni de sus recursos, ni de su instrucción, ni de la clase a que pertenece. Contiguos en el escalafón, y ocupados en el mismo trabajo, pueden estar el señorito acomodado y el paria del balduque; un escritor de nota y un cretino semianalfabeto. Cuando se habla de los empleados públicos, aunque sea para azuzar patrióticamente en contra suya a la opinión, se piensa en un dechado fabuloso, que asume todos los vicios imaginables, incluso los que ya no lleva nadie. Hay sociólogos al por menor que arrojan sobre los funcionarios la balumba de la holgazanería nacional, para que la soporten solos, y execrarla en sus personas. Cualquier español puede abominar del estado, menos los funcionarios, que han de responder por él y dar la cara.

En el funcionarismo español se mezclan todavía tipos muy desemejantes; el resultado es confuso; imposible establecer de antemano la jerarquía social del empleado. Atengámonos al que vive, por modo perpetuo y único, del producto de su función. Es un proletario, aunque él no lo sabe, o no quiera saberlo, porque está infectado de señoritismo. En el curso de un siglo, los empleados españoles han sido, más que otra cosa, secuaces políticos, que granjeaban una credencial al advenimiento de su partido. Ni el trabajo, ni la competencia, ni el espíritu profesional los ligaban a su función; convertían el sueldo, «la paga», en renta, a fuerza de no haberla merecido y de no ganársela. En la vida sórdida de la sociedad española, al mediar el siglo pasado, cuando la burguesía, asaz pobre, y aún más pacata que pobre, se congregaba en torno del brasero a jugar a la lotería de cartones, una credencial confería un rango que hoy ya no se alcanza con los destinos. Ha variado la forma de obtenerlos; son más difíciles; admitamos provisionalmente que la política no los acapara. El funcionario está adscrito de por vida a su función; es una ventaja: ya puede comprometerse en una casa de huéspedes como «caballero estable». Pero se ha empobrecido año tras año, a compás del encarecimiento de la vida, desde que hace *tres cuartos de siglo* se establecieron categorías y sueldos, vigentes aún en mucha parte; el brusco descenso del valor del dinero en estos últimos seis años, ha concluido de reducir al empleado a una situación miserable. ¿Cuál sería hoy la equivalencia de los cuarenta mil realazos que se asignaron a 1852 a los jefes de administración, y que todavía se cobran en esa categoría? No menos de treinta mil pesetas. Mirando los sueldos en relación con el costo de la vida, los funcionarios, desde el más alto al más bajo, cobran dos terceras partes menos que sus antecesores cobraron al publicarse el decreto de Bravo Murillo. Son, pues, un grupo social decaído. El caso es único entre todas las profesiones. El último abogadillo picapleitos se ríe hoy de las minutas que cobraba don Manuel Cortina, famoso letrado y político del siglo xix. El estado no ha querido o no ha podido ir aventajando a sus funcionarios para sostenerlos en el nivel económico, intelectual y moral, que se propuso darles; pero el estado mismo reconoce la injusticia de su proceder. Prueba: a los empleados que no cobran sueldo sino honorarios, les ha otorgado aumentos en los aranceles, que con la profusión de negocios resultante de la mayor riqueza, mantienen, cuando no elevan, la posición de los así favorecidos. El estado es generoso con sus funcionarios si la carga de la generosidad recae directamente sobre el bolsillo de los particulares; pero mezquino, avaro, con los empleados inscritos en nómina. Hay funcionarios sometidos a un arancel que ganan diez, quince o veinte mil duros al año; y otros, con la misma preparación, mayor responsabilidad y más trabajo (por ejemplo, los jueces), han de satisfacerse con seis o siete mil pesetillas y la esperanza de cobrar en la vejez doce o quince mil. Lo menos que puede decirse de este régimen es que no tiene sentido común. El estado ha convertido la profesión de empleado en un modo de vivir que no da para vivir.

La pobreza del tesoro no es la única ni la principal razón de esa conducta. El estado ha venido a suponer que el funcionario público era siempre «un hombre que tenía además otra cosa». Impelidos por la necesidad, los funcionarios han procurado hacer bueno aquel supuesto. Y a la inversa: cantidad de señoritos acomodados, que no necesitan del sueldo para vivir, se han metido en la administración pública, por el bien parecer, por no estar ociosos, tomando el empleo como una especie de clase de adorno. Y el estado, que se las echa de pobre, en lugar de disminuir los empleos, mejorando las capacidades y elevando el rendimiento y la remuneración, ha fabricado destinos inverosímiles, para contentar al mayor número de clientes sin satisfacer plenamente a ninguno. Al paso que los ministros se «ataban las manos» en punto a cesantías y traslados; mientras en algunos cuerpos facultativos el ingreso seguía siendo penoso, tardíos los ascensos y la competencia probada, se multiplicaban las delegaciones y comisarías, los institutos y patronatos, distribuyéndose los empleos sin otra garantía que la buena fe de quien los daba. Lo moderno era atenerse a la especialización anterior de los candidatos, que ha consistido muchas veces en simples formas inéditas de la pedantería.

¿Qué ha perseguido el estado con su desidia? Matar en germen el espíritu corporativo y profesional; reclutar adeptos al sistema político en vigor. La intromisión de los paniaguados en los empleos es el mayor estorbo para todo progreso gremial y de clase, y en definitiva, para el progreso de los servicios públicos. Obtienen por favor y detentan por capricho una función que otros —los más— conquistan y desempeñan por necesidad y con trabajo. Los ánimos no pueden ser iguales; y mientras el funcionario sujeto económicamente a su empleo propende a considerar las desventajas de su condición de asalariado, el señorito pincha-nóminas es un «amarillo» en servicio permanente; no se espanta de su relajación personal, pero una demanda colectiva, una protesta, se le antojan profanaciones sacrílegas o actitudes de mal gusto. Por otra parte, los funcionarios en general no adquieren conciencia perfecta de su posición, porque el estado les permite infringir, si tal es su voluntad, el contrato de trabajo. El estado es un patrono que paga mal. El funcionario puede hacer, en ciertos casos, un sabotaje metódico, hasta equilibrar el esfuerzo y la recompensa. El estado se desquita, de tiempo en tiempo, con arranques de soberana arbitrariedad. Este sistema, fundado en una imprudente alternación de la lenidad y las represalias, es detestable. Si se establece, no ya un rigor fiero y amenazante, sino un régimen de colaboración honrada y de respeto mutuo, exigiendo a cada cual lo que humanamente puede prestar, los beneficiados serán los mismos funcionarios. Las oficinas públicas vomitarán a todos los deportistas que hoy las invaden y que seguirían invadiéndolas mientras la función no les pesase. Y los que permanezcan sentirán, con la gravedad de la carga, aumentar su responsabilidad pública, y se robustecerá su conciencia de clase. Estoy convencido de que el estado sólo puede obtener de los funcionarios el acatamiento y la puntualidad externos. La verdadera reforma de las funciones públicas tendría que ser obra del espíritu corporativo y de las organizaciones profesionales, empezando, claro está, por el adelanto moral y técnico de los asociados. Para que puedan hablar alto, es menester que los funcionarios desarraiguen la opinión, demasiado extendida, de que son holgazanes o mendigos.

He observado en muchos funcionarios un estado de espíritu desconsolador: es el tedio, la fatiga que produce una prolongada inacción de la inteligencia. Adviértase que las funciones donde es necesario discurrir por cuenta propia son relativamente escasas. Una vez aprendidos el despacho de ciertos trámites o la expedición de unos papeles, que siempre son los mismos, no hay progreso posible; el hombre se convierte en una máquina, y está predispuesto al mal humor y a los reniegos; como si en lugar de ir tirando suavemente del hilo de este artículo me obligasen —trabajo más fácil— a copiar infinitas veces una cuartilla. Los funcionarios suelen vivir desengañados de toda forma, de toda novedad; profesan un escepticismo sarcástico. En las condiciones actuales —en la que fueron actuales hasta ayer— la razón está de su parte. Saben que los nubarrones más negros se disipan; que el tiempo más despejado es inseguro. Conocen la esterilidad de la iniciativa. Han visto encenderse de fiebre un ministerio cuando al ministro «le da por trabajar», o por «pedir cosas», y a los pocos días caer en una inamovilidad glacial. Han visto amontonarse sobre la mesa los volantes, las cartas, no más que para satisfacer a un elector pazguato. Han oído, en presencia del recomendante, los más urgentes apremios del director o del ministro, para, en cuanto aquél vuelve la espalda, recibir otra orden: «Bueno; ¡de eso no se hace nada!». Finalmente, el funcionario, por inteligente, instruido y servicial que quiera ser, lleva sobre sí una losa de plomo; su carrera se regula por las tablas de mortalidad. El curso del tiempo lo asciende; y nada puede contra la lentitud del tiempo. La antigüedad rigurosa podrá ser un mal necesario, como el ganado híbrido, pero es un mal vergonzoso. La antigüedad podría servir para graduar los sueldos: es un disparate que confiera también los puestos y las funciones. Elegir a los más aptos parece una norma elemental. Sin embargo, todo el mundo está convencido en España de que si tal norma se aplicase, el resultado sería un desenfreno del favoritismo. Para precavernos contra la corrupción, los españoles hemos tenido que renunciar al discernimiento. Cuando se vota una ley orgánica, lo mejor que de ella se dice es que provee «automáticamente» los destinos. Automático: ceguedad maquinal, clausura del juicio, palo de ciego. Lo cual no impide que un juzgado lo regente un pillo, que una dirección general caiga en manos de un animalucho soberbio, o que una jefatura de obras públicas esté bajo la férula de un perdis. Quisiera yo saber cuántas personas, que no sean el estado, someten su vida privada o profesional a normas automáticas. De nosotros se dirá: estos españoles no merecieron usar de la inteligencia.

Por vía de conclusión voy a proferir una sentencia absurda: al reorganizar los servicios del estado, deben hacerse principalmente dos consultas: la del público que los frecuenta y la de los funcionarios que los mantienen. Y añado, con riesgo de atraerme la animadversión de las personas sensatas: es de interés primordial para los españoles el que el estado acapare (en lo posible) los mejores ingenieros, los mejores médicos, los mejores letrados, disputándoselos a la industria privada y a las profesiones libres. Abaratar la administración no es criterio admisible, porque mientras siga siendo defectuosa e incapaz, por poco que cueste, será muy cara. Y en punto a baratura, ahí están, como planteles, los asilos de ancianos, donde habrá muchos que por el jornal de un bracero se presten a ser consejeros de estado.

UNO MUERE POR TODOS

> «... con lo que vos sabéis de latín y
> retórica, seréis singular en el arte de ver-
> dugo.»
>
> QUEVEDO: *Vida del Buscón.*

Si la pena de muerte es ejemplar, como dicen, reconózcase que pagamos a buen precio la ejemplaridad. Nunca he dejado de matar al prójimo por miedo al patíbulo. Pero mi experiencia personal nada vale contra los argumentos sacados de la filosofía. ¿Danza la imagen del verdugo en la mente de los asesinos? Es dudoso. Y aun no han proferido esta confidencia los más versados en el Código penal: «Yo le sacaría a usted el redaño, pero, ¿y si me ahorcan?». Falta la prueba del escarmiento, pues el único escarmentado se va al otro mundo, sin más ocasiones de hacer bueno el refrán. No importa; la pena de muerte se cumple en razón de su ejemplaridad. En mis tiempos se hablaba del «orden jurídico perturbado». A su merced del orden jurídico, cuando se perturba, han de propinarle unos calmantes atroces. El sacrificio del reo cobraba una significación universal. Nosotros decimos que el cangrejo es un crustáceo, pero él no lo sabe; tal es la ciencia. El criminal, dándose al palo, restauraba (también sin saberlo) la armonía del derecho; tal es la metafísica. De estas alturas vertiginosas hemos descendido al llano de la utilidad; hemos echado pie a tierra. Al reo se le mata para que otros, por puro espanto, dejen de matar. Consecuencia: la pena es valiosa en cuanto se publique. Si ahorcaran a escondidas, suprimido el ejemplo, ¿a quién aprovecharía el garrote? A nadie. Hoy veo los periódicos hechos carteles patibularios, de esos que enseñan por las ferias los recitadores vagabundos. El verdugo en primera plana nos descubre las entretelas de su corazón de verdugo; la capilla y los exhortantes, la misa y los reniegos, el cadalso, la argolla y los alaridos, todo está presente... ¡Oh! ¡Qué horror tan frío! ¡Qué crueldad! ¡Qué aliento nauseabundo! ¿No quedan maltrechos el gusto, la razón, los sentimientos piadosos? No. Subido es el precio, pero justo. El relato nos atormenta para que el suplicio fructifique en bienes morales. El espanto no es más que la garantía de la ejemplaridad, y el asco su desquite.

Venimos de un siglo humanitario que había desacreditado la pena de muerte. El ejemplo del garrote se difundía poco porque faltaban medios de publicidad, o eran muy lentos. El patíbulo ejercía un prestigio puramente local. Estábamos a punto de abolir, ya que no la pena, el verdugo (único funcionario, por cierto, que no tiene horas fijas de oficina); y habíamos encerrado en el secreto del patio de la cárcel las ejecuciones capitales. Ahora, con tantos medios velocísimos y baratos de propagar las noticias y de reproducir los espectáculos, la pena de muerte, o con más exactitud, el acto de cumplirla, recobra la importancia social que iba perdiendo. Se acabó el recato. Los muros de la cárcel se transparentan. La telefonía sin hilos, el cine, y las rotativas pondrán inmediatamente al alcance de nuestros sentidos la espantosa escena y someterán a nuestro juicio de hombres profanos los perfiles del arte de ahorcar. Apreciaremos el tino del verdugo, su tranquilidad, la sutileza con que manipula. El cadalso, emblema de nuestro siglo, será el más formidable instrumento de acción moral que se haya conocido. Desaparecerá, andando el tiempo, la pena de muerte; no, como habíamos creído, porque obtengan su abolición los hombres sensibles, pero en virtud del empedernimiento general. Cuando la muerte en garrote se nos antoje un baño tibio y desdeñemos lo que el reo padece, el cadalso habrá cumplido su misión, y podrá convertirse en un peligro. Ya no será ejemplar. Le nacerán aficionados; esa emoción terrible, por la fuerza del hábito, se trocará en necesidad; de saciarla sacaremos placer. Los legisladores futuros, atentos a la cura de almas, en lugar de imponer la pena de muerte, tendrán que prohibirla.

En las gradas del patíbulo chocan la caridad y la ley. La persona del reo, esto es, su cuerpo y su alma, no pesa en el conflicto. La ley se nos da por la dureza de nuestro corazón; la caridad cumple unos ritos trascendentales y cede el paso al rigor. Es preciso que

alguien sofoque, con su propia vida, la alarma social; la función del
reo es emblemática, representativa, pero esta idea no ha penetrado
bastante en los candidatos al suplicio. Algunos conservan hasta última hora el amor carnal, el apego a la vida, la secreta idolatría de su
persona. Años hace que un reo, al salir de la capilla, exclamó: «Que
hagan conmigo lo que quieran... pero acaben pronto». ¡Qué renuncia tan fuerte en esas palabras! «Hagan conmigo lo que quieran...»
Es entregar lo que más se ama, entregarse, como un pelele, en poder de unas manos mortíferas, y recordar en un segundo todas las
caricias gustadas en la vida. La caridad fracasa en ese trance, como
fuerza auxiliadora, para no socavar la ley. En la lógica de los sentimientos cristianos estaría el no ajusticiar a nadie en pecado mortal.
No puede ser. Los reos incurrirían en el ardid de la blasfemia continua, ganándose un indulto forzoso, con menosprecio de la autoridad legal. Los Hermanos de la Paz y Caridad comulgan por el reo,
cuando se niega a comulgar. El ardor caritativo debiera llevarlos a
sustituir en el banquillo al agonizante sano. Tampoco puede ser. La
caridad inflamada destruye el orden cívico. Ha de triunfar la ley.
El pueblo, tan extremoso, pondera en estos términos cualquier des-
amparo: «No le salva ni la Paz y Caridad».

Los reos en capilla no se confiesan ya cristianamente. La confesión no era peligrosa, pues las revelaciones más comprometedoras se
ahogaban en el secreto de la conciencia sacerdotal. Los impíos desde-
ñan los auxilios del cura, y van a contarle al juez una porción de
historias. Si los reos contraen el hábito de las revelaciones postri-
meras, y lo sostienen mientras la sociedad mantenga el hábito de
ahorcar, lo peor que puede ocurrirle a uno es que le ahorquen a
un amigo, a un amigo falso, infiel, que nos gaste la broma pesada
de levantarnos una calumnia mortal. Un ahorcado hará ciento.

MADRID

Madrid no me inspira una afición violenta. Si el amor propio de los madrileños no se irrita, añadiré que Madrid me parece incómodo, desapacible y, en la mayor parte de sus lugares, chabacano y feo. Es un poblachón mal construido, en el que se esboza una gran capital. Se apelmaza en unas costanillas, en unos derrumbaderos, en lo alto de unas colinas (yeso de Vallecas, guijarros puntiagudos, sol de justicia) y no se atreve a esparcirse, a salir de sí mismo. Su gran Coso (Prado-Castellana) es como una plaza de pueblo, a la que baja Madrid a verse, a contemplarse; no le sirve para ir a parte alguna; la Avenida de la Libertad (así la llamaron unos concejales republicanos) desemboca, igual que otras avenidas madrileñas, en un rastrojo. Más de un millón de cuerpos sudorosos se estruja en la angostura de estas calles, grita y se atropella, como infelices bestezuelas que se hubiesen dejado coger en una jaula sin salida. En Madrid lo único es el sol. La luz implacable descubre toda lacra y miseria, se abate sobre las cosas con tal furia, que las incendia, las funde, las aniquila. Por el sol es Madrid una población para Jueves Santo o día del Corpus: suspensión del tráfago, tiendas cerradas, formaciones, pausados desfiles... (y en las casas, quitadas ya las esteras, está el comedor en fresca penumbra, con las maderas entornadas, hasta que las niñas vuelvan de la Castellana). Madrid no me parece alegre, sino estruendoso. Madrid cambia menos de lo que se piensa. Cierra los ojos, lector: ¿qué ves al acordarte de la villa? La mole blanca de Palacio y unas torres y cúpulas bajas perfilándose en el azul, sobre las barrancadas amarillas que bajan al río y dominan el Paseo de Melancólicos.

Basta lo dicho para saber que no soy madrileñista. El madrileñismo es necedad importada de la periferia. Hace años, un catalán que vendía adoquines al Ayuntamiento quiso ser concejal, y en sus carteles electorales se tituló madrileñista. Idea de empresario; después la han hecho suya algunas casas de juego. Sin que el madrileñismo me ciegue, conozco que Madrid solicita al desocupado paseante con alicientes muy gustosos. Primero, en Madrid no hay nada que hacer, ni adonde ir, ni (para un madrileño) nada que ver. Segundo, Madrid es un pueblo sin historia. Una «vieja ciudad» histórica empieza por infundirme un recelo provisional que se torna en alejamiento definitivo en cuanto la historia que revela es, como acontece, apestosa de estupidez. En Madrid nunca ha pasado nada, porque hace más de dos siglos que en España no ocurre casi nada, y lo poco que ha ocurrido ha sido en otros sitios. Toda la historia de Madrid son unos besamanos y unas intrigas de cámara y alcoba regias. Con las *Memorias* de Mesonero, la *Estafeta de Palacio,* y la colección de *Crímenes célebres,* se conocen todas las fuentes de emoción de los madrileños durante siglo y medio. Entre Madrid y una ciudad histórica, hay la misma diferencia de calidad que entre la *Piazza* de San Marcos y la calle Ancha de San Bernardo. Reconozco que el no ser Madrid una «vieja ciudad prócer» es acaso el más elegante atractivo que para mí tiene este pueblo.

Como en él he de pasar la vida, quisiera verlo acomodado del todo a la honesta moderación de mis gustos. Yo no voy al teatro. Desde que los gorilas escriben comedias para los analfabetos, asistir a un teatro es acción vergonzosa de que se abstienen las personas pulcras. No voy tampoco a las tertulias, donde la amistad es rara y la camaradería irrespetuosa. No cuento en la tribu de los melómanos ni en la de los taurófilos, y ahora, por higiene corporal y mental, me abstengo de aquellas frecuentaciones a las que mi lozana juventud debió las más violentas efusiones sensuales, entreveradas de sentimentalismo exasperado. (Aludo al pasmo y arrobamiento que de mozo me producían las funciones de iglesia.) Las horas que no duermo ni leo, o me resigno al fastidio de mi hospedaje, si hace mal tiempo, o paseo solo por las calles y los alrededores de este Madrid, de día en invierno, de noche casi siempre en verano. Debo a tan inofensivo gusto una rara erudición en personas y cosas madrileñas. Conozco a todo Madrid, por lo menos al todo Madrid que sale a la calle; sé sus costumbres y la mayor parte de su historia. ¡A cuántos millares de personas que ni sospechan mi existencia pudiera yo contarles episodios secretos de la suya y demostrarles que nada hay oculto para la mirada del que callejea! Pero a un paseante le importa sobre todo la disposición y el aspecto de las calles. El reposo de la mirada y la comodidad de los pies labran la serenidad del espíritu que devanea, y permiten caminar con descuido apacible. Madrid necesita enmendarse y mejorarse para que mi único deporte me haga sufrir menos.

La condición irritable de los madrileños, así del señorito alalo como del menestral razonador y sentencioso, es manifiesta. Pero yo no atribuyo ese mal humor a un defecto de la raza, sino al empedrado. Si el Hijo del Hombre no tuvo donde reposar la cabeza, el hijo de Madrid no tiene donde posar los pies sin que le duelan. Andar veinte metros fuera de casa cuesta veinte tropezones y veinte mil reniegos y juramentos que poco a poco le agrían a uno el humor. Luego si el pavimento fuese más elástico, los cortesanos tendrían mejores modales. Pero aún nos amarga más la vida el contemplar las casas y los monumentos que a cada instante nos salen al paso. Mi existencia callejera ha transcurrido entre la aparición de las primeras fachadas «modernistas» en la calle Mayor, y la terminación de la Casa de Correos, con la apertura de la Gran Vía a manera de episodio, infortunada época de perverso gusto, que conoce los albores del modernismo y concluye, por hoy, con el triunfo del «estilo español del siglo XVII». Corresponde a la época que en lo grotesco teatral empieza al aparecer la cupletista francesa en los tablados de Actualidades y del Alhambra, y acaba en la entronización de la Maja castiza de Goya, artículo exportable, en el que ya no somos tributarios del extranjero. Esa «reintegración del gusto nacional en lo decorativo» corresponde, por otro lado, a un movimiento de ideas que va desde la desolada abjuración de lo español hace veinte años, a la xenofobia y patriotería incubadas por la guerra.

Al atravesar por esas calles, el paseante se aflige. Tantos pináculos, columnillas y voladizos, tantas líneas rotas, tantos insultos a las leyes de la proporción, tamaña arbitrariedad, tal violencia, mantienen el ánimo en susto perpetuo y nos hacen saludar con alegría cualquier caserón trivial de la calle del Sacramento, que al menos no pretende torturar nuestro gusto sometiéndolo a un canon indemostrable. Madrid, en vías de transformarse, es la capital del abandono, de la improvisación, de la incongruencia; el paseante sería feliz si viese los comienzos de una era de moderación, en que el sentido crítico, por recobrar su imperio, refrenase los ímpetus del genio frustrado y la audacia de los falsificadores, a caza de ricos nuevos.

Madrid está sin hacer porque lo hemos pensado poco. Madrid crece en libertad, como zarza al borde de un camino. Si pensásemos más en él, Madrid sería una proyección de nuestro espíritu; a fuerza de explicarnos Madrid unos y otros, acabaríamos por crearlo. Lo contrario sucede hoy; cuantos aceptan el Madrid carreteril y polvoriento que la espontaneidad desenfrenada va formando, y pretenden extraer de la pobreza triste de lo pintoresco madrileño un valor duradero, se encierran, con abnegación poco envidiable, en una perspectiva no más amplia que el horizonte de la calle de Tudescos y llevan a su espíritu, por todo fermento, un puñado de broza municipal. El apetito de una mente activa es sobreponerse al medio que la rodea, y transformarlo, adaptándolo a su norma. Mi ambición, es claro, no llega a tanto: la indolencia me retiene, y el alma de déspota constructor que llevo dentro, dormita. Pero si yo pudiese derribar Madrid (sin exceptuar la fachada del Hospicio, ¡qué diablo!) y, cediendo al insinuante Tentador, me comprometiese a reedificarlo en tres días, no iba a formarlo a imagen y semejanza de un concejal. Sin ofensa de nadie, el alma de un concejal es el último arquetipo a que uno quisiera acudir. La mente crea, por decirlo así, la realidad, y el concejal es un ser increado que se inserta en ella sin que nadie le llame y, por añadidura, la administra.

Años hace, hablaba yo con un edil no del todo mal intencionado. Le conocí de vista mucho tiempo antes de su advenimiento a la concejalía: corpacho musculoso, poca alzada, bigotes foscos y mofletes colorados. Vestido con una blusilla a rayas azules, y liado a la cintura un mandil verde, cruzaba a diario por mi calle a la misma hora, de vuelta del matadero. Acompañábale un camarada y llevaban al hombro unos dornajos, llenos, al parecer, de las sustancias innombrables de que hacían provisión para su casquería. Avanzaban con andar solemne, echando a compás los remos protegidos por gruesos zapatones, y departían en un castellano cazcarrioso, difícil de reconocer bajo aquella prosodia de la periferia. Pasado algún tiempo, le vi una noche en el palco municipal del Español: más gordo, con piedras preciosas en los dedos, raya hasta el cogote y mostachos corniveletos, mal domados por las tenacillas. Era cacique electorero, miembro de no sé qué partido histórico y primera vara del Municipio. Pasaba por ser un tipo madrileñísimo y él se lo creía. Ante todo, estaba por Goya, y con ferocidad de hiena pugnaba por desenterrar el cuerpo del pintor para llevarlo a la margen del río, donde, a su parecer, se pudriría más a gusto, arrullándole el sueño los pianos de la Bombilla. Era entusiasta de la banda municipal, cuando aún nos la envidiaba el extranjero, y todos los veranos, durante la época de su mando, organizaba por Santiago un desfile de la «histórica guardia amarilla», tropel de bigardos que daba escolta a una procesión de barrio, ofreciéndonos un trasunto emocionante de nuestras vetustas glorias. En cuanto me aventuré a decirle que las verbenas son fiestas horrendas, tan faltas de amenidad como sobradas de aceite frito, se enfadó y me echó el fallo, llamándome intelectual, con lo que me di por muerto en su aprecio. A pesar de este fracaso, podría rehacerse Madrid metiendo en el cerebro de sus cachicanes lo que otros han pensado. Ninguna imposibilidad racional se opone a ello. Si el filósofo animaba una estatua acercándole una rosa a la nariz, podría probarse a poner un entendimiento concejil al alcance de una idea; por mucho que digan, acaso le hiciera tanto efecto como al bloque de mármol la fragancia de la flor. La dificultad nace del número. Tan enteco y desmedrado está Madrid que no es capaz de digerir y asimilarse el aluvión irrestañable de seres «primarios» que de todos los ámbitos de la Península viene sobre él y le pasa por encima. «Todos los días entra un tonto por la puerta de San Vicente», se decía antaño; el cómputo, establecido acaso por un timador, me parece fraudulento; pero aun siendo exacto, Madrid no tiene solera bastante para ennoblecer al tonto que viene por la puerta de San Vicente ni a los que entran por las otras puertas. Madrid no es un hogar prestigioso. Es un parador. O si se quiere, un campamento donde las generaciones se suceden como caravanas, y cada una encuentra, por todo legado de las precedentes, los tres cantos ahumados en que se pone a hervir el puchero.

Si no existe una idea de Madrid es que la villa ha sido corte y no capital. La función propia de la capital consiste en elaborar una cultura radiante. Madrid no lo hace. Es una capital frustrada como la idea política a que debe su rango. La destinaron a ciudad federal de las Españas, y en lugar de presidir la integración de un imperio no hizo sino registrar hundimientos de escuadras y pérdidas de reinos. No conoció los tiempos de esplendor. Carecía de fuerza propia, al revés de aquellas repúblicas de mercaderes que arribaban a la cultura superior ahítas de riqueza. No tuvo tampoco un tirano de gran estilo, de esos que sacian su amor a la gloria levantando monumentos. Iba a ser emporio de dos mundos y quedó reducido a sede de una dinastía de locos, albergue de millares de frailes, donde pululaban unos burgueses famélicos a quienes se permitía vivir en casuchas inmundas emparedadas entre los conventos y los palacios de la grandeza. El pueblo siempre ha estado ausente de la historia de Madrid, salvo para gritar de hambre; y salvo también aquel día, madrileño como ninguno, en que se sublevó al saber que le raptaban un infante que por casualidad era imbécil. Madrid, macerado por la pobreza y aislado del mundo, no ha conocido más gloria ni diversión que las pompas regias. Tres siglos se ha pasado comentando los saraos palatinos, los bailes de la grandeza y los entierros, corridas y bodas reales. Madrid, extasiado ante las carrozas de los reyes, admiraba el esplendor luiscatorceno de los arneses, con orgullo apenas velado por una sonrisa de superioridad benévola, como si alabase con ligereza elegante blasones propios. Y ahora que la corte se pierde cada vez más en la baraúnda de la villa en auge, nos cuesta trabajo captar la admiración y el respeto de las tribus alcarreñas.

Pero el caso es que España necesita un Madrid. Partiendo de una idea de España, Madrid se obtiene por pura deducción. Como designio, Madrid participa de la perennidad de una idea que tal vez nunca se realice.

Madrid, embarullado y sin norte en lo material, a merced de la improvisación en el ordenamiento exterior de su vida, no está menos indeciso al borde de las rutas del espíritu. Su cuerpo aumenta (¿eso es crecer?) con todo lo que, viniendo de otras partes, aquí se aglomera; pero aun no se le ve con vigor propio sobrado para echar en el suelo raíces tan profundas que no se puedan arrancar. No procede de dentro a fuera; toma lo que le dan; engulle, pero no asimila ni depura. Toda novedad superficial es posible y se le abre un crédito proporcionado a su insolencia advenediza. La mente de Madrid se despierta ahora del sopor infantil, y su curiosidad, que empieza a irritarse, se esparce en devaneos. Madrid recobra sangre, y goza sintiéndose vivo, como el que, maltrecho y todo, se escapa de un trance de muerte. Si la villa se remoza, se alegrarán los nietos de mis amigos; de aquí a cincuenta años, nacer o vivir en Madrid puede que sea nacer o vivir en alguna parte. Sin coherencia ni densidad, al

Madrid de hoy le falta el galardón de la madurez inteligente. Ni gusto, ni estilo.

A Madrid le cupo en suerte estilizar la decadencia de España; de la gloria apenas si conoció más que el orgullo; de la grandeza, el empaque; de la opulencia, el sinsabor de haberla disipado. La villa debía de ser entonces horrenda, fosca a pesar de esta luz, pero destiló los residuos de un espíritu ya amanerado y sutil, y ardió con una llama quizá venenosa, única: pocos espectáculos habrá visto el mundo como el de aquella hoguera en que vino a suicidarse una civilización peculiar, macerada por el fanatismo candente, la guerra, y el aislamiento. Fue Madrid, sus ingenios, su gusto, su público, quien redujo a líneas de arte ese mundo agonizante y su proyección profunda en el pasado. Quizá sólo en aquel tiempo haya sido Madrid verdadera capital de España, y por ello una gran literatura nacional es, de paso, por más de un rasgo, madrileña. A través de esas obras literarias se ve muy bien al pueblo a que iban dirigidas, sobre todo a través del teatro. Los mejores espíritus de la época arengaban desde las tablas, y al avivar en el auditorio la memoria poetizada de sentimientos y hechos colegidos en las gestas y en el ámbito nacionales, producíase la conmoción instantánea y contagiosa que sólo la palabra hablada suscita; el público no imponía su gusto en la mera estructura formal, imponía su alma toda, quería contemplarse en aquel espejo, y así, cada victoria del genio era el destello de una conciencia despierta aún, que se acendraba, y que ansiaba perdurar cuando ya apenas le restaba cuerpo donde albergarse. Por este hecho se mide el verdadero valor del advenimiento de la capital política a la primacía literaria; y como entonces no había un ágora, el pueblo madrileño, apasionado por su teatro, entretuvo el hogar único donde las esperanzas, los ensueños y los devaneos del espíritu de la gran familia ibérica hablaban en libertad. Prodújose el fenómeno propio de las grandes épocas de unidad espiritual, que a veces sobrevive y a veces se adelanta a la dislocación o al agrupamiento territorial: hubo una materia poética común a todos los rangos de la sensibilidad, y que, elaborada por los mejores con insuperable dignidad de estilo, era popular.

Madrid dimitió esa función presidencial en beneficio de nadie, o más bien se quedó sin asamblea en que presidir. Yo tengo escasa afición a lo pintoresco, y al repasar la tenue vida de Madrid en sus dos siglos de estupor, muy cumplidos, algunas de las flores madrileñas más preciadas, lejos de envanecerme, me humillan. Índice de la vida de España, Madrid se encogió, se achicó, recociéndose en su propia salsa, y tuvo un orgullo de pobre, ese orgullo que pretende hacer de la necesidad virtud y se revuelca en ella, y la exhibe como para afrentar a quien no se aviene a compartirla. Fue el Madrid oficinesco y jacarandoso, sin contradictor interno, sin idea de sus fines, que decía: «De Madrid al cielo, y allí un agujerito para verlo». El día en que Madrid, encerrado en sus cuatro tapias, vio que empezaban a disputarle la primacía, se dio tal vez cuenta de que a un localismo rival no puede oponérsele otro localismo sin trascendencia, y que lo plebeyo madrileño no debe pasar de ser una curiosidad de barrio, jamás un valor de circulación nacional.

En las promesas actuales de renacimiento madrileño abundan las pruebas de nuestra buena voluntad. Madrid revive sin memoria, y acaso hagamos otra capital y otra España sin visible soldadura con los valores esquilmados. Como es hoy un islote adyacente a un mundo en que apenas participa, Madrid, para advenir a centro director, quisiera empezar a enterarse y a no quedar siempre mal. Pero le falta el archivo de la experiencia, y anda sin tino ni contraste, dando tumbos entre la ingenuidad y el recelo. Tan pronto se pasa como no llega, y le ocurre lo que al paleto desconfiadillo y crédulo, que siendo el hombre más prevenido contra los timos, apenas pasa día sin que se deje timar. Nótese el respeto y veneración con que Madrid oye el «argumento de cultura», aunque consista por lo común en simple expresión verbal. Sólo el argumento patriótico le aventaja, y cuando luchan, que no es raro, el patriotismo vence. Esa es la delantera que les llevamos a los pueblos semi-bárbaros, donde la idea de cultura tiene tanta fuerza que sirve para arrancarles en su nombre la independencia. La cultura en Madrid se emplea para todo: para rogar que no se escupa, o lanzar una empresa industrial, o cohonestar la pedantería, o defender un arte pedestre, o proscribir la jovialidad del humor. Es broquel imperforable que sirve, cuando menos, para detener el primer golpe. Luego cada cual, puesta la ropa en salvo, nada como puede. ¡Y qué de negocios hemos visto, que en otras partes se contentarían con la etiqueta de su utilidad, autorizarse en Madrid ante los pazguatos con las ínfulas de la cultura! Eso comprueba el vigor del resorte, y le da a Madrid cierto viso de pueblo colonial. Pero el simple respeto exterior y afectado es, si se compara tiempos con tiempos, una adquisición formidable, y lo

mejor sería cultivarlo hasta que cale y deje de ser el cobertor de un
desdén profundo que ya no se atreve a ser cínico. En rigor, la mente de Madrid no es aún bastante afilada para escindir y disecar las
especies intelectuales, ni las especies intelectuales mismas son aquí
tan robustas y varias que puedan ni necesiten combatir entre sí para
que las mejores sobrevivan. Esto es lo que explica y disculpa la buena voluntad con que Madrid se amolda a las conclusiones provisio-
nales de los aprendices. En Madrid, el triunfo es de los que empiezan. Es que no hay crítica, me dicen. Cierto; o más bien la crítica
es proporcionada al vigor de las obras que se producen. Un caletre
bien formado y amueblado, puesto a tasar lo que hay aquí con un
criterio valedero para más de seis meses, no tardaría en granjear
fama de caníbal. O por lo menos, tendría que degollar a muchos
inocentes, cuando lo mejor es quizá dejar que sigan viviendo a crédito hasta que sus esperanzas y las nuestras acaben por fructificar o
se marchiten solas. Todo hombre que se parapeta detrás de unas
gafas y se recalza el sobaco con un cartapacio henchido de papelotes, y calla, abrumado por la gravedad de sus descubrimientos de
principiante, me parece respetable, y estoy pronto a seguirle una
vez y otra hasta los bordes de los Mediterráneos que invente. Así
hace, por lo común, Madrid, que no se acuerda de nada, y retorna
sin cesar a la experiencia fatigosa de un aprendizaje interminable.
Madrid descubre cada lustro, incluso cada año, el amor, la ambición,
la santidad, el poderío, y se acoge gustoso, sin otra espera, al doctrinal obligatorio que el corazón joven promulga. Cada lección de la
vida le duele como un chasco pesado. Si sus guías no tardan en averiguar que no hay cerros en Úbeda; que las lechuzas son blancas; que
las nieblas llegan puntuales al empezar Brumario (después de todo,
éste no es un país tan mal gobernado), Madrid, incapaz de humorismo, se llama a engaño. Les vuelve la espalda, y los maestros aban-
donados gastan la maestría en probar que sus móviles aventajan en
pureza a los apetitos de los predecesores que fracasaron. Pero Madrid no aprende. Su experiencia es discontinua. Lo repone todo en
el punto de partida. Y habiendo oído preguntar tantas veces con
voz trémula

> por qué están las dos osas
> de bañarse en el mar siempre medrosas,

no se le ha ocurrido, para poner a prueba la calidad del lirismo, mandar a la escuela a los preguntantes, no sea que se trate de simple ignorancia de la astronomía. Pero ese sería el Madrid docto y avisado que está por nacer.

Madrid, sin ser todavía el reino de Dios, es ya el Edén de los mendigos. Madrid incuba pordioseros, acoge a los de fuera, los protege, los retiene. Circular por Madrid es hender masas de miserables —ciegos, tullidos, pustulosos—, que acosan, o gimen, o cantan, o blasfeman, o insultan, o profieren amarguísimas sentencias sobre el valor de la vida y de los bienes de este mundo. El paseante, si no mendiga, parece un intruso en ese vasto coto de la hermandad de la roña: los dueños son los pobres, y en cuanto llegado el estío se marchan de Madrid las dos docenas de familias a quienes su fabulosa fortuna les permite no vivir de limosna, la capital queda por suya. Madrid es un asilo suelto.

Sería un exceso decir que envidio a los pordioseros; pero los admiro, como a gente capaz de adaptarse, sin vacilación, al género de vida más acorde con el ambiente. En Madrid, donde todo está prohibido, cada cual hace lo que se le antoja. Recontar las vejaciones a que uno vive sujeto, desde la Constitución del Estado hasta el minúsculo deber de conservar los billetes del tranvía, pasando por los mandamientos de la Santa Madre Iglesia y el Reglamento de la Sociedad Filarmónica, es operación penosa y aflictiva. Un madrileño observante viviría emparedado entre ordenanzas. Pero Madrid es incoercible: el buen madrileño «se mata con su padre» por mantener su prestigio personal, fundado, como se sabe (reminiscencias del fuero de hidalguía), en el privilegio de hacer alguna cosa que al común de los mortales se le prohíbe. La cualidad de madrileño se adquiere poco a poco, a medida que se aprende a quebrantar con desenvoltura normas que sólo acatan las gentes sin importancia. La vida en Madrid es un compromiso, renovado a cada minuto, entre arbitrariedades individuales. Los mendigos perfeccionan el sistema. Quienes, saltando sobre los falsos respetos humanos, profesan la mendicidad, abrazan una vida libérrima, sin Dios, sin Estado, sin Trabajo, vida anterior al pacto social, y se mueven con holgura entre dos infinitos de arbitrariedad: la limosna y la policía.

Los pobres de pedir cuentan en la villa con el apoyo de la opi-

nión pública. Ante todo, por la secreta admiración de quienes no
se atreven a mendigar y quisieran una libertad igual para su orgullo. El público protege a los pobres contra la autoridad cuando de
tarde en tarde pretende darles caza para encerrarlos en un asilo. El
público (y no hay que decir los pobres, que se defienden a mor-
discos) acierta. Se sigue la angosta senda de la mendiguez por conservar el albedrío, prefiriendo a la pitanza la libertad. Encerrar a
los pobres es malear la profesión. Si algún estadista ininteligente,
abundando en la manía de ordenarlo todo, hiciera de la pordiosería
un organismo oficial, con su cuerpo de aspirantes, ingreso por oposición, escala cerrada, jubilaciones y derecho a usar uniforme, nadie
querría, en términos tales, ser mendigo. Después, los madrileños am-
paran y respetan a los pordioseros por motivos de religión. Los pobres son de Dios. Un pobre es el arquetipo del cristiano. Veinte siglos de cristianismo son aún más fuertes que veinte siglos de literatura, y aun en el incrédulo la vista de un pobre remueve, no se sabe
por qué, confusos remordimientos y pavor, reliquia de emociones
fenecidas. Perseguir a los pobres les parece una impiedad tan grande
como quemar a los muertos.

Los pobres se reparten el imperio de las calles e imprimen sobre
el rostro de Madrid sus dedazos mugrientos. Hay pobres de puesto
fijo, que Madrid está habituado a ver como partes integrantes de
los inmuebles junto a los cuales posan; si un día los quitasen, el
madrileño no se encontraría a gusto en sus calles, le faltaría algo,
como si la fuente de la Cibeles desapareciera por ensalmo. Sirven
para computar el paso rápido del tiempo, y uno se da cuenta de la
brevedad de la vida al observar cómo engorda y encanece la ciega
del jardín de Riera, y cómo se le apaga la voz al tullido de San
Luis, y cómo, en general, se estragan y arruinan los más recios ejemplares de la cofradía. Un puesto de pedir limosna, con su zona de
influencia bien definida y su parroquia fija, es uno de los negocios
más pingües a que pueden aspirar los jóvenes talentos sin empleo;
y las familias que por ventura poseen algún monstruo y consiguen
un lugar céntrico para exhibirlo, ya no tienen que preocuparse del
mañana. Menos importantes son los pobres que no están fijos, sino
sometidos a un movimiento de traslación rigurosamente medido,
como el de los astros: pasan por los mismos sitios a las mismas horas: la ciega gorda y sentimental, que aún no ha concluido de cantar
al son de su guitarra el vals que empezó hace veinte años; el ciego

de la ocarina; el empresario de teatros arruinado (según proclama
el cartel que lleva al pecho); ese otro ciego misterioso que recorre
solito todo Madrid sin más que imprimir al brazo derecho un giro
natatorio; el chicuelo que clava en el cráneo de sus clientes un horrible cantar, a grito herido (voz impostada en el entrecejo), mientras su acompañante, mocosa soñolienta, pasa el platillo de latón
(¿hay algo para el pobre ciego...?) y se restriega los párpados: tales
son los más notorios de esta categoría. Debajo pululan las tropas
ligeras de la hermandad, que libran batalla a toda hora y en cualquier terreno, saquean al liberal y asedian al escaso, se despliegan
entre dos esquinas, se concentran sobre un café, envuelven a las
familias dadivosas, cortan la retirada al transeúnte esquivo. Son tantos y enseñan tales miserias, que algunos días Madrid parece una
ciudad atacada de la peste. Los muñones, las llagas, las cicatrices,
por muy horrendas que sean, no pueden esconderse: son el orgullo y
la mejor arma de los pobres: hay que resignarse a verlos, como nos
resignamos a ver los caballos destripados en la plaza para que haya
fiesta.

No a todos les repugna la miseria astrosa. Hay quien come y
bebe en la terraza de un café, conversando amigablemente con un
mendigo que, en pie a su lado, paga con chuscadas la limosna. La
buena armonía en que viven ciertos pobres con los señoritos madrileños es un espectáculo único en el mundo. En los cafés de moda,
donde se reúne la gente aficionada a exhibir sus módicos placeres,
circulan los mendigos por entre las mesas, se mezclan en la conversación de la clientela, conocen algunos de sus enredillos, le sirven de
correveidiles, hablan el mismo lenguaje y, en el fondo, tienen las
mismas aspiraciones e ideas. En la otra punta de la escala, el señorito es también un caso de adaptación cabal al ambiente. En Madrid,
para no chocar, hay que ser mendigo o señorito, y de hecho, un
señorito suele ser un pordiosero en vías de hacerse.

La mendicidad presta a la vida de Madrid un tono patético que
por otros lados no tiene. El hecho trivial de rehusar un periódico
se complica con emociones penosas cuando una voz lastimera nos
dice que es «para ayuda de un panecillo», o «para dar de comer a
estos niños»; al salir del café, en las noches de invierno, se tropieza
con turbas de chicuelos desnudos que brincan de frío en el asfalto
y hacen chistes a costa de su hambre; y si es en verano, «cuando
los pobres viven», no falta ninguna noche esa pareja de ciegos que

con voces cavernosas canta: «¡Shiquiya, shiquiya...! ¡Shiquiya delarmamiáa...!». Y uno se aflige pensando que la copla, la guitarra, las voces y el imbécil expresionismo de los ciegos, despiertan en los oyentes una congoja placentera... En fin, los mendigos están en Madrid para curarnos de vanidades. Ellos, personalmente, no sufren nada; su vida no es menos fecunda en goces que la de cualquier mortal. Hace años andaba todavía por esas calles un mendigo monstruoso, cargado de años y de enfermedades, en verdad horrible de ver. Se arrimaba a los transeúntes, y recreándose en el asco que producía, rezongaba: «¡Señorito, tengo más hambre que un oso... Estoy más aburrido que la virgen, señorito!». Alguien le aconsejó un día: «Mira, tú ya no puedes vivir mucho: y para lo que haces en el mundo... ¿Por qué no buscas la celebridad? Coge una bomba y tírala desde el gallinero del Real...».

—¡La vida es muy amable, señorito! —respondió.

Madrid, apenas habitable el resto del año, me place en octubre —si la otoñada es benigna y nos regala, tras las tormentas de septiembre, remedo de abril, con días suaves, de luz tranquila, propicios al devaneo ambulativo. Sólo en otoño está Madrid en su ser. Mayo florido es un mes cargante, sin más día pintoresco que el día dos, en que los milicianos, barruntando a Murat, plantan sus tiendas y emplazan un cañón al pie del Obelisco, y cruzan el fusil ante el peatón asustadizo, diciéndole con voz grave: «¡Atrás, paisano...!». La primavera, cuando la hay, tiene en Madrid demasiada sazón. Le sobran sugestiones violentas; sus promesas parecen amenazas. Es desmedida, como la pasión de los que matan por amor. —En primavera, llena el ámbito madrileño la torería—. En verano, ya se sabe que Madrid no existe. Lo devora el sol. Los madrileños emigran, o revientan como las chicharras el día mismo de Santiago (cornadas en la capea de Vicálvaro, puñaladas en la corrida de Alcalá); redúcese la vida de los que permanecen a las funciones vegetativas; triunfa en la calle, a su modo, el pueblo menestral; comilonas nocturnas sobre el asfalto abrasador de las glorietas, tertulias a lo largo de las aceras, música de voz y guitarra a la puerta de la taberna; fuera de eso quedan la miseria triste, las pretensiones abortadas de unos pocos, y los señoritos que a las altas horas pasan en manuela por la calle de Alcalá, de vuelta de las verbenas haciendo la vida del hombre malo. El otoño devuelve a la villa su equilibrio y a nuestro ánimo el reposo. En otoño los madrileños están de mejor humor; su semblante parece menos hostil, menos agresivo su mirar. Acaso el otoño nos exime de una vida estrictamente urbana; Madrid es menos riguroso, porque le necesitamos menos. Contados son los días clementes; Madrid traspone el telón brumoso de las Ánimas, y se arroja en el invierno. La urbe nos atenaza de mil modos, los humores se destemplan, se articulan gestos de violencia sin objeto ni fruto. Violencia exacerbada en los modales. Violencia en la expresión de los gustos: hay conciertos que parecen sesiones patrióticas del Congreso. Violencia en las opiniones: el autor de este melodrama es un Sófocles, este grotesco rimador, un Lope de Vega. Llena el ambiente madrileño la politiquería. Madrid fatiga el telégrafo con las vanidades de los tiburones parlamentarios. Llegada la primavera, le entregan la antorcha al torero.

El Madrid antiguo me lo imagino siempre con luz de otoño: para el caso, Madrid se abisma en la antigüedad cada ayer; todo lo más, cuando el recuerdo personal se borra. La villa vive al día, no deja rastro apenas, no se defiende contra el tiempo. Nada evoca menos que Madrid. Ha devanado sus siglos en silencio; lleva a cuestas un pasado sin fechas, sin perspectiva ni relieve. Su luz ha debido de ser esta luz de octubre, que pone olvido del mundo y torna amable la vida mientras se toma el sol; pero también parece que la vida misma se apaga cuando la luz se va. Madrid venía a ser un personaje harto desvencijado, con menos años que achaques y más pretensiones que talegas, retirado en sus tierras, divirtiéndose con poco en sus holgorios caseros, sensato hasta aborrecer las aventuras, campechano y servicial, pero mal provisto para visitas de cumplido; en fin, «hombre de recato, de los de en mi casa me como, y otras hidalguías celosas, cartujo de alojamiento, atusado de visitas, calvo de amigas». Tenía una solana para los días despejados del invierno, una huerta para explayarse en verano, las noches de más calor se aventuraba a bajar al soto y a una alameda al borde del río.

Madrid, hidalgo perezoso, rural como quien más, vivía de las tierras, suyas o ajenas, y de lo que le daba un pequeño comercio que había puesto a nombre de un pariente pobre traído de provincias. Pero a fuer de señorito, no había visto nunca el campo. Sírvale su fealdad de disculpa. Para hallar algún deleite en la visión de esas calmas, de esos yesares, de esas lomas áridas que asedian a

Madrid por las tres cuartas partes de su perímetro, hay que ser algo poeta o un mucho usurero. Los lugares amenos de estos vallecitos carpetanos son del rey: Madrid, para no ahogarse de polvo en los espartales de San Blas o en los altos de Maúdes, tenía que meterse en un café o hacer la revolución. Y de hecho, la conquista del Retiro, único «campo» que los madrileños han sabido gozar en medio siglo, quizás es el legado más valioso, sin duda el más durable, de aquella «España con honra» parida por la algarada de septiembre. ¡Y hubo que derribar para eso un trono centenario! ¡Qué no habremos de hacer para adquirir la Casa de Campo!

Desde el Retiro ha vuelto la villa a dirigir una mirada desdeñosa a los andurriales de Vallecas, ya de antiguo aborrecidos. En estos años, Madrid ha oído hablar del paisaje castellano, del horizonte castellano; el tema de la meseta y sus hechizos, entronizado por dos o tres buenos poetas, ha degenerado en muletilla de juegos florales; Madrid se ha resistido a tomarlo demasiado en serio. «¿El horizonte castellano? —se dijo— ¡Veámoslo!» Y en el paseo de coches alzó un tabladillo —como un mozo travieso que arrima una mesa a la pared y sobre la mesa pone una silla y se encarama a lo alto— para asomarse por encima de las tapias del Retiro. «¡Ah! ¿Es esa la conmovedora parda gleba, el sayal franciscano, la tierra madre?» —exclamó, cegado por las nubes de polvo que levantaba un regimiento de artillería al avanzar fieramente por el camino viejo de Vicálvaro. Y no ha vuelto más. Al mirador del Retiro se asoman algunas extranjeras curiosas que fundan un sistema de historia española en la desolación del Cerro de la Plata y el provinciano a quien, por tanda, le corresponde oír y «ver» que el Cerro de los Ángeles es, en efecto, el centro de España.

El paseante madrileño, ni poeta ni usurero, egoísta tan sólo, propenso a la contemplación, se angustia al trasponer los chopos que bordean los altos del canalillo. Virtud de la luz de otoño alumbrando estos collados, es mostrar desnuda su paz lúgubre. Yo no he visto nada más triste que esas cuestas lustrosas, de visos leonados —el estío ha curtido los rastrojos— con un asilo, un hospital, un convento de ladrillo flamante, agrio, en lo alto; o que esos arrabales donde los hoteles alternan con los muladares. Madrid lucha aquí con el desierto, pero con poco gusto de embellecerse la vida; el desierto lo acoquina. ¿Y si hubiese habido en esta parte bosques tupidos, praderas y fuentes, hoy perdidos? Todo es posible. Al otro lado de Madrid, al pie de la Moncloa, hubo unos jardines de bella traza, deliciosos, que hace años vimos arrancados, y hechos leña los árboles viejísimos, para ensayar en el terreno un cultivo intensivo. Cuéntase que Carlos III defendió durante sus últimos años la vida de un árbol del camino de El Pardo. Y el rey le decía: «Cuando yo muera, ¿quién te salvará, pobre arbolito?». Aquel rey beato y de pocos alcances era, por lo visto, un sentimental, y ya presentía el advenimiento del técnico desalmado que esgrime su suficiencia contra la amenidad y la fantasía.

Madrid —lentitud, desbarajuste, trabas inútiles— se compendia en el tranvía. El jaulón con ruedas que arranca a trompicones, se enhebra por calles tortuosas y va de atasco en atasco, preñado de broncas, dejando a los clientes frustrados, boquiabiertos, al margen de la vía, es una pieza capital de la armazón madrileña, y si todas las restantes se perdiesen, ella sola bastaría para reconstruir nuestro sistema urbano. El tranvía es espejo de las costumbres —como el teatro—, pero no las corrige, ni mucho menos deleita, misión que le achacábamos al teatro en clase de retórica; antes las recoge, las encauza, propiamente las encarrila para sacarles fríamente el jugo. El tranvía zurce corruptelas dispersas; celestinea entre la tardanza y el mal humor; acopla la suciedad con el despotismo. Todo ello es acarreo de la villa, que, a lo mejor, se espanta viéndose así condensada en el tranvía. Madrid entonces pretende que el tranvía es una calumnia que le levantan; pero no: nada hay dentro del tranvía que no vaya suelto por esas calles. Hasta el hedor: si en el interior del tranvía hiede a cinematógrafo, eso lo pone el público, el mismo público que en el cinematógrafo hiede a tranvía. Es más que un achaque de la capital. No le diré, pues, a Madrid: «Me duelen nuestros tranvías» (como a algunos les ha dolido la Península ibérica) reeditando otra parodia del *j'ai mal à votre poitrine,* que inventó una *preciosa* memorable. Más propio es encaramarse a la torre de Santa Cruz y gritar desde allí, como almuédano delegado por la Academia de Ciencias Morales y Políticas: «¡Hermanos, las ciudades tienen los tranvías que se merecen!».

El tranvía es el vehículo perteneciente al esbozo de progreso material que apuntó en Madrid hace veinte años; se entiende el tranvía con trole. Cuando España acabó de perder las colonias, el tranvía empezó a perder las mulas; sucesos correlativos inaugurales de un período histórico. No lo hemos olvidado: hubo renovación espiritual y apetencia súbita de ventajas y adelantos prácticos; descrédito de oradores; auge de inventores, adornados con el prestigio que les usurparon después los pedagogos: constitución oficial de la «generación del 98», con escala cerrada y amortización de las vacantes; disquisiciones doctas acerca de la aptitud política de la raza. Se comprendía que aquí iba a pasar algo. Madrid fue perdiendo la calidad de apacible lugarón manchego: llegaron unas cupletistas francesas: los señoritos se vestían de frac para asistir al primer *music-hall* del Alhambra; de la Puerta del Sol salió una mañana el tranvía eléctrico del barrio de Salamanca: pareció máquina mortífera, innecesaria (¡en Madrid no hay distancias!), y se la obligó a ir despacio (¡qué más quería ella!) para que los peatones pudieran pasearse tranquilamente, sin mirar atrás, por entre las vías. Desaparecieron los encuartes: golpe mortal para lo pintoresco madrileño. Las mulas en reata, que bajaban al trote la cuesta de Atocha, rebotando los ganchos en los adoquines, con un bigardo caballero en la grupa, ¿qué se hicieron? Y el desconcertado coro de blasfemias, trallazos, voces y patear de cascos herrados, áspera ofrenda de la exasperación de Madrid, ¿no lo echan de menos las hostiles divinidades carpetanas? Así como la introducción de la libertad ahuyentó a los frailes, y la del agua de Lozoya dispersó a los aguadores, el fluido eléctrico acabó con las mulas del tranvía y sus encuartes. Pero, al fin, de la especie fraile y de la especie aguador —ornamento del viejo Madrid, único en las galas— se sabe lo que ha sido: el fraile ha vuelto, y los aguadores, soltadas las cubas, se abatieron sobre los ministerios, embajadas, senadurías y otras gangas; los más generosos se pusieron a capitanear movimientos de opinión. En cambio, de las mulas nada se sabe. No es creíble que se hayan extinguido; cierto que los híbridos... Pero también los frailes son híbridos, si no de nacimiento, por vocación y de resultas, y la especie sobrevive, pese a la esterilidad de sus individuos.

Error fue el de amputarle las mulas al tranvía, propio del aturdimiento en que nos sumió el desastre. La nación bebía los vientos por el europeísmo y aceptaba a tontas y a locas cuanto viniese de fuera, sin pararse a meditar si era conforme a nuestras tradiciones y al genio de la raza. El tranvía eléctrico estará muy bien en el extranjero, pero lo que es aquí ha sido un fracaso; la prueba es que no anda. Cada pueblo tiene sus móviles peculiares; es inútil pretender cambiárselos. La mula, animal español por excelencia, más típicamente español que el toro, es la bestia que mejor cuadra a sus compatriotas racionales, mirados como carga transportable. La mula es áspera, brava, testaruda, personalista; pero esos defectillos no son sino espinas de la bondad e ingenuidad radicales de su carácter. Es sufrida, sobria, recia; levanta los cascos de buen grado, pero en varas o en ganchos, en reata o en bolea, acaba siempre por tirar; sólo es variable el número de palos que necesita. Las mulas se han asociado mil veces a los destinos de la Patria; los sucesos capitales de nuestra historia han pasado casi siempre en mula, o se acometieron en mula; desengancharlas del tranvía fue un atentado de leso espíritu nacional.

Entre los carros de la carne y los carros de los muertos (que son los otros medios de transporte más notables de Madrid) el tranvía sin mulas está haciendo, en mi opinión, triste papel. ¿A qué se debe la grandiosa apariencia del carro de la carne sino a la bien entendida restauración de la reata de mulas, tras un destronamiento fugaz? Las cinco bestias, el carro de gran porte que se bambolea y derrumba de un adoquín a otro, y los cuatro bípedos verdinegros, untados de grasa, con sus blusillas cortas y sus trallas, que con un estentóreo ¡¡Rrr... oooh!! gobiernan el rumbo de las caballerías, forman un cortejo único, inolvidable, enviado por los barrios bajos a las sumidades de la villa a boca de noche, y pasan sonando, tronando, apestando, con bazuqueo y roce de carnes desolladas y batir de los tendales de cuero que sahúman al vecino con el vaho de la sangre. ¡Pavorosa máquina! ¿Es la recogida de los muertos de una gran batalla, o pasan los relieves del festín de Moloch, o es la comitiva triunfal de una subraza de caníbales que lleva los cuerpos de sus víctimas a alguna escondida caverna para devorarlos a placer? Junto a esa visión truculenta, el tranvía, muy fértil de por sí en vejaciones y percances, se nos antoja un poco insulso, una especie de comedia casera para familias burguesas y gentes de buen conformar. Lo mismo si se le compara con el carro de los muertos. Todos juntos previenen las postrimerías del madrileño. El catecismo conoce cuatro postrimerías del hombre natural; las del madrileño no pasan de tres, pero son horrendas, y no hay ninguna que corresponda con la postrimería gloriosa de los justos. Ir en tranvía, o colgado de un gancho en el carro de la carne, o abrigado en un coche estufa de las pompas fúnebres, son las tres últimas cosas que pueden sucederle al habitante de Madrid, a poco que propenda a trasladarse. Incluyo lo del carro, porque, sobre no estar muy cierto de la condición que sus clientes gozaban en vida, reliquias de espíritu franciscano me incitan a considerar los cuadrúpedos como hermanos menores y los saludo, cuando los veo pasar abiertos en canal, como a convecinos frustrados. De igual modo, veo en los ocupantes temporales del coche fúnebre a nuestros convecinos más sensatos, que optan por ausentarse definitivamente, descontentos y fallidos en su calidad de pasajeros. Se adivina que, resignándose a perder de una vez todo el tiempo que tenían, se han tumbado para hartarse de dormir, diciéndole antes al cochero: «¡Por horas! Un paseo hasta las afueras. Ve despacio. ¡Hace un sol tan hermoso!». Son los únicos viajeros que están seguros de llegar a su destino. Pero no se dan cuenta del ridículo aparato con que los llevan; de no ser así, poco tardarían en rebelarse. Ni perciben las palabras impías que se pronuncian a su paso. Siendo yo estudiante de leyes, volvía con unos compañeros de no sé qué lección práctica, y como nos cruzásemos con un entierro, el docto catedrático que nos acompañaba dijo:

—¡Mirad, hijos; llevan a enterrar al *de cujus*!

Tampoco se dan cuenta de la loca alegría que respiran los acompañantes del duelo. Quien se para a mirar el desfile de los coches de un entierro sorprende, ventanilla tras ventanilla, en los rostros que no se creen observados, todos los matices de un regocijo animal estúpido; el regocijo de quien acaba de salvarse de un gran peligro. ¡Imaginan que no se han de morir! Y van dulcemente mecidos por el deleite de hacer coro en un suceso aciago que, de momento, los deja indemnes. Pero lo que asombraría verdaderamente a los muertos, si lo viesen, sería el barullo y la prisa con que los enterradores regresan a Madrid, una vez desembarazados de su carga; ponen los caballos al trote; se despojan, haciendo un montón con ellas, de las insignias funerarias (bastoncillo de zahorí, como para alumbrar muertos ocultos; peluca de estopa rucia y sombrero bicorne): parecen mascaradas y cabalgatas de Carnaval, que al llegar la noche, rendidas de vocear y correr, abandonan el jolgorio.

Yo no creo que los muertos de Madrid viajen con tanta aflicción como aquel de la fábula:

Un mort s'en allait tristement
s'emparer de son dernier gîte;
un curé s'en allait gaiement
enterrer ce mort au plus vite.

¿Tristemente? En Madrid, morirse es cordura. Si el saltatumbas le despacha *au plus vite,* el muerto se ríe de él y de la vana agitación de los enterradores. Los madrileños conscientes se mueren por sustraerse al tiempo, por bogar en la eternidad, por dar a su vida el fondo perteneciente a su ritmo lento. Como viajeros, los muertos son los únicos madrileños que organizan su experiencia personal y saben la inutilidad de tener prisa.

No así el madrileño que persiste en viajar en tranvía. Es un tipo atolondrado, pueril, para quien llegar a la Glorieta de Bilbao o a la Puerta de Atocha vale la pena de zambullirse en el remolino de groserías y arbitrariedades vejatorias que asalta los coches. Aún no se ha abierto bastante camino la idea de que el tranvía es sólo un lugar de esparcimiento y recreo para familias modestas, campo de operaciones de galanteadores furtivos, vehículo de enfermedades infecciosas, depósito ambulante de malos humores; pero no carruaje que puedan utilizar las personas que se estimen. En tranvía viajan las gentes más feas de Madrid; sobre todo en verano; son los clientes de Bagaría. Viajan también los más pazguatos: los que toman la dirección contraria, los que nunca saben el precio del billete, los que le cuentan al cobrador, al guardia, al viajero contiguo, adónde van y con qué motivo. Viajan los más impertinentes; los que ocupan el estribo o la portezuela como finca propia, las familias que discuten sus asuntos íntimos en el instante de subir o apearse, conciertan bodas, organizan excursiones, se recomiendan negocios y cambian prolongados y tiernos adioses. Viajan las señoras gordas, los viejos perláticos, y esas hembras temibles rebujadas en un mantón de ocho puntas, con una cesta en el brazo izquierdo y un chiquillo en el derecho. Viajan los peor educados, que compiten en aspereza de genio con el conductor (quien apuñala con los ojos el espacio y da vueltas a la manivela con igual furia que si le retorciese el pescuezo a su mayor enemigo), y con el cobrador (que nos alarga, entre reniegos, el billete, bien untado de saliva, especie de cédula de excomunión). Viajan los conquistadores castizos: uno muy moreno, cejijunto, de bigotes puntiagudos, de pavoroso mirar, que al mismo tiempo subyuga, protege y perdona a una jovencita que va en el interior... Yo, que siempre voy a pie, los desprecio. Pero a ninguno tanto como a estos dos: al hombre servicial, que abre solícito las barandillas de la plataforma para que salgan otros, o le avisa al conductor cuando han acabado de subir los viajeros; y al señorito que desde la acera sale corriendo para dar alcance al tranvía, y lo atrapa, y de un salto cae en la plataforma como quien cae de la luna, y mira sonriente a los demás viajeros mendigando un chispazo de simpatía, y no le hacen caso, y él se ve muy solo, muy extraño, y se azora, y no sabiendo qué hacer rompe a silbar el andante de Beethoven oído la tarde anterior en el concierto de Price. Este es el Gran Camarlengo del Augusto Colegio de Cretinos.

Madrid es una ciudad prehistórica, cavernaria. Un sabio nos lo dice, y yo lo creo. Más: me lo estaba dando el corazón. Siempre que escribo algo de lo mucho bueno que pienso de Madrid, trabajo me cuesta celar esta convicción profunda: Madrid es un pueblo del período protoneolítico; el oso del escudo rememora al primer ocupante de los cubiles madrileños, a un convecino de nuestros remotos abuelos. La ciencia, al suscribir tardíamente mis vaticinios, me autoriza para salir a la calle con un hacha de pedernal al hombro, emblema de madrileñismo. Estoy muy contento. «En aquella época —decía años ha el señor Salillas en una lección profesada en el Ateneo— a la mano del hombre le nació un diente: el hacha de piedra, el diente manual.» (Caín debió de presentir esa imagen desquijarrante y la realizó, armando su mano fratricida con una mandíbula multidentada.) Ese hombre, no sabíamos quién era, ni qué se proponía con llevar un diente en el puño; ni, menos aún, qué extravío del impulso migratorio le trajo a encastar en estas barranqueras, entre Alcorcón y Vallecas, donde tantos han estado y están que preferirían no haberlas visto. Pero ya lo sabemos: ese hombre fue madrileño como nadie; más que San Isidro, y que los majos de Goya; más que los personajes de *La Verbena*; vino a cosa hecha, a fundar Madrid, y nos legó el parangón eterno del madrileñismo. Ese hallazgo prolonga el surco del casticismo en el tiempo: el hombre paleolítico que, aspirando a estar en pie, se puso en cuclillas en el soto del Manzanares, esbozó la actitud en que se reconoce todavía la condición madrileña, como se viene reconociendo a través de los siglos.

Débese el descubrimiento a don Elías Tormo, catedrático si los hay, erudito de marca. Un periódico lo anunció en estos términos: «Historia de Madrid. Madrid en la época paleolítica». «¡Qué disparate! —me dije—. ¿No es Madrid una persona de la Historia? ¿Cómo hacer la historia de nadie antes de haber existido? En tal caso, si a mí se me ocurriera escribir la biografía del señor Tormo, podría hablar del oxígeno, del ázoe y del carbono, porque andan combinados en la materia de su cuerpo físico.» Mas, prosiguiendo en la lectura del periódico, pronto reconocí la frivolidad de ese discurso mío. No sólo existía Madrid en el período protoneolítico: existían también Vallecas y Getafe; sus caracteres y su ocupación continua eran, al parecer, los mismos que hoy. «Los hombres paleolíticos —dice el señor Tormo— encontraron el pedernal en cerros inmediatos a Madrid, en Almodóvar y en Vallecas.» Iban, pues, a buscar pedernales a Vallecas, como vamos a buscar allí el yeso para hacer este Madrid, de quien tomará nombre nuestra época, llamándose del yeso vaciado. «Las características del hombre que primeramente habitó Madrid —sigue diciendo el señor Tormo— debieron ser frente aplastada, las cejas arqueadas, y no tenía barba ni mentón.» No era guapo el primer habitante de Madrid; ni escribía muy bien, que digamos; la verdad es que muchos en nuestros días no le sacan ventaja. Y tú, lector, arquea, como nuestros antepasados, las cejas, que es admiración o susto, y ráscate la barba o el mentón (pues ya los tenemos), que el rascarse esa parte es signo de recelo dubitativo, y atiende: «Por esqueletos encontrados se ha podido observar que su posición en pie era imperfecta...». (Es el hábito de permanecer en cuclillas. ¿Y no está hoy medio Madrid en la misma postura, en plena calle, a cualquier hora del día?) «Era, sin embargo, fuerte y grueso, aunque no de una estatura crecida.» (Como hoy: la vida sedentaria, las féculas, la mucha agua que bebemos, engordan.) «Era, *desde luego,* hombre poco inteligente, pero conocía el fuego.» (El señor Tormo coloca unos adverbios que espantan. ¿Poco inteligente, desde luego? ¿Sin poder ser de otro modo? Esa ley subsiste. Apuesto que los más de los madrileños son hoy en día poco inteligentes y conocen el fuego.) Tales señas bastan para afirmar la identidad étnica y política de Madrid desde la aparición del hombre sobre la tierra, en la edad cuaternaria, precisamente «a la hora del paleolítico inferior». (Por cierto, no sé a qué corresponderá en nuestra edad esa «hora». No se concibe que el criado nos diga: «¡Señor, es la hora del paleolítico!»)

Las semejanzas prosiguen. «Es difícil reconstruir la historia de los primeros habitantes de Madrid, porque hay verdaderas lagunas.» (Sí, sí: más que lagunas, mares.) «Hay épocas en las que indiscutiblemente Madrid carecía de habitantes.» Esto es muy raro. Madrid estaba ya hecho, pues de no existir no hubiera podido carecer de algo, ni, por tanto, carecer de habitantes. Tenía la armazón física: cavernas tiradas a cordel, derrumbaderos libres, y monumentos arquitectónicos de algún valor. Pero estaba desierto. Los habitantes se habían ido. Ahora también se van muchos en verano, pero lo raro es que se hubiesen ido todos, dejándolo deshabitado. La solución del enigma es gratísima para nuestro orgullo: los madrileños se fueron todos a ver una Exposición internacional de pintura. El señor Tormo lo da a entender: «Una de esas épocas en que Madrid estaba deshabitado fue seguramente aquella en que en el Sur de Francia y en el Norte de España aparecía la industria pictórica, que tiene su manifestación más interesante en la cueva de Altamira».

Algunos reparos pondremos a las conclusiones del señor Tormo: «Entramos en esta edad (la del bronce) sin haber encontrado en Madrid ninguna manifestación que dé señales de estar habitado Madrid». En primer lugar, no; el profesor Salillas, ya mentado, de quien aprendimos a discurrir por esta senda: «Planta es la de un edificio, planta es la que se adhiere al suelo, planta es la de los pies; plantilla la de los empleados de un Ministerio…, etc.», tiene capacidad sobrada para demostrar que en la edad del bronce se fundó la calle de Latoneros, y que la llamada «gente del bronce» es la reliquia de un clan de forjadores establecidos en Madrid desde aquella edad. En segundo lugar, el señor Tormo se contradice: «Sólo encontramos un monolito a la altura de Getafe». Tampoco ahora encontramos más; el monolito se ve desde el Retiro, y no hace mucho que los jefes de las tribus carpetanas lo inauguraron. Sin embargo, Madrid está pobladísimo. ¿Por qué, pues, no había de estarlo cuando el otro monolito de Getafe, el primero, se levantó para memoria de la dedicación del país a las divinidades ibéricas? «Sólo encontramos un monolito a la altura de Getafe —observa el señor Tormo—, pero sin ningún valor fundamental.» Es cierto: no vale nada.

El señor Tormo habla después de la cerámica de la estación de Ciempozuelos. Pero en esa estación no quiero entrar —aunque conozco al jefe. He roto ya demasiados cacharros.

Madrid es una dolencia de los madrileños, o un fenómeno donde se materializan (sin ilusión ni superchería) las fuerzas secretas que remotamente presiden en la existencia de estos vecinos: entre lo patológico y lo metapsíquico, dudo por qué camino he de buscarle explicación a la villa. Si el espíritu madrileño recobrase la salud, el Madrid presente se nos caería, espero yo, y arribaríamos a la plenitud vital que echo de menos; si a Madrid, sonámbulo, lo despertasen, nada quedaría de esta experiencia tan penosa, tan rara, como no fuese el estupor de haberla padecido. En ningún caso es normal nuestro Madrid; incita y no satisface; no habla ni oye; no retiene, acorrala. Es impedimenta gruesa: nace aquí un hombre, y por mucho instinto que tenga, pierde la vida en defenderse de Madrid, en ir tirando. La villa, aborto de una ambición que llora su fracaso, es de miel con los perdidos, con los ineptos; como tierna madre, los mejora; enturbia, para su consuelo, las diferencias del valor y la nulidad. No le falta discernimiento; le sobra cinismo: Madrid parece un desahuciado de la vida, para quien todo cede ante la evidencia del aniquilamiento inmediato; pero no incurre en santidad ni en sabiduría: es tolerante por desdén; dócil con rechifla. Es el limbo de los vanidosos: todo se logra en Madrid, a condición de ser fingido; todo el mundo es lo que quiere, si lo representa bien; nadie le va a la mano; puede lucir su papelón en este tablado, sin pena ni gloria: tal es de incongruente con la del mundo la vida en Madrid. Traer, por ley de nacimiento, la villa a cuestas, es vivir a regañadientes, gastarse en forcejeos contra la persuasión íntima, esencial, del madrileño: la inutilidad de haber nacido; es regatear el esfuerzo, por no dar prendas de nuestra conformidad con el hecho agridulce de existir, y no pasar por bobos cuando llegue el escarmiento postrero.

No es madrileño quien quiere. Alistarse «voluntario» de Madrid es fineza de hombre cortés o ensoñación de artista. El madrileño es un ente solitario que nada pone en sociedad; sus cualidades son privativas e incomunicables. No hay en Madrid un acervo común, engrosado siglo tras siglo, donde cada hijo de vecino adquiera, sabiéndolo o no, estilo, normas, y, a lo menos, modales. Existen ciudades contagiosas, que al punto invaden a quien las trata, le imbuyen su espíritu, o alumbran en el recién llegado alguna vena que hasta allí corría oculta; ciudades que embriagan a los snobs y atontan a los pedantes, pero saludables y deleitosas para quien inocentemente las ve: desde el primer encuentro, más que descubrirlas, las recupera. Existen ciudades hurañas, así como encantadas, presas en su orgullo fosco; no son para intrusos, quieren ser forzadas en su esquivez, y, a la larga, esclavizan. Madrid ni se entrega ni se niega; no tiene gustos ni los da: a nadie se le conoce que haya estado en Madrid. Es un accidente del rastrojo; un atasco en los caminos que van desde Alcobendas a Getafe: el bullicio de Madrid es desconcierto de encrucijada.

La soledad, el desengaño, al madrileño le vienen de casta. Quien no los hereda, sólo de oídas conoce el aborrecimiento y el desánimo donde se corrompe Madrid; nadie los formula, de vulgares que son; a nadie caracterizan; como han perdido el nombre, Madrid no los reconoce en aquella prenda que más alaba por suya: la sensatez, rasgo típico del pueblo todo (no sólo del menestral, aplomado y honradote), desciende de la conformidad; es el acto de resignarse mudado en costumbre, sin propósito deliberado ni acuerdo de la voluntad. Madrid no sabe bien por qué se ha de guardar de los podencos, pero lo animan las memorias confusas de un escarmentado, y sobre ningún perro dejará caer el simbólico canto. Es la herencia manchega. El madrileño de casta es un toledano —esto es, un manchego— descreído. Calumnia a la nación manchega quien ponga en La Mancha la sede del pancismo, o se imagine que el manchego es todo crasitud, mengua de fantasía, gustos ordinarios y prosaicos. El vulgo ha pensado que Cervantes, al plantar a don Quijote en la llanura manchega, buscó un contraste violentísimo y cómico, entre el ideal quijotesco y el prosaísmo basto de sus conterráneos. Es un error. Don Quijote sólo podía ser manchego. Andaluz, hubiese sido más sensual; castellano viejo, más duro; vasco, más terco, «más suyo», como Ignacio de Loyola, que ponía por justicia a sus perseguidores y sacaba testimonios judiciales de su ortodoxia; y si extremeño, don Quijote no hubiese esperado ser emperador o arzobispo; se lo habría propuesto decididamente, y lo hubiera sido. El mismo Cervantes era del reino de Toledo, y sólo podía crear un héroe a su semejanza, a lo manchego. Jarama y Tajo crían un bípedo imaginativo, proyectista, versátil, propenso a la tristeza, que roe el disfrute tranquilo de los bienes positivos con la aprensión de su fugacidad, y endulza los contratiempos más acerbos con esperanzas imposibles. Harto lo sabría Cervantes, a poco que se mirase. Un hombre vulgar hubiese rematado las aventuras de don Quijote con la ruina aparente de sus empresas, por imposibilidad material de darles cima. Cervantes las apuró hasta su término verdadero: el quebranto de la voluntad, la rendición moral del héroe, que cesa de creer en su propia vida, pierde la capacidad de forjarse ilusiones y muere de melancolía, acoquinado entre un sangrador y un cura. Si don Quijote cayó en el infierno, como es verosímil que cayera, pues se murió sin reparar muchos daños que hizo, ya estará curado de la desilusión que ennegreció sus últimas horas: los tormentos que padece se corresponden con la realidad de su paso por la tierra, y prueban que su acción no fue soñada, ni se disipó como el humo en el viento. Pero Cervantes no entrevió ese consuelo, porque era también —como yo lo entiendo— manchego.

Los madrileños heredan hoy la propensión a desconfiar, a desencantarse, enconada por la experiencia, porque son posteriores a la fase creadora del espíritu manchego. Lo que acertó a crear, en su mayor pujanza, nos exime ahora de comprometernos en ningún propósito, y nos permite acogernos a la tradición que desde el cura y el bachiller llega hasta nosotros murmurando. Por nada de este mundo consentirá un madrileño en parecer tan entrometido y majadero como parecía en ocasiones el bueno de don Quijote. Venimos también después de la fase crítica y moralizante de ese espíritu. Quevedo, madrileño gigantesco, no fue lo que se llama un hombre comedido, abstinente, parco. ¿Qué tal le pareció su vida en el ocaso? Un chasco pesadísimo; y su genio debió de antojársele un enemigo malo, que le prestó tan descaminadas querencias como los libros de caballerías a don Quijote:

> Yo soy aquel mortal que por su llanto
> Fué conocido más que por su nombre,
> Ni por su dulce canto;
> Mas ya soy sombra solo de aquel hombre
> Que nació en Manzanares
> Para cisne del Tajo y del Henares.

Llaméme entonces Fabio;
Mudóme el nombre el desengaño sabio.
Y llamóme Escarmiento.

Dícese que, en el fondo, los hombres de casta manchega no aman la vida. Quizás empiezan amándola demasiado, y van a dar en el despego, en el rencor, aborrecen la vida ingrata porque no es lo bastante pródiga y ferviente para llenar el cóncavo de sus almas. La injurian, porque no es infinita, como la vaguedad de sus deseos. Creyentes, se refugiaban en la soledad pavorosa del cristiano delante de su Dios; fiaban no tanto en Su amor como en Su venganza: la destrucción del mundo por la cólera divina vendría a ser el desquite de su escarmiento personal. Descreídos, como lo son ahora, ni aquel refugio intranquilo alcanzan. En nuestro día el sol nunca llega al zénit; desde el alba se barrunta la noche, la nada.

Madrid ha de explorarse desde dentro a fuera; sufrirlo primeramente, sin padecerlo; remar en la galera, como tantos forzados reman, aunque no lo conozcan. Sentir después los grillos, romperlos, arrancarse de la chusma, pesar la gravedad del destino. Todavía eso no basta. El secreto de Madrid se entreabre únicamente al espíritu contristado. Si esa lengua de fuego desciende sobre ti, ¡oh manchego insaciable!, en un Pentecostés de la melancolía, no habrás menester otra clave. El Madrid agrio y discordante de todas horas, irreductible a una explicación racional, opaco, tórnase manso y concorde, se somete, se deja traspasar por el rayo de tu tristeza. Vendrá a decirte que tu misantropía es la suya; que si tú desfalleces, él no alienta; que si tú vives por no esforzarte a morir, él ignora para qué ha nacido, ni a quién satisface con tenerse en pie. Se ofrecerá a recogerte en su arena, si ya eres náufrago... Los raptos de lucidez en que se anuda el coloquio son raros, y, al parecer, sin fruto. El mismo hombre que piensa haber entrevisto la verdad, recobra la categoría municipal, sale a la calle, y va, sorteando los charcos, a esperar el paso de un tranvía, bracea por ganar el estribo, como si le pagasen la faena, en lugar de tenderse fríamente sobre los carriles y que las ruedas, triturándolo, se comprometan en su evasión definitiva. Pero le queda la virtud de entender las horas culminantes de la villa que son en las madrugadas del verano, horas en que Madrid se apaga en su recogimiento funeral. Madrid no sabe qué opresor silencio guarda en las noches de la canícula; si lo supiera, no se dormiría. El callar de tanta gente solivianta a los perros, y ladran despavoridos, ladran en los solares, en los corrales, en los huertos; ladran por fidelidad al hombre, avisándole que no se duerma así en el filo de la muerte.

Pensarán que soy madrileño apóstata. No tal. Madrid, con su dejadez, su desconcierto, es mi rutina; no podría abandonarlo; equivale a mi modo de ser. Ponerle cara de pocos amigos es simple juego.

El madrileño, divertido en conocer la villa, en pensarla tal cual es, seguirá siendo un hombre feliz, mientras no abrace la pretensión soberbia de emanciparse. Quien viva en el Limbo, consérvese en él; y mantenga sus horas con poner motes a personas y cosas. No hay libertad para dejar de ser madrileño; ni arraigaríamos en otro suelo, si nos trasplantaran. El escarmiento nos ha vuelto díscolos, y sólo podemos vivir aglomerados, sin más nexo urbano que el censo electoral y el padrón de cédulas personales; a condición, todavía, de que esos instrumentos de dominio los fabrique y administre la voracidad forastera. Esta es la suma elegancia de Madrid, y así se hace amar, el muy cazurro, de los descreídos. No ostenta pretensiones colectivas, no promulga evangelios, no quiere fundar nada, ni descubre cada veinte años cosas olvidadas de puro sabidas. En sus entresijos se ríe de los luchadores, y a los hombres de presa les pone entre los dientes un zoquete de pan duro.

ÍNDICE